트렌드 코리아 2017

서울대 소비트렌드분석센터의 2017 전망

트렌드
코리아
2017

김난도
전미영
이향은
이준영
김서영
최지혜

미래의
창

Chicken Run

진짜 철조망은 우리 머릿속에 있다

"기대와 우려가 교차하는 2014년이다."

『트렌드 코리아 2014』 서문

"살얼음판을 걷는 듯하다."

『트렌드 코리아 2015』 서문

"벌써 몇 년째다. 세계경제의 불확실성이 개선되지 않고 있다."

『트렌드 코리아 2016』 서문

지난 3년간 〈트렌드 코리아〉 서문의 첫 문장만 모아 보아도, 우리 경제상황이 지속적으로 나빠지고 있음을 실감할 수 있다. 벌써 몇 년째인가? 한국 경제가 지리한 침체의 답보를 계속하고 있다. 2016년 9월 현재, 실업률(3.6%)은 11년 만에 최고치를 기록했고 청년실업률 또한 9.4%로 역대 최고기록을 갱신하며 청년구직자들의 고통이 커지고 있다. 한국은행이 전망하는 2017년 경제성장률 전망치는 지속적으로 하향조정되어 2.8%로 내려왔는데, 그것마저 지나치게 낙관적이라는 비판을 받았다. 대한민국이 더 이상 1980, 90년대와 같은 고도성장을 누릴 수 없는 상황이라는 점을 인정하더라도, 성장은 고사하고 최소한의 동력마저 잃고 있는 것은 아닌가 하는 우려가 든다.

그동안 서문을 집필하면서 주로 걱정한 것은 대외 환경에 관한 것이었다. 미국의 금리인상, 브렉시트(영국의 EU 탈퇴)와 유로존의 정치경제적 불안, 테러와 난민 문제, 유가하락에 따른 신흥국 경제의 침체, 중국의 연착률 우려 등 대외 리스크를 주로 우려한 데에는, 대한민국의 대내적 기초체력은 갖추어져 있다는 전제와 믿음이 있었기 때문이었다. 이제 2017년을 맞으면서 가장 우려스러운 점은 우리 경제가 과연 이러한 펀더멘털fundamental(기초)을 유지하고 있는가 하는 점이다.

삼성전자가 갤럭시노트7을 조기 단종하면서 '기술의 삼성'이라는 자부심에 상처를 입었다. 현대자동차가 국내외의 리콜과 판매부진에 시달리며 우리나라의 자동차 수출순위도 멕시코에 밀려 세계 4위로 주저앉았다. 문제는 이러한 현상이 몇몇 수출대기업의 개별적인 현상이 아니라, 우리 경제의 구조적인 문제가 아닌가 하는 의구심을 떨칠 수 없다는 점이다. 실제로 반도체·화학제품·기계·철강·자동차·선박·무선통신기기·석유제품·디스플레이패널·자동차부품의 우리나라 10대 수출품목이 전부 전년 동기 대비 마이너스 성장을 기록하며 뒷걸음질 쳤다.[1]

올해 다보스 포럼에서는 '4차 산업혁명'에 대한 논의가 나왔다. 1800년대 초 철도와 증기기관의 발명이 기계생산의 1차 산업혁명을,

19세기 말 전기와 생산조립라인의 등장이 대량생산의 2차 산업혁명을, 1960년대 이후 컴퓨터와 인터넷의 보급이 디지털경제의 3차 산업혁명을 이끌었다. 이제 세계 경제는 유비쿼터스 모바일 인터넷, 저렴하고 강력한 센싱기술, 인공지능과 기계학습 등 각종 기술들이 경계를 허물며 융합하면서 4차 산업혁명 시대로 진입하고 있다.[2] 예컨대 도요타는 "로봇에 미래가 있다"는 비전 아래 소형 대화형 로봇을 개발했고, 닌텐도는 증강현실 기술을 추억의 게임에 융합시킨 '포켓몬GO'로 세계를 들썩였다. 구글은 무인자동차를 개발 중이고 아마존과 테슬라는 우주개발에 투자하고 있다. 앞으로 4차 산업혁명의 결과에 따라 전 세계 산업의 지도는 통째로 바뀌게 될 것이다. 상황은 이렇게 급박하게 전개되고 있는데도 현실은 충격적이다. 한국의 4차 산업혁명 진행 속도는 말레이시아보다도 낮은 25위로 주요국 중 최하위권에 속하고 있다.[3]

2017년에는 이러한 정체를 깨고 새로운 도약을 기대할 수 있을 것인가? 무너지고 있는 내수 기반을 복원해 소비를 진작하고, 신속하고 과감한 규제완화를 통해 투자를 활성화하며, 중장기적으로 경제의 체질을 강화할 수 있는 구조적 개혁에 매진해야 한다는 점을 모르는 사람은 없다. 하지만 현실적으로 실천이 쉽지 않다. 먼저 공공 부문의 리스크가 너무 크다. 연말의 대통령 선거를 맞아 정치인들은 새로운 비전을 모색하기보다는 이전투구의 소모적 정치투쟁에 몰두하게 될 것이다. 대선이 있는 해의 공무원들은 복지부동한다는 평가를 받아왔지만 2017년은 상황이 더 좋지 않다. 정부부처와 주요 공공기관이 세종시를 비롯한 각 지역으로 이전한 이후 현실감각이 떨어졌다는 비판이 나오고 있는 터에, '부정청탁 및 금품 등 수수의 금지에 관한 법률'(소위 김영란법) 시행 이후 민간과의 접촉이 현저히 떨어지면서 정부정책의 변화동력을 기대하기 어려워졌기 때문이다. 유일하게 국내 경기를 떠받치고 있는 것이 부동산 열기인데, 이 역시 막대한 주택담보대출의 모래 위에 세운 성과 같아서 미국의 금리인상이 본격화되면 얼마나 흔들릴지 짐작조차 쉽지 않다.

대외적 경제여건도 서두에서 잠시 언급한 대로 긍정적이지 않다. 유럽과 신흥국의 정치적 불안이 상존하고 있으며, 세계 각국이 포퓰리즘 정치에 휘둘리며 반세계화적 신고립주의로 내모는 보호무역주의를 강화하는 추세다. 미국의 금리인상 가능성이 한층 높아진 가운데 일본과 유럽은 마이너스 혹은 제로 금리를 유지하면서 세계 금융이 대분기great divergence(미국과 유럽이 서로 상반된 통화정책을 펼치는 상황) 시대에 들어설 가능성이 높아졌다. 이러한 경제지형의 변화는 세계 각국이 이웃나라를 피폐하게 하는 '근린궁핍화beggar-my-neighbor' 환율전쟁으로 비화할 가능성을 높이며, 국제 금융 자금의 흐름이 매우 격렬하고 불안정하게 변동할 것으로 예상된다.

대한민국 경제의 사방이 철조망 울타리로 꽁꽁 둘러싸인 형국이다. 산업의 생산성이 전반적으로 정체하고 있는 가운데, 전자-자동차-조선-해운-철강-건설 등 우리나라의 전통적인 강세 산업의 국제경쟁력마저 날로 그 지위를 위협받고 있다. 그야말로 '퍼펙트 스톰perfect storm'이 몰려오고 있는데, 엔진이 고장 난 조각배에 선장도 구명정도 보이지 않는 형국이다.

'붉은 닭의 해'
경기침체의 울타리를 뛰어넘어 날아오르자

—

2017년은 정유년丁酉年 닭띠 해다. 닭은 우리와 무척 친근한 동물이다. 인간이 가금으로 가장 많이 사육하는 동물이 닭이고, 특히 우리나라는 '치킨 공화국'이라고 불릴 만큼 닭요리가 인기다. "꿩 대신 닭"이라는 속담이 말하듯 '차선책'의 의미도 가지고 있고, 아침을 깨우는 수탉의 울음소리는 '시기의 도래' 혹은 '희망'을 비유적으로 표현하기도 한다. 2017년은 새벽을 여는 수탉의 힘찬 함성처럼 희망의 여명을 불러올 수 있을까?

2007년 'Golden Pig'의 10대 키워드로부터 시작된 〈트렌드 코리아〉 시리즈의 전통은 그 해의 10대 트렌드 키워드 첫글자를 모으면 해당연도의 띠동물이 포함되도록 하는 것이다. 이에 따라 닭이 들어간 'Chicken Run'으로 금년의 키워드 두운을 맞췄다.

치킨런은 사전적으로는 '울타리를 둘러놓은 닭장'이라는 의미지만, 우리에게는 영국의 아드만 스튜디오에서 제작된 클레이 애니메이션 영화로 널리 알려져 있다. 치킨파이의 재료로 잡혀갈 위기에 처한 농장의 닭들이 날 수 있다는 희망을 가지고 탈출을 모색한다는 내용이다. '닭도 노력하면 날 수 있다는 꿈'을 포기하지 않는 영화 치킨런의 주인공들처럼, 철조망 둘러싸인 닭장 우리에 갇힌 듯, 정체국면을 벗어나지 못하고 있는 대한민국이 2017년에는 새롭게 비상하기를 기원하는 소망을 담았다.

또한 〈트렌드 코리아〉 시리즈는 매년 색깔을 정해 표지에 적용시켜 왔는데, 올해에는 핑크색을 선택했다. 정유년의 십간 정丁이 붉은색을 의미하고, 적색 계통 중 가장 부드럽고 대중적인 핑크가 2017년을 표현하기에 적당하다고 판단했다. 핑크는 붉은색과 흰색의 혼합을 통해 만들어지는데, 그래서 레드의 행동지향성과 화이트의 내면적 영감이 혼재된, 이중성을 가진 색이다. 핑크의 느낌은 매우 긍정적이다. 색채심리학적으로 달콤함, 유쾌함, 귀여움, 로맨틱함, 친절함 등을 의미한다. '핑크빛 얼굴'은 화색이 도는 건강한 얼굴이며, 화장을 할 때 볼터치로 가장 많이 사용되는 색이 핑크다. 그래서인지 핑크는 건강과 치유를 상징하기도 한다. 태국의 푸미폰 국왕이 와병 중일 때 국민들은 분홍색 옷을 입고 국왕의 쾌유를 기원했다. 딸을 낳으면 보통 핑크색으로 옷과 침구를 준비하듯이, 핑크는 전통적으로 여성적인 색으로서, 유방암 캠페인에서도 핑크리본, 임산부 배려석이나 여성전용 주차공간에도 핑크색을 사용한다.

이러한 핑크색을 통해 대한민국 경제의 건강한 활력이 회복되기를 희망함과 동시에, 여성의 정치·사회·경제 분야의 참여가 커지는 '우머노믹스womanomics'가 확산되고, 여성적 취향을 가진 남성, 즉 '핑크보이pink boy'가 증가하는 트렌드를 표현하고자 했다. 금년도 남성들에게 가장 인기 있었던 스마트폰 색상이 '핑크골드'였다고 한다. 또한 남성-여성의 구분을 짓지 않는 '젠더리스genderless' 트렌드가 대세로 자리잡고 있는 분위기에서 '핑크'는 2017년을 표현하기에 부족함이 없어 보인다.

2017년의 키워드

디플레이션 시대의 현재지향적 사고가 만들어내는 트렌드

—

우리 책의 10대 키워드가 결정되는 과정을 설명하면 다음과 같다. 먼저 2016년 1월 31일까지 본서의 키워드 탐색을 위한 트렌드헌터를 모집한 후, 그 중 선발된 227명이 3월 19일 워크숍과 단합대회를 시작으로 '트렌더스 날 2017'로서 활동을 시작했다. '트렌더스 날' 멤버들은 보통 한 달에 1개 정도의 트렌드보고서 '트렌다이어리Tren-diary'를 작성해 제출하는데, 여기에 서울대 생활과학연구소 소비트렌드분석센터의 연구원들이 1년 동안 수집한 국내외의 각종 트렌드 자료를 취합해 8월 20일 통합워크숍을 개최했다. 이 통합워크숍과 이후 여러 차례의 치열한 내부 세미나를 통해 1,000개가 넘는 키워드에 숨어 있는 소비가치를 분류하고 분석하고 재정의해서, 10대 트렌드 키워드가 도출됐다.

Chicken Run으로 압축되는 금년의 10대 키워드의 구체적 내용은 목차 뒤에 바로 이어지는 요약표에서 상세히 설명하고 있기 때문에 여기에서 자세히 논의하지는 않지만, 각 키워드들이 보여주는 방향성만 짚어본다.

먼저 디플레이션 시대, 내일을 기약할 수 없는 경기침체와 불안의 시대를 반영하는 키워드들이 부각된다. 지극히 현재지향적인 소비에 탐닉한다는 **지금 이 순간, '욜로 라이프'**, 소유하고 보관하는 물건의 소비보다 당장 즐기고 경험하는 소비를 중시한다는 **경험 is 뭔들**, 누구의 도움도 받지 못하고 혼자 알아서 살아남아야 한다는 강박관념이 만든 **각자도생의 시대**, 이러한 소비트렌드를 가장 앞장서서 이끌고 있는 20대 소비자를 일컫는 **나는 '픽미세대'** 등이 지속되는 저성장 분위기에서 도출된 키워드다.

최근 급속히 발전하고 있는 기술과 인구의 변화를 반영하는 키워드도 다수 있다. 소비자를 배려하되 드러나지 않아야 한다는 **보이지 않는 배려 기술, '캄테크'**, 소비자의 요구를 즉각적으로 반영할 수 있는 플랫폼 기술의 진보를 통해 가능해진 **소비자가 만드는 수요중심시장**, 1인 가구와 개인주의적인 사고방식의 확산에 따라 등장하는 **내멋대로 '1코노미'** 등이 그 예다.

몇 년간 지속되어온 불경기의 탓이 크겠지만, 최근 소비위축의 경향은 우려할 만하다. 이러한 소극적 소비성향을 반영한 트렌드 키워드도 관찰된다. 이제 소비자들은 무한정한 물질지향적 태도를 견지하는 것이 아니라 비우고 버리는 데서 만족을 느낀다는 **버려야 산다, 바이바이 센세이션**, 기존의 가성비만으로는 부족하고 거기에 프리미엄한 요소를 반영해야 소비자의 지갑을 열 수 있다는 **새로운 'B⁺ 프리미엄'**, O2O와 유통의 멀티채널 시대이지만, 과학화되고 체계적인 인적 영업활동이 구매의 '진실의 순간'을 만들 수 있다는 **영업의 시대가 온다** 등이 이러한 추세를 반영하고 있다.

• • •

〈트렌드 코리아〉 시리즈가 첫선을 보인 이후 8년째 같은 작업을 계속하고 있지만, 전혀 쉬워지지 않는다. 오히려 전년보다 더 나은 책을 선보여야 한다는 부담이 커지고 있다. 특히 개인적으로는 KBS 2라디오(수도권 106.1MHz)에서 매일 아침 7~9시 생방송으로 진행되는

〈김난도의 트렌드플러스〉라는 프로그램의 DJ를 맡게 돼, 집필에 필요한 시간과 체력을 확보하는 데 애를 먹었다. 그럼에도 많은 분의 도움 덕분에 책이 제때 출간될 수 있었다. 모든 분들께 깊이 감사드린다.

언제나 그렇듯이, 누구보다도 먼저 트렌드 키워드 선정을 위한 기초자료인 트렌다이어리Trendiary를 성심껏 작성해주고 수차례의 세미나에 참석해 참신한 아이디어를 모아준 트렌드헌터그룹 트렌더스날 2017 여러분들에게 감사한다. 거친 초고를 아름답고 바른 문장으로 다듬어준 조미선 작가와 여러 가지 행정일과 교정작업을 도맡아준 서현아 연구원, 항상 아름다운 프레젠테이션 파일을 제작해주는 김영순 연구교수, 원어민의 입장에서 영문 키워드의 적정성을 검토해 주는 미셸 램블린(Michel Lamblin) 씨, 그리고 희생적으로 자료를 모으고 분석작업을 맡아주는 소비트렌드분석센터와 소비자행태연구실의 고정·권정현·전옥란·권정윤·천민기 연구원에게도 깊이 감사한다. 특히 서울대 소비자학과 박사 과정의 서유현·이수진 연구원이 전년도 키워드 리뷰를 일부 거들어줘 저자들이 2017년 키워드 집필에 집중하는 데 큰 도움을 주었다. 또한 '2016년 대한민국 10대 트렌드 상품'을 선정하는 과정에서 까다로운 조사를 신속하고 정확하게 실시해준 '마크로밀엠브레인'과 탄탄한 빅데이터 분석을 통해 키워드의 타당성을 높여주신 신한카드 위성호 사장님과 신한카드 트렌드연구소에도 깊은 감사의 말씀을 드린다. 마지막으로 첫 책부터 지금까지 빠짐없이 출간을 허락해주신 미래의창 성의현 사장님과 직원 여러분께도 변함없는 신뢰의 마음을 전하고 싶다.

• • •

영화 〈치킨런〉에서, 하늘을 나는 연습을 하다 잇따른 실패에 지친 닭들은 날기 위해서는 역시 추진력thrust이 필요하다는 데 의견을 모으고, 그 추진력을 얻기 위해 온갖 지혜를 동원한다. 2017년 대한민국도 추진력이 필요하다. 대선의 열기에 휘둘리지 않고, 경기를 살려내고 우리 산업의 경쟁력을 키워낼 수 있는 그런 추진력이 필요하다.

영화를 보지 않은 분들께는 죄송하지만 〈치킨런〉의 결말을 얘기하자면, 닭들은 기어이 하늘을 날아 공포의 닭농장에서 탈출하는 데 성공해 어느 파라다이스 섬에서 행복하게 살게 된다. 대한민국도 그런 해피엔딩을 누릴 수 있을까? 그런 추진력을 어디에서 얻을 수 있을까? 영화 속에서 '진저'라는 여자주인공 닭은 이렇게 말한다.

"문제가 뭔지 알아요? 진짜 철조망은 여러분 머릿속에 있다는 거예요."

그렇다. 글로벌 침체 속에서도 고정관념을 타파하고 자기혁신을 계속 모색한다면 우리도 울타리 밖으로 날아오르지 못할 이유가 없을 것이다. 비상하라, 2017 대한민국.

2016년 10월
대표저자 김난도

CONTENTS

2016년
소비트렌드
회고

2017년
소비트렌드
전망

CHICKEN RUN

C'mon, YOLO! 지금 이 순간, '욜로 라이프'

You Only Live Once! 인생은 한 번뿐, 순간에 충실하자! 고도성장기가 막을 내리고 디플레이션 시대로 이행하면서, 현재지향적 '욜로 라이프'가 빠르게 확산되고 있다. 타임커머스의 등장, 소셜 액티비티 플랫폼과 콘텐츠 크리에이터의 성장이 욜로 소비의 사례다. 욜로는 녹록지 않은 현실에 갇혀 미래에 대한 기대를 접은 절망의 외침인 동시에, 지금 이 순간을 사랑하려는 긍정적인 에너지를 담은 희망의 주문이기도 하다.

Heading to 'B+ Premium' 새로운 'B+ 프리미엄'

가성비의 시대지만 소비자는 가성비의 핵심을 무조건적인 낮은 가격이 아니라 높은 가치로 인식한다. 기업은 단순히 가격을 낮추기보다 좀 더 프리미엄한 가치를 제공하고 제 가격을 받는 방향을 취한다. 'B+ 프리미엄'은 단순한 고급화 혹은 럭셔리와는 다르다. 럭셔리가 브랜드의 역사성과 희소성에 근거한다면, 'B+ 프리미엄'은 기존의 대중제품에 새로운 가치를 입혀 업그레이드한 것이다.

I Am the 'Pick-me' Generation 나는 '픽미세대'

'픽미세대'는 스마트폰을 손에 쥐고 자라난 모바일 원주민인 대한민국의 20대다. 뛰어난 역량과 스펙을 갖췄지만 선택pick-me받기 위해 치열한 경쟁을 뚫어야 하는 고단한 세대이기도 하다. 부족한 주머니 사정에 아끼거나 빌리며 살지만 하루라도 즐거워야 한다는 현재지향적 사고를 지닌. 부모에게 의존하지만 기성세대의 가치관은 단호히 거부하는. 역설로 가득하다. '픽미세대'를 잡는 자가 2017년의 주인이 될 것이다.

'Calm-Tech', Felt but not Seen 보이지 않는 배려 기술, '캄테크'

캄테크란 일상생활에 첨단기술을 내장해 사람들이 인지하지 못한 상태에서 서비스를 제공하는 기술을 뜻한다. 평소에는 그 존재를 드러내지 않다가 필요할 때 나타나 혜택을 주는 것을 핵심 전략으로 한다. 오늘날 캄테크는 인공지능, 센서, 네트워크, IoT, 뇌공학, 인지과학 등 첨단기술 분야에서의 눈부신 진보를 토대로 인간지향적인 형태를 보여준다. 이제 기술과 사람 사이에 인터랙션이 중요하다. 기술은 은밀할수록 편안해진다.

Key to Success: Sales 영업의 시대가 온다

인공지능, O2O, 가상현실 등을 활용한 첨단 마케팅의 시대에, 역설적이게도 가장 원초적인 인적 영업이 갈수록 중요해지고 있다. 기술은 발전했지만 소비자의 지갑을 열기는 더욱 어려워지는 지금 '진실의 순간'을 만드는 건 그래도 오직 사람뿐이다. 인정과 설득에 호소하는 관계의 영업이 아니라, 분석을 통한 영업의 과학화가 기업의 핵심 역량이다. 기업을 살리는 성과는 유일하게 영업만이 만들어낼 수 있다. 모든 인생은 결국 영업이다.

Era of 'Aloners' 내멋대로 '1코노미'

개인주의적 사고방식의 확산은 새로운 경제학을 쓰고 있다. 이코노미가 아니라 '일(1)코노미'의 등장이다. 자발적으로 혼자인 소비생활을 즐기는 얼로너aloner가 새로운 시대의 파워 컨슈머의 자리를 꿰차고 있다. 1인 가구를 넘어 캥거루족, 비혼족, 딩펫족 등 공동체 문화를 대체하는 개인주의 시대가 열렸다. 2017년에는 혼자 그러면서도 같이 소비하는 이중성을 지닌 얼로너가 이끄는 변화의 물결에 주목해야 한다.

No Give Up, No Live Up 버려야 산다, 바이바이 센세이션

정리하고 버리는 소비자가 늘고 있지만, 이는 오히려 새로운 물건을 구매하는 최적의 구실이 되기도 한다. 새로 사고, 새로 살기 위해 버리는 이 역설적 현상을 '바이바이 센세이션Bye-Buy Sensation'이라고 명명한다. 이는 젊은 유목민적 물질주의자들이 필요한 물건을 공유나 대여를 통해 그때그때 꺼내 쓰는 '삶의 클라우드 현상'이자, 인디언 추장의 '과시적 소비'처럼 더 업그레이드된 소비를 추구하는 현대인의 '포틀래치'다.

Rebuilding Consumertopia 소비자가 만드는 수요중심시장

공급자가 생산하면 소비자는 그중에 골라 구매하던 당연했던 시장의 작동방식이 변하고 있다. 모바일 온디맨드 서비스가 공유경제의 메커니즘과 O2O솔루션과 결합하면서 아무리 작더라도 수요가 존재하면 그것을 맞춰내는 수요중심의 경제가 가능해진 것이다. 이는 궁극적으로 4차 혁명의 원동력이 될 것이라는 기대와 함께 단기노동자와 프리랜서의 증가로 고용시장의 근간을 흔들 수 있다는 우려도 자아낸다.

User Experience Matters 경험 is 뭔들

'물건'을 파는 것에서 '경험'을 파는 것으로 시장의 법칙이 바뀌고 있다. 개개인의 특성에 맞는 제품과 개인의 감성을 자극하는 디자인을 개발하고, 기억에 남는 경험을 제공하는 것이 무엇보다 중요해졌다. 유통공간은 테마파크로 변신하고 소규모 매장은 전시장이 되어 고객들을 불러 모은다. 미로에서 탈출하는 새로운 오락공간이 생기고, VR이나 AR을 이용해 경험을 제공한다. '경험'은 이제 현대 유통의 핵심적인 화두가 됐다.

No One Backs You Up 각자도생의 시대

지속하는 경기침체, 빈발하는 안전사고, 끊이지 않는 고위층의 비리, 무기력한 정치·행정으로 희망을 찾지 못한 채 국민들은 제각기 살아나갈 방법을 모색하고 있다. '각자도생'의 엄혹한 시대다. 억울한 감정과 타자에 대한 혐오가 우려할 수준에 이르고 있다. 나라는 문제를 해결하지 못하고, 직장은 생활을 보장하지 않으며, 가족의 유대는 약해지고 있다. 공동체의 비전을 위해 지혜를 모을 수 있을 것인지, 우리는 기로에 섰다.

〈트렌드 코리아〉선정
2016년 대한민국 10대 트렌드 상품

2016년에는 어떤 상품이 인기 있었고 또 그 배경이 된 트렌드는 무엇일까? 한 해를 대표하는 상품을 꼽아보는 작업은 그해의 소비자들이 어떤 생활을 했는가를 돌아볼 수 있는 중요한 밑자료가 된다. 나아가 연도별 자료를 모으면 해당 시장이 어떤 과정을 거쳐 발전했는지, 소비자의 욕구는 어떤 방향으로 나아가고 있는지에 대한 트렌드 변화를 한눈에 알아볼 수 있다. 이런 취지로 서울대학교 생활과학연구소 소비트렌드분석센터는 2016년의 '10대 트렌드 상품'을 선정하고, 이들 상품이 가지는 트렌드적 의미와 전망에 대해 설명하고자 한다. 아무쪼록 이러한 작업이 한국 시장의 과거를 돌아보고 미래를 예측하고자 하는 〈트렌드 코리아〉의 독자 여러분은 물론, 한국의 소비 트렌드에 관심이 있는 모든 분께 유용한 자료가 될 수 있기를 소망한다.

선정방법

후보군 선정 먼저 '트렌드 상품'의 후보는 단순히 물리적인 제품뿐만 아니라, 인물·이벤트·사건·서비스 등을 모두 포함하되, 지나치게 정치적이거나 우연적인 사건은 배제하도록 정의했다. 또한 조사시점이 10월이라는 점을 고려해, 2016년 트렌드 제품으로 선정되기 위한 기준 기간을 '2015년 10월부터 2016년 9월'로 조정했다.

후보 제품군은 주관적 및 객관적 자료를 기반으로 엄격하게 선정했다. 먼저 '주관적 자료'는 서울대 소비트렌드분석센터의 트렌드헌터 모임인 트렌더스 날 멤버 141명이 개인별로 10개 제품을 추천하는 방식으로 총 251개의 후보군을 확보했다. 다음으로 '객관적 자료'는 국내 유통사와 언론사에서 발표하는 판매량 순위와 히트순위 등을 다수 수집해 작성했다. 참고한 유통사는 오프라인 쇼핑몰(이마트·롯데마트), 온라인 쇼핑몰(옥션·G마켓·11번가), 모바일·소셜 커머스(쿠차·쿠팡·위메프·티켓몬스터), TV홈쇼핑(GS홈쇼핑·CJ오쇼핑·롯데홈쇼핑·현대홈쇼핑·NS홈쇼핑)이며, 이외에도 제품관련 언론기사(조선일보·경향신문·중앙일보·매일경제)를 참고했다.

이렇게 나열된 후보들을 한국표준산업분류의 대분류 및 산업중분류를 기준으로 하위 항목으로 분류하고, 각 분야마다 다양한 트렌드 상품 후보군이 등장하는지 확인했다. 최종적으로 식품, 패션·뷰티, 전자, 자동차, 유통·장소, 외식, 여가, TV, 영화, 음원, 게임, IT·SNS,

인물, 광고·마케팅, 금융, 공공, 기타 부문에 대해 52개의 후보 제품이 선정됐다.

설문조사 조사 전문기관 '마크로밀엠브레인'에 의뢰하여, 나이·성별·지역에 대한 인구분포를 고려한 전국 단위의 대규모 온라인 설문조사를 실시했다. 응답방식은 제시된 총 52개 후보 제품군 중 2016년을 대표하는 트렌드 제품 10개를 무순위로 선택하게 했고, 아울러 설문의 후보상품 '보기' 순서를 무작위로 순환하도록 해서 예시의 순서가 선정에 미치는 영향을 최소화하도록 문항을 설계했다. 2016년 9월 27일부터 10월 4일까지 시행된 조사에 총 2,393명이 응답했으며, 표본 오차는 신뢰수준 95%에서 ±1.97%였다.

10대 트렌드 상품 선정 최종 마무리된 설문조사의 순위를 주된 기준으로, 서울대학교 생활과학연구소 소비트렌드분석센터의 연구원들이 치열한 토론과 심사를 거쳐 '10대 트렌드 상품'을 최종 선정했다. 전년도와 마찬가지로, 트렌드 상품 선정의 가장 중요한 기준은 '해당 연도의 트렌드를 가장 잘 반영하는 상품인가' 혹은 '트렌드를 만들고 선도하는 의미가 높은 상품인가'다. 따라서 단지 최근에 이슈가 되어 소비자의 기억 속에서 쉽게 회상되는 사례, 선거나 스포츠 행사처럼 반복되는 사건, 2016년이라는 특성을 반영하지 못하는 단순한 이벤트나 콘텐츠는 제외되었다. 다만 동일한 경우라 할지라도

응답자의 인구통계적 특성

분류		응답자 수(%)	분류	응답자 수(%)
성별	남자	1,213(50.7%)		
	여자	1,180(49.3%)		
연령	만 19세 이하(최소 15세)	219(9.2%)	지역	
	만 20~29세	455(19.0%)	서울	480(20.1%)
	만 30~39세	530(22.1%)	부산	160(6.7%)
	만 40~49세	616(25.7%)	대구	117(4.9%)
	만 50세 이상(최대 59세)	573(23.9%)	인천	139(5.8%)
			광주	71(3.0%)
			대전	79(3.3%)
			울산	60(2.5%)
직업	직장인	1,349(56.4%)	세종	3(0.1%)
	자영업	185(7.7%)	경기	589(24.6%)
	파트타임	64(2.7%)	강원	71(3.0%)
	학생	368(15.4%)	충북	75(3.1%)
	주부	295(12.3%)	충남	90(3.8%)
	무직	98(4.1%)	전북	83(3.5%)
	기타	34(1.4%)	전남	79(3.3%)
			경북	116(4.8%)
월평균 가계 총소득	200만 원 미만	218(9.1%)	경남	150(6.3%)
	200만 원 이상~300만 원 미만	417(17.4%)	제주	31(1.3%)
	300만 원 이상~400만 원 미만	447(18.7%)		
	400만 원 이상~500만 원 미만	426(17.8%)		
	500만 원 이상~600만 원 미만	392(16.4%)		
	600만 원 이상	493(20.6%)		
총 2,393명(100%)				

'그 해의 특수한 현상'을 잘 반영하고, 후년에 이것을 회상하는 것이 2016년 당시 우리 사회를 이해하는 데 도움이 된다고 판단된 경우에는 포함되었다. 또한 해당 상품이 최초 출시된 시기에 초점을 두는 것이 아니라, 그것이 화제가 된 시기를 주요 기준으로 정했다. 이러한 기준을 바탕으로 최종 선정된 '2016년 10대 트렌드 상품'은 나열 순서가 순위를 의미하지 않도록 가나다순으로 서술했다.

10대 트렌드 상품의 의미

최종 선정된 2016년도 10대 트렌드 상품 리스트를 종합해보면, 우리 사회를 관통하는 2016년의 몇 가지 흐름을 발견할 수 있다.

첫째, 가성비의 힘은 2016년에도 유효했으며, 작은 노력으로 다양한 소비 니즈를 편리하게 충족시킬 수 있는 기술의 약진이 두드러졌다. 가정 '간편식'은 외식보다 저렴하지만 맛과 영양을 놓치지 않는 전략으로 소비자들의 사랑을 받았고 저가음료 시장이 과일주스 분야로 확대되었다. 음식배달로 시작된 'O2O'서비스의 영역도 넓어져 이제 클릭 한 번으로 집안 청소까지 책임지고 있다. 여기에 모바일 간편결제가 뒷받침되면서 주문과 결제 시스템의 편리성이 완성되었다.

둘째, 기존의 권위와 지위를 인정받던 가치들이 약화되는 모습이

〈트렌드 코리아〉 선정, 2016년 10대 트렌드 상품(가나다순)

간편식	• 1인 가구 라이프스타일의 확산 • 외식보다 저렴한 가격과 외식에 대한 거부감 감소
노케미족	• 각종 화학제품에 대한 불안감 상승 • 개인 차원에서의 해결책 모색 • DIY 시장의 확대
메신저 캐릭터	• 일상에 자리 잡은 캐릭터와 이모티콘 • 불안한 사회에서 위로받고 싶은 심리 • 텍스트보다 그림·사진·영상으로 표현하는 모바일 세대의 커뮤니케이션 방식 • 관광상품으로서의 캐릭터 상품
부산행	• 잦은 재난·질병·사고에 대한 두려움 • 사회의 구조적 모순에 대한 풍자와 비판
아재	• 공감, 소통의 대상으로서의 기성세대 • 소비문화에 주류로 등장하는 중년 남성
O2O앱	• 공급자와 소비자를 간편하게 이어주는 네트워킹의 확산 • 1~2인 가구와 맞벌이 가구의 증가 • 전화보다 클릭이 편한 모바일 세대의 쇼핑방식
저가음료	• 가성비를 추구하는 소비자 전략 • 적정가격과 최적화된 품질 제고
태양의 후예	• 현실의 복잡한 문제를 다 잊게 해주는 멜로 장르의 힘 • 자기 주관이 확실한 여성 캐릭터 • 직업적 소명의식이 투철한 주인공들에게 느끼는 감동
○○페이	• 스마트폰 안으로 들어가는 지갑(편리성) • 모바일 간편결제가 성장할 수 있는 정책적 환경의 조성
힙합	• 직설적 표현방식을 통해 타인의 시선으로부터 자유롭지 못한 현대인의 대리만족 • 라이프스타일로서의 스트리트 문화 확산

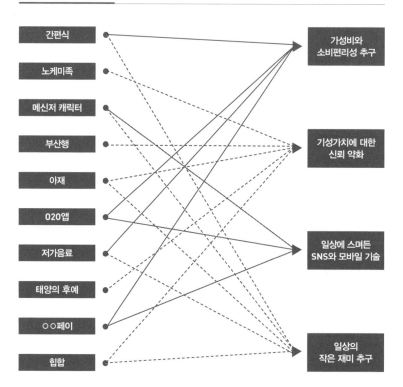

관찰되고 있다. 대표적으로 불통과 호통의 상징이었던 아저씨가 권위를 내려놓고 친근한 이미지의 '아재'로 돌아왔다. 이들의 유머코드를 뜻하는 아재개그가 젊은 층에게도 어필해 아재가 세대 간 소통의 다리 역할을 하고 있다. 정부나 기업이 제공하는 정보도 신뢰를 잃고 있다. 화학제품에 대한 공포가 확산되며 소비자 스스로 해결책을 찾아나서는 '노케미족'의 등장이나 재난 상황을 극단까지 밀어붙이고 사회구조적 모순을 풍자한 〈부산행〉의 흥행은 현대사회에서 신뢰할 만한 가치가 실종되었음을 방증한다. 자유분방한 '힙합' 문화의 확산도 전통적인 가치가 약화되었음을 반영하고 있다.

셋째, 모바일 기술이 본격적으로 일상에 스며들기 시작했다. 스마트폰으로 연결된 공급자와 소비자는 유통의 단계를 줄이고 공급과 수요를 네트워킹 내에서 해결하는 O2O서비스를 활성화시켰다. 모바일 결제 시스템도 기술의 일상화를 이끌었다. 소비자가 인식하지 못할 만큼 의식주를 아우르는 거의 모든 분야에서 전방위적으로 소비자의 일상이 바뀌고 있다.

마지막으로 일상의 작은 재미를 추구하는 소비자들이 많아졌다. 사건사고가 끊이지 않고 체감 경기가 좋지 않을수록 작은 재미를 통해 일상을 풍성하게 하려는 사람들이 많아진 것이다. 특히 귀여움으로 무장한 메신저 캐릭터들의 오프라인 진출은 고단한 현대인의 마음을 위로해 주었다. 또한 주머니 사정이 좋지 않은 소비자들은 다양한 종류의 '저가음료' 덕분에 싼 가격으로도 잠깐의 여유를 즐길 수 있었다.

간편식

1인 가구의 증가,
나홀로 한 끼 해결, 간편하고
저렴하지만 다양한 간편식이 뜬다

2016년 대한민국은 뜨거운 간편식 경쟁

2016년 한국의 식품계는 간편식 경쟁이 뜨거웠다. 간편하지만 맛과 영양을 놓치지 않은 간편식은 1인 가구의 주식으로 자리 잡았다. 시장 규모 2조 원을 넘었으며 이는 국내 라면시장과 맞먹는다. 간편식의 종류에는 세 가지가 있다. 도시락처럼 포장을 뜯으면 별도의 가열 없이 바로 먹을 수 있는 RTE Ready to Eat, 전자레인지나 가열을 통해 데우기만 하면 먹을 수 있는 RTH Ready to Heat, 전처리된 식재료를 가지고 간단한 조리 과정이 필요한 RTC Ready to Cook다. 편의점은 도시락 격전지였다. 씨유cu의 경우 2015년 12월 백종원 씨와 함께 기획·출시한 '한판도시락', '매콤불고기정식' 등의 인기에 힘입어 2016년 8월까지 전년 대비 매출이 2.98배 증가했다. GS25도 '김혜자 바싹 불고기', '마이홍치킨도시락' 등이 매출

국내 간편식 시장 규모(라면류 제외) 출처: 조선일보1

상위품목 10위권에, 세븐일레븐의 '혜리 11찬 도시락'이 베스트셀러 5위에 진입했다. 프리미엄 도시락 시장도 성장세다. 본도시락은 브랜드 출범 4년 만에 매장 수 200개를 돌파했다. 기존의 인기상품인 햇반에 국이나 메인요리를 곁들인 CJ컵반은 출시 1년 만에 1,200만 개가 팔렸다. 이마트의 간편가정식 브랜드 피코크는 2016년 상반기 매출액만 780억 원으로 이마트 쌀 매출(670억 원)을 추월하는 수치다. 현재 800여 개인 피코크 상품 종류를 1,400개까지 늘린다는 계획이다.

1인 가구와 맞벌이 가정, 나홀로 한 끼를 해결하라

2016년 간편식 열풍을 견인한 주역은 단연 1인 가구다. 통계청에 의하면 국내 1인 가구는 520만 3,000가구로 전체의 27.2%를 차지한다. 1990년에 9.0%에 불과했던 1인 가구가 이제는 2인 가구보다 많아져 가장 흔한 가구 형태가 됐다. 1인 가구와 2인 가구는 우리나라 전체 가구의 절반 이상이 된다. 나홀로 한 끼를 해결하기 위해 거창하게 식탁을 차리는 일은 부담스러울 수밖에 없다. 맞벌이 가정도 증가하면서 외부 음식에 대한 선호도가 지속적으로 증가하는 추세다. 집

에서 요리를 할 시간이 없다 보니 끼니를 사먹어야 되는데 외식보다 간편식이 상대적으로 저렴하기 때문이다. 농림축산식품부에 따르면 2015년 기준 가구당 외식 및 배달로 지출하는 금액은 21만 4,163원으로 월평균 식비의 42%에 해당하는 수치다. 즉석조리식품 구입 경험도 2011년 40.5%였던 데 비해 2015년 74.6%로 외부 음식에 대한 거부감이 줄어들고 있다.[2]

향후 전망

간편하지만 대충이 아닌, 프리미엄화와 다양화가 관건

간편하게 먹지만 대충 먹는 것은 아니다. 혼자 살수록 건강하게 먹어야 한다는 소비자들이 증가하면서 간편식도 영양학적 균형과 맛을 높인 프리미엄 시장으로 확대되는 추세다. 이미 일본 프리미엄 도시락 프랜차이즈 호토모토가 4년간의 시장조사를 마치고 2016년 5월 본격적인 가맹사업을 전개하는 중이며, O2O서비스와 결합한 프리미엄 도시락 업체 배민프레시는 300% 성장을 기록하고 있다. 간편식의 프리미엄화에 발맞춰 유명 요리 블로거나 셰프의 노하우가 들어간 도시락, 반찬 등이 다채롭게 출시되고 있다. 이제 소비자의 취향이나 목적에 따라 간편식 시장도 더욱 세분화될 것으로 보인다. 특히 다이어트 식단을 배달해주는 업체들이 건강을 중시하는 트렌드와 맞물리면서 확대될 것으로 전망된다.

★ **관련 키워드**

『**트렌드 코리아 2013**』, 나홀로 라운징
『**트렌드 코리아 2016**』, 대충 빠르게, 있어 보이게

노케미족

신뢰를 무너트린 옥시 사태,
불안한 정보수집의 여정을
떠나는 노케미족.

화학제품 자체를 거부하게 만든 옥시 사태

2016년 옥시 사태로 소비자들이 화학제품 자체를 거부하고 있다. 가습기 살균제에 포함된 CMIT·MIT(메칠클로로이소치아졸리논·메칠이소치아졸리논)라는 화학성분이 많은 소비자의 목숨까지 앗아갔기 때문이다. 게다가 화장품, 물티슈, 치약 등에도 위험한 화학제품이 포함된 것으로 밝혀져 화학제품 포비아 현상이 심화되었다. 이에 아예 화학제품을 거부하고 온전히 천연성분으로 이루어진 제품을 스스로 찾아나서는 노케미족까지 등장했다. 이마트에 따르면 화학제품을 첨가한 생활용품 판매는 2016년 급감한 반면 천연세제를 만드는 재료들의 매출은 늘었다고 한다. 인터넷 쇼핑몰 11번가에서도 식초와 구연산, 베이킹소다, 밀가루, 소금 등 세제나 탈취제를 만드는 식재료들의 판매가 매달 20~30% 증가하고 있는 것으로 나타났다. 친환경 세제와 유기농 제품에 대한 판매도 상승세다. CJ오쇼핑은 프랑스 친환경세제 '피에르 다르장'을 2016년 6월 이후 2만 6,000여 개 판매했으며 현대 홈쇼핑은 구성 원료의 98% 이상이 천연 자연유래 성분을 함유한 치약 '덴탈매스미르'를 선보이기도 했다. 옥시 사태 이후 독일 천연 화장품 브랜드 '벨레다'의 어린이 치약은 일반 성인용 시판 치약보다 10배가량 비싼 가격에도 불구하고 출시 3개월 만에 2배 이상의 판매량을 기록했다.[3]

    믿고 쓰던 생활용품에 치명적 물질이? DIY 시장도 한몫
신뢰할 만한 정보의 부재가 의심을 넘어 불신을 만들었다. 가습기 살균제 외에도 치약, 물티슈 등 오랫동안 써왔던 제품들에 인체에 치명적인 화학물질이 포함되어 있었다는 소식에 정부의 시스템에 대한 불신이 증폭됐다. 결국 이름조차 생소한 화학용어들이 인체에 유해한지 무해한지 가리는 대신 아예 화학제품을 거부하는 소비자, 노케미족이 등장한 것이다. 또한 DIY 시장의 확산도 노케미족이 증가하는 데 기여한 측면이 있다. 직접 만들고 싶어 하는 사람들이 많아지면서 간편한 DIY 키트 상품들이 많이 출시되었다. 특히 화학제품을 넣지 않고 천연원료만으로 세제를 만들 수 있는 패키지의 증가는 화학제품에 공포를 느끼는 소비자들에게 유용한 대체재로 기능하고 있다.

향후 전망

정부와 기업, 소비자 간의 신뢰 회복이 필수

화학물질을 아예 안 쓸 수는 없다. 이미 대부분의 생활용품들이 화학 제품을 포함하고 있기 때문이다. 부득이하게 써야 하는 경우 소비자들은 직접 성분을 확인하고 공부하기 시작했다. 화장품 정보제공 앱 '화해-화장품을 해석하다'는 다운로드 수 300만을 넘어섰고 월간 실사용자 수도 2015년 대비 3배 늘어난 만 명을 기록했다. 『트렌드 코리아 2015』는 증거중독 키워드를 통해 제품 라벨의 성분명과 유의사항을 모두 꼼꼼히 읽는 호모 도큐멘티쿠스의 등장을 예고한 바 있다. 허위 정보가 난무하는 시대에 정부와 기업, 소비자 간의 신뢰 회복이 이루어지지 않는다면 노케미족의 불안한 정보수집의 여정은 계속될 것이다.

★ 관련 키워드

『**트렌드 코리아 2012**』, 위기를 관리하라
『**트렌드 코리아 2015**』, 증거중독
『**트렌드 코리아 2016**』, 과잉근심사회, 램프증후군

메신저 캐릭터

누구나 SNS로 캐릭터를
이용하는 시대, 다양한 상품이
캐릭터의 옷을 입고 친근해지다.

TREND 2016

본격화된 온라인 이모티콘 캐릭터의 오프라인 진출

2016년 온라인 이모티콘의 오프라인 진출이 두드러졌다. 2013년 라인이 롯데 영플라자에 임시매장을 열면서 이모티콘 캐릭터의 오프라인 진출이 본격화되었다. 2016년 라인프렌즈 법인의 1분기 매출은 225억 원을 기록할 정도로 성장했다. 2016년 7월 오픈한 강남 카카오프렌즈숍에는 매일 200~300명이 줄을 서 한 달 만에 45만 명이 다녀갔다. 한국콘텐츠진흥원의 '2016년 콘텐츠산업 전망 보고서'에 따르면 2011년 이후로 국내 캐릭터 산업 매출이 20%대의 성장세를 보이고 있다고 분석했다. 라인프렌즈 플래그십 스토어 이태원점에서 열린 '브라운(라인프렌즈의 대표캐릭터)' 생일파티 행사에는 참가 경쟁률이 12대 1이었다고 한다. 메신저 캐릭터의 인기는 오프라인 매장을 넘어 다양한 컬래버레이션으로 나타나기도 했다. 화장품, 패션, 편의점, 대형마트 PB 상품 등 캐릭터의 옷을 입고 소비자를 만난 품목의 매출상승이 눈에 띄었다. 미샤는 라인프렌즈와 미니언즈 에디션을 출시했고, 더페이스샵은 카카오프렌즈와의 컬래버레이션과 디즈니 에디션으로 완판 기록을 세웠다. 에잇세컨즈는 카카오프렌즈 라인으로 90% 판매율을 올렸으며, 빈폴 액세서리도 파우치, 여권지갑 등에 카카오프렌즈 캐릭터를 선보였다. 편의점은 우산, 우유, 빵 등에 캐릭터를 입혔고 대형마트에서도 캐릭터를 적극 사용하며 소비자들에게 친근하게 다가가려는 전략이 돋보였다.

캐릭터는 더 이상 '덕후'들의 전유물이 아니다

캐릭터는 이제 '덕후'들의 전유물이 아니다. 과거 캐릭터에 열광하는 성인들은 어른답지 못한 것으로 치부되었으나, 카카오톡이나 라인 같은 SNS메신저가 일상으로 들어오면서 키덜트와 일반인을 나누는 경계가 모호해졌다.[4] '키티'의 성공을 분석한 『분홍빛 세계화』의 크리스틴 야노 교수는 위로가 필요한 시대일수록 사람들은 사랑스럽고 편안한 무언가를 찾게 된다고 했다.[5] 일본에서는 지진 직후 구마모토 현의 캐릭터인 '구마몬'이 사랑을 받았다. 사람들은 SNS에 "구마몬 힘내", "구마몬 괜찮니?"등의 문구를 가득 채웠다. 텍스트보다 그림·사진·영상이 익숙한 모바일 세대의 등장도 캐릭터 산업이 성장하는 배경이다. 스마트폰이 곧 일상인 20~30대는 구구절절한 설명보다 직관적인 캐릭터의 표정과 행동으로 효율적으로 표현한다. 또한 한국을 찾은 외국 관광객들은 메신저 캐릭터의 오프라인 매장에 있는 커다란 인형이나 설치물 앞에서 사진을 찍고 캐릭터 상품을 기념품으로 구매한다. 국내 라인프렌즈 스토어는 전체 매출 중 70% 정도가 외국인일 정도다. 캐릭터 컬래버레이션 상품들도 K-뷰티 열풍의 시너지 효과로 중국 관광객들이 많이 구매하는 기념품이다.

향후 전망

품질 평준화 시대에 캐릭터 컬래버레이션이 새로운 전략

2016년 메신저 캐릭터의 인기는 당분간 지속될 것으로 보인다. 인간은 본능적으로 귀여운 외형에 끌린다고 한다. 전문가들은 거부하기 어려운 귀여운 외양을 '베이비 스키마Baby schema'라고 하는데, 포유류 새끼들이 통통한 볼, 큰 눈, 작은 코, 통통한 팔다리 등의 귀여운 외모로 부모의 육아행동을 자극한다는 것이다. 동물학자들은 이 때문에 개체생존이 거듭된다고 설명한다.[6] 제품으로 차별화하기 어려운 품질평준화 시대에 캐릭터 컬래버레이션이 새로운 전략이 될 수 있다는 점도 캐릭터 열풍이 전망되는 이유다. 더욱 다양한 제품에서 캐릭터를 입혀서 소비자에게 친근하게 다가가려 시도할 것으로 보인다.

★ 관련 키워드

『**트렌드 코리아 2012**』, 인격을 만들어 주세요
『**트렌드 코리아 2014**』, 하이브리드 패치워크
『**트렌드 코리아 2015**』, 꼬리, 몸통을 흔들다
『**트렌드 코리아 2016**』, 취향 공동체

약해져가는 공동체,
개인의 불안이
타자와 시스템에 대한 분노로 표출

좀비로부터의 생존을 다뤘지만 낯설지 않은 한국 사회의 축소판

"끝까지 살아남아라"

영화 부산행의 홍보문구다. 시속 300km로 달리는 부산행 KTX에서 정체불명의 바이러스에 감염된 좀비로부터의 생존을 다룬 영화 부산행은 한국 영화 최초로 좀비라는 소재를 다뤘다. 한국에서 좀비 영화가 성공할 수 있겠냐는 우려에도 불구하고 부산행은 개봉한 지 19일 만에 1,000만 관객을 넘겼다. 살짝 어색했던 좀비들의 몸짓과 다소 부족했던 내용의 개연성에도 한국 사회의 현실을 축소하고 있다는 관객들의 호평을 받으며 2016년 최다관객수를 기록했다.

한국 사회의 문제를 곳곳에 배치한 풍자성

원인을 알 수 없는 바이러스로 사람들이 빠르게 좀비가 되는 와중에도 영화 속 정부는 "국민 여러분의 안전에는 이상이 없을 것입니다"라고 말한다. 2014년 세월호 참사나 2015년 메르스 사태를 겪으면서 사람들이 경험했던 현실 속 상황과 어딘가 비슷하다. 위기대응에 실패하는 시스템을 정면으로 묘사하고 있는 영화에서 사람들이 일종의 감정이입을 느끼는 것이다. 특히 영화에서 언론은 바이러스에 감염된 좀비를 폭력시위자라고 보도하는데, 믿을 수 있는 정보원이 부재한 현실의 상황과 맞닿아 있다. 부산행에 등장하는 캐릭터들도 다양한 인간군상의 총집합이다. 바이러스에 감염된 좀비보다 더 무서운 것은 사람이다. 극중 철도회사 임원으로 나오는 캐릭터는 나만 살면 그만이라는 개인이기주의 시대를 반영한다. 또한 현 관료사회가 평범한 인물들을 바라보는 관점을 대변하면서7 2015년 큰 인기를 끌었던 〈베테랑〉처럼 한국 사회의 계층문제를 날카롭게 비판하고 있다는 평이다. 단순히 속도감과 볼거리를 내세운 영화가 아니라 그 안에 한국 사회의 문제를 곳곳에 배치한 풍자성에서 부산행의 흥행 공식이 있다.

향후 전망

개인의 불안이 타자와 시스템에 대한 분노로 표출되다

『트렌드 코리아 2016』에서는 걱정과 근심이 확대·전염되는 불안사회의 등장을 예고한 바 있다. 특히 1인 가구가 빠르게 증가하고 고령화가 급속히 진행되면서 공동체는 약해져가고 개인의 불안은 더 심화되는 추세다. 여기에 다양한 매체는 믿을 수 있는 정보와 근거 없는 소문을 구별하기 어렵게 한다. 누구도 믿을 수 없고 혼자 살아남아야 한다는 불안은 점점 타자와 시스템에 대한 분노로 이어질 것으로 보인다. 위험에 처할수록 방어를 위한 공격에 나서는 것이다. 혐오관련 범죄가 나를 공격할지도 모른다는 피해망상에서 시작된다는 점을 주목해야 할 것이다.

★ 관련 키워드

『**트렌드 코리아 2013**』날 선 사람들의 도시

『**트렌드 코리아 2016**』과잉근심사회, 램프증후군

아재

권위를 내려놓고
소통하는 친구 같은
아재의 전성시대

자려고 누울 때를 딱! 다잡발기!

아재능력고사

피식 웃게 되는 개그처럼 친근한 그 이름, 아재

추장보다 높은 사람은? 고추장

고추장보다 높은 사람은? 초고추장

초고추장보다 높은 사람은? 태양초 고추장

박장대소는 아니지만 피식 웃게 되는 개그처럼 꽃미남은 아니지
만 친구하고 싶은, 그 이름은 아재다. 2016년 방송계를 주름잡은 인
물을 떠올리면 어딘가 짠한 '아재'였다. 아재는 아저씨를 친근하게

나타낸 말로 허무하게 웃기는 허무개그가 아재의 언어다. 마크로밀엠브레인의 조사에 따르면 아재하면 떠오르는 이미지로 촌스럽다(35.5%)와 다정하다(27.2%)가 상위권으로 꼽혔다.[8] 아재의 반대말은 '개저씨' 혹은 '꼰대'로 권위주의적이고 고지식한 이미지를 포함한다. 아재 문화가 인기를 얻으면서, 조진웅·마동석·곽도원 등의 배우들이 '아재파탈(치명적인 매력을 가진 아재)'을 대표하는 인물로 주목을 받았고 온라인에서는 아재력 테스트, 아재 방송 등 새로운 문화콘텐츠가 양산되고 있다.

위계질서의 타파, 아재들의 경제적 여유와 젊은 감수성도 한 몫 아재 열풍은 한국 사회의 고착화된 세대 갈등과 위계문화를 반증하는 현상이다. 연일 뉴스를 통해 보고되는 갑질 사건은 우리 사회에서 얼마나 진짜 어른을 찾기 어려운지 짐작할 만하다. 상사의 괴롭힘에 어렵게 들어간 회사에서 정신적 스트레스를 호소하는 사례도 흔하다. 이런 배경에서 권위를 내려놓고 소통하는 '아재'라는 캐릭터가 사회적 호감을 받는 것이다. 어른과 아이, 상사와 부하직원, 부모와 자식 등 한국 사회에 만연한 위계질서를 아재개그로 타파하는 아재를 통해 세대 간의 수평적 소통을 희망하고 있는 것이다. 또한 아재는 소비문화의 주류로 등장하고 있다. 소비문화가 절정이던 1980, 90년대 청년기를 보낸 이들은 지갑을 여는 데 주저하지 않는 경향을 보인다. 20대보다 트렌드에 민감하고 의류나 화장품 구입에도 적극적이다. 양복과 정장구두보다 스키니와 스니커즈를 구매하며 아저씨 패션을 탈피하고 있다. 2016년 40, 50대의 순정만화 구매율이 20대보다 많았다는 통계도 있다.[9] 경제적 여유와 젊은 세대 못지않은 감수성의 소유는 아재의 전성시대를 이끌고 있다.

향후 전망

　소비의 주고객으로 떠오르는 40대가 트렌드 변화의 주역
아재들의 활약이 두드러지면서 패션, 유통, 화장품 등 중년남성을 타깃으로 한 상품들이 증가할 것으로 보인다. 기존에는 소비계층으로서 20대를 주목했지만 20대의 취업과 결혼이 늦어지면서 40대가 시장의 활력을 가져다 줄 구원투수로 등판한 셈이다. 근엄하고 가부장적인 모습으로 가장의 권위를 지키던 시대는 지나가고 있다. 가족에 대한 부양의무도 있지만 동시에 나만의 개성을 찾는 아재, 친구 같은 아재들이 각자의 라이프스타일을 구축해가면서 트렌드 변화의 주역으로 등장할 것이다.

★ 관련 키워드

『**트렌드 코리아 2012**』, 진정성을 전하라
『**트렌드 코리아 2014**』, '어른아이' 40대

O2O앱

시간과 공간에 제약 없이
나만의 라이프스타일에 맞게
온라인과 오프라인을 연결하다.

숙박, 세탁, 음식점까지 생활 깊숙이 들어온 O2O서비스

O2O란 온라인online과 오프라인offline이 결합하는 현상이다. O2O서비스는 스마트폰으로 상품·서비스를 주문받아 오프라인으로 해결해주는 것이다. 몇 년 전까지 기술에 불과했지만 2016년을 기점으로 사용률이 눈에 띄게 증가하는 추세다. O2O서비스는 교통과 식음료 시장을 시작으로 숙박, 세탁, 음식점까지 그 분야가 확대되었다. 2016년 상반기에 전년 동기 대비 '요기요'는 117%, '배달통'은 55% 성장한 것으로 나타났다. '배달의 민족'은 2010년 정식 서비스 출범 이래 가파른 성장 중이다. 2016년에는 거래액 2조 원을 가뿐히 넘겼

오프라인 시장	O2O 비즈니스 현황
음식 배달	• 올해 배달앱 거래액 규모 2조 원 예상, 전체 배달음식 시장의 20% 수준
콜택시	• 서울 7개 콜택시 앱 이용건수, 서울 전체 택시 이용건수(약 130만 건)의 16% 넘어 • 카카오택시에 가입한 택시기사, 전체의 60% 수준
숙박	• 모텔정보앱 야놀자에 등록된 모텔 2만 6,000여 개, 국내 모텔의 약 10% 육박 • 에어비앤비에 등록된 국내 숙소 약 1만 2,000개
부동산 중개	• 앱 통한 부동산 중개 수수료 올해 2,000억 원 추정 • 연간 2조 원인 국내 전체 주택임대 중개 수수료의 10% 수준 • 직방 하루 평균 이용시간 10분으로 주요 O2O서비스 중 최장
쇼핑	• 멤버십, 스마트월렛 등 포함된 라이프 스타일 분야 앱 이용시간 점유율 2.5배 상승 • 네이버 쇼핑윈도 전국 3,500여 개 매장에서 50만 개 앱 상품 등록
홈 서비스	• 서울 시내 세탁 대행업체 10여 곳 성행 중
농산물 유통	• 네이버 푸드윈도에서 판매하는 농산물 종류 올 초 60여 개에서 400개 이상으로 증가 • 카카오파머제주 3개월간 감귤 750톤 판매(제주 감귤 전체 생산량의 0.14%)

다. 카카오택시로 콜택시 시장을 주도하는 카카오는 모바일 선주문 서비스 카카오오더와 카카오대리 등을 준비 중이다. 세탁이나 청소를 대행해주는 홈서비스 시장, 농산물 유통시장, 헬스케어 등으로도 확장 중이다.

어디든 언제든 전화 없이 클릭으로 간편하게

O2O서비스는 무엇보다 편리하다. 직접 찾아가거나 전화하거나 검색할 필요도 없다. 공급자도 소비자가 필요한 서비스를 직접 선택하기 때문에 타깃을 찾아나설 필요가 없다. 소비자와 공급자를 시간과 장소에 대한 제약 없이 간편하게 이어준다는 점이 O2O서비스가 확산되는 배경이다. 네트워킹 연결로 유통비용이 절감되어 원가를 낮추게 된다는 점도 소비자들이 O2O앱을 찾게 했다. 1인 가구와 맞벌이 가구의 증가도 이러한 현상을 가속시킨다. 혼자 사는 사람들이 많아질수록 기존 가정에서 해결하던 서비스를 외주화하는 경향을 보

인다. 어쩌면 O2O서비스는 시간에 쫓기는 사람들에게 여유시간을 파는 서비스로 진화하고 있는 셈이다. 전화를 하지 않아도 된다는 점도 매력이다. 스마트폰 메신저를 통해 주로 비대면적 커뮤니케이션에 익숙한 세대들은 일종의 전화공포증call phobia을 호소한다. 스마트폰과 함께 유년기를 보낸 모바일 네이티브에게는 클릭으로 원하는 것을 얻을 수 있는 O2O앱의 문법이 더 편안한 것이다.

향후 전망

라이프스타일과 취향을 존중해줄 서비스의 개인맞춤 시대

O2O앱은 이제 막 걸음마를 뗐을 뿐, 앞으로 성장 가능성이 기대되는 분야다. 오프라인에서 해결했던 서비스들이 점점 O2O서비스로 확대될 것으로 보고 있다. 중국에서는 마사지·육아·의료까지 분야가 다양화되고 있다. O2O앱 이용객들의 소비행동 데이터를 기반으로 한 맞춤 서비스로 진화할 가능성도 있다. '젠드라이브Zendrive'는 자동으로 과속 등의 운전습관을 체크해주는 서비스를 제공한다. 이를 통해 안전운전을 하는 운전기사에게 보험료를 할인해준다. '우버'나 '아마존'은 젠드라이브를 통해 운전기사의 운전태도를 파악한 후 연봉에 반영한다고 한다.[11] 나만의 라이프스타일과 취향을 갖고 싶은 소비자들이 증가하는 만큼 O2O서비스의 개인맞춤 시대도 먼 미래의 일이 아니다.

★ 관련 키워드

『트렌드 코리아 2014』, '판'을 펼쳐라

『트렌드 코리아 2014』, 옴니채널 전쟁

저가음료

거리의 일상이 된 음료의
가성비 경쟁, 철저한
품질관리가 핵심 전략.

TREND 2016

주스도 커피도 가성비 경쟁

2016년 유난히도 무더웠던 여름, 거리에서 주스를 마시는 사람들을 심심치 않게 볼 수 있었다. 2015년부터 증가하기 시작했던 저가주스 업체들이 2016년에 이르러 급격히 많아졌기 때문이다. 대표적인 브랜드 쥬씨는 2016년 3분기까지 130% 성장했다. 가맹사업 1년 만에 500호점을 돌파하기도 했다. 주스뿐만이 아니다. 가성비를 앞세운 커피전문점들의 기세가 2016년에도 이어졌다. 한국공정거래조정원의 '커피업종 프랜차이즈 비교정보'에 따르면 전국 가맹점 최다 브랜드로 이디야커피가 압도적인 1위였다. 빽다방도 신규개점률이

94.2%에 달하는 등, 저렴한 가격의 브랜드들이 강세다. 여기에 편의점까지 커피브랜드 경쟁에 뛰어들었다. 2015년 1월 원두커피시장에 본격 진출한 세븐일레븐의 세븐카페는 1년도 안 되어 누적 판매량 1,000만 잔을 가볍게 넘겼다. 2016년 매출도 전년 동기 대비 306.1% 증가했다.[12] CU와 GS25도 자체브랜드를 출시했는데, 편의점의 효자상품으로 등극하고 있다. 또한 야쿠르트에서 신선함을 내세운 콜드브루가 마니아층을 형성할 정도로 인기를 끌면서 2016년 9월까지 누적 판매량 1,200만 개를 기록했다. 유통기한을 로스팅 후 10일로 짧게 정해 맛을 놓치지 않으면서 가격은 1,500원에서 2,300원으로 원두커피와 비슷하다는 가성비가 인기요인으로 꼽힌다.

추가 지불의 가치가 없는 비싼 음료는 NO! 저가음료가 답이다
2016년의 핵심 트렌드는 가성비였다. 경기지표는 나아질 기미가 보이지 않고 저성장기에 진입했다는 뉴스뿐이니 이왕이면 저렴한 가격을 찾게 되는 것이다. 커피로 시작했던 가성비 트렌드가 주스로 확대되었다. 보통 생과일주스는 비싸다는 생각이 많았는데, 저렴한 가격에 과일로 영양을 챙길 수 있다는 실속모드가 소비자들을 저가음료에 빠져들게 만든 것이다. 소비자는 이제 추가 지불 가치가 확실히 있다고 느낄 때에만 더 많은 비용을 감수한다. 지불과 비례하는 가치가 없다면 지갑을 열지 않는 것이다. 즉, 비싼 음료라면 그에 상응하는 가치가 있어야 하는데, 음료에 추가 지불을 할 만큼 품질의 차이를 느끼지 못한다는 데에서 저가음료의 인기 배경을 찾을 수 있다.

품질만큼은 값싸지 않은 관리가 살아남을 핵심 전략

음료업계 사이에서 가성비 경쟁이 치열하다 보니, 부작용이 발생하기도 한다. 특히 일부 저가주스 전문점들은 용량을 속였다는 비판을 받았다. 일부 매장에서 주스를 덜 채워 판매하는 행위가 적발된 것이다. 이후 과장광고를 인정하고 용량 문구를 삭제하는 일이 벌어지기도 했다. 또한 질 높은 과일을 사용한다는 홍보 문구와는 다르게 B급 과일이나 낙과落果의 비중이 많다는 정보가 흘러나오고 있다. 당성분이 많이 들어가 있어 오히려 건강에 좋지 못하다는 비판도 많다. 과일은 신선제품이기 때문에 문제가 더 드러나는 측면이 있지만 과도한 가성비 경쟁은 커피 업계에도 제품관리의 허점을 드러낼 수 있다는 지적이다. 저가음료들이 가벼운 주머니 사정을 지닌 소비자의 여가시간을 풍성하게 채워준 것은 사실이지만 앞으로 철저한 품질관리가 경쟁에서 살아남을 핵심 전략이 될 것이다.

★ **관련 키워드**

『**트렌드 코리아 2012**』 차선, 최선이 되다
『**트렌드 코리아 2013**』 미각의 제국
『**트렌드 코리아 2016**』 브랜드의 몰락, 가성비의 약진

태양의 후예

태후앓이의 경제적 파급효과,
지친 일상의 위로가 될
판타지의 승리.

한국에서도 중국에서도 '태후앓이'

2016년 안방극장은 '태후앓이'였다. 유시진 대위를 연기한 송중기와
의사 강모연으로 분한 송혜교의 밀리터리 로맨스 KBS의 〈태양의 후
예〉는 단연 2016년의 히트작이다. 첫 회 14.3%에서 시작한 시청률
은 16회에 38.8%까지 치솟았다. 종편과 케이블이 등장한 이후 공중
파 시청률이 10%를 넘기기 힘들다는 다매체 시대에 가공할 만한 기
록을 세운 셈이다. 〈태양의 후예〉는 중국에서도 동시 방송되며 중화
권에서 송중기 신드롬을 일으킬 만큼 큰 인기를 끌었다. 중국 동영
상 사이트 아이치이愛奇藝에선 〈태양의 후예〉 조회 건수가 20억 건을

넘어섰다.[13] 드라마의 인기만큼 파급효과도 대단했다. 태양의 후예 OST vol.1은 2만 장이 넘는 판매량을 기록했다. 여자 아이돌의 국내 앨범 판매량조차 10만 장을 넘기기 어렵다는 점에서 OST로서 성공적인 판매고를 올린 셈이다. 중국에서도 〈태양의 후예〉 디지털 앨범은 3개월 동안 60만 장이 판매되었다. PPL(간접광고) 효과도 상당했다. 배우들이 착용한 액세서리를 비롯해 드라마 속에 나왔던 자동차, 건강기능식품, 주방기기, 프랜차이즈 가맹점까지 태후 신드롬의 수혜주다. 일명 송혜교 립스틱으로 불렸던 아모레퍼시픽의 라네즈 투톤 립 바는 2016년 3월, 판매량이 2월 대비 556%나 급증했다. 드라마에서 노출되었던 오쿠중탕기도 중국 시장에서 120% 매출 상승을 기록한 것으로 알려졌다.[14]

판타지의 충족, '기승전멜로'를 정면에 드러내다

'기-승-전-멜로'. 병원·법정·궁궐 등 장소와 시대를 막론하고 무조건 연애가 빠지지 않는다는 한국 드라마를 표현하는 말이다. 〈태양의 후예〉는 기승전멜로를 정면에 드러내 성공한 경우다. 상황부터 비주얼까지 현실에서는 실현 불가능한 설정이 가득하지만 오히려 이렇게 로맨스에 충실한 극의 전개 및 설정이 사람들을 빠져들게 했다. 태양의 후예의 주인공들은 소명의식을 잘 보여주는 인물들이다. 유시진 대위는 "미인과 노인과 아이는 보호해야 한다는 게 내 원칙입니다"라고 말하는 남자다. 강모연은 의료봉사를 마치고 서울로 돌아가는 길에 우르크에 지진이 나자 발길을 돌리는 의사다. 군인은 군인답게, 의사는 의사답게 일한다는 그들의 직업 정신이 로맨스만큼이나 드라마를 이끄는 감동 요소이기도 하다. 시청자들의 뜨거운 호응도 어쩌면 직업의식이 사라진 현실에서 느낄 수 없는 또 다른 판타지의 충족인지도 모르겠다.

지친 일상에서 쉴 수 있는 휴식 같은 콘텐츠가 대세

현대인의 일상은 각박하다. 하루가 멀다하게 들려오는 사건사고 소식들과 정확한 원인조차 파악하지 못하고 있는 미세먼지의 습격, 언제 좋아질지 모르는 경제 상황과 고위관료들의 부정부패까지 현실에서는 기댈 곳이 없다. 〈태양의 후예〉는 각박한 일상을 견디고 있는 사람들에게 초콜릿 같은 존재였다. "진짜 저런 군인이 있어?"라는 의심은 사실 내 주변에 직업의식이 있는 사람들이 많았으면 하는 바람인 것이다. 이 때문에 앞으로도 현대인의 지친 마음을 달래줄 수 있는 콘텐츠들이 많아질 것으로 보인다. 사는 게 힘들어 질수록 단순한 코드에 사람들은 마음을 연다. 2015년 히트상품으로 선정된 〈삼시세끼〉가 2016년에도 상승세를 이어갔던 것 또한 지친 일상에서 쉴 수 있는 휴식 같은 콘텐츠를 바라는 마음의 연장이었던 것처럼 말이다.

★ 관련 키워드
『트렌드 코리아 2012』 진정성을 전하라

○○페이

편리하고 신속한
모바일 간편결제 서비스,
금융 영역의 경계가 사라지다.

인터넷 이용자 10명 중 6명은 간편결제 서비스 이용

국내 온·오프라인 페이시장의 경쟁이 치열하다. 인터넷진흥원의 조사에 따르면 인터넷 이용자 10명 중 6명은 간편결제 서비스를 이용해본 것으로 나타났다. 모바일 간편결제 플랫폼을 제공하는 곳에 따라 소셜 및 포털, 금융사, 전자지급결제대행PG, 이동통신사, 하드웨어, 기타(스타트업, 유통사 등) 제공 서비스까지 6가지로 분류할 수 있다. 2016년 기준으로 국내 온·오프라인 페이시장을 선점하고 있는 업체는 총 4개다. 대표적으로 카카오페이는 소셜 및 포털 제공 서비스로, 국내 최초로 시작된 모바일 간편결제 서비스다. 하드웨어(모바일 제조자) 제공 서비스로 국내 오프라인 페이시장에서는 삼성페이가 독보적이다. 2016년 기준으로 누적결제금액이 1조 원을 넘어섰다. SSG페이는 신세계가 하는 유통사 제공 서비스다. 유통 3사 유통페이 중 가장 많은 가입자를 확보하고 있으며 런칭 1년 만에 3배 이상 가입자가 늘었다. 마지막으로 페이코PAYCO는 전자지급결제대행 제공 서비스로 2016년 기준 가입자 수 500만 명을 달성하였다.

최대한 편리한 상거래 시스템을 위한 시장의 노력

모바일 간편결제 시장의 성장은 무엇보다 편리성에 있다. 스마트폰 뒤에 체크카드 혹은 신용카드를 한두 개 씩 끼워 넣고 다녔던 풍경이 사라지고 스마트폰 안에 카드의 기능까지 넣을 수 있게 된 것이다. 미래창조과학부와 한국인터넷진흥원의 조사에서도 응답자의 80% 이상이 결제과정의 신속성과 간편성을 모바일 간편결제 서비스를 사용하는 이유로 꼽았다.[15] 소비자가 작은 불편도 느끼지 않도록 최대한 편리하고 간단한 상거래 시스템을 구축하려는 시장의 노력이 소비자의 선택을 받은 것이다. 지불과정이 편리해지면서 모바일 쇼핑이 온라인 쇼핑에서 차지하는 비중이 점점 증가할 것이라는 전망이 지배적이다. 모바일 간편결제 시장이 성장할 수 있는 정책적 환경이 마련되었다는 점도 모바일 간편결제가 활성화된 배경으로 꼽힌다. 2014년 '천송이 코트' 사태가 있었다. 드라마 〈별에서 온 그대〉가 중국에서 인기를 끌면서 중국 소비자들이 드라마 속 주인공이 입었던 코트를 구매하고 싶었으나 국내 온라인 쇼핑몰의 '공인인증서'가 문제가 되면서 사지 못한다는 원성이 일었고 금융당국은 외국인들에 대해서 공인인증서를 없애는 정책을 발표한다. 이에 국내 사용자들이 역차별 문제를 제기하자 공인인증서 면제를 국내 이용자들에게도 적용하면서 공인인증서 의무사용 규제가 완화된 것이다. 이때부터 모바일 간편결제 서비스가 등장하기 시작했는데, 2016년에 비로소 소비자들의 일상에 파고든 것으로 보인다. 규제완화가 산업을 살려낸 좋은 예다.

향후 전망

번거로운 단계와 심리적 불안감 해소가 풀어야 할 과제
국내 페이시장이 초기단계인 만큼 향후 성장가능성이 큰 분야다. 전문가들은 은행, 증권, 보험, 카드 등 금융 영역의 경계가 사라지고 하나로 통합될 것이라고 전망한다. 미국『허핑턴포스트』는 모바일 간편결제 시스템이 개인의 일상에 더욱 직접적인 영향을 미치게 될 것이라고 지적한다.[16] 또한 간편결제 데이터를 기반으로 빅데이터를 이용한 소비와 투자패턴을 분석하는 등 영역이 확장될 것으로 보인다고 밝혔다. 하지만 결제 취소 시 절차의 번거로움과 복잡한 본인인증 절차, 심리적 불안함 등 소비자에게 밀접한 결제 수단이 되기 위해서 해결해야 할 과제가 많이 남아 있다.

★ 관련 키워드

『**트렌드 코리아 2015**』, 옴니채널 전쟁

힙합

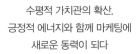

수평적 가치관의 확산,
긍정적 에너지와 함께 마케팅에
새로운 동력이 되다

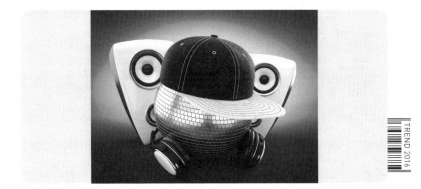

상위 4곡 중 1곡은 힙합, 패션도 식품도 힙합 열풍

2016년 기준으로 국내에서 가장 많이 재생된 상위 4곡 중 1곡은 힙
합이다. 가온차트가 2009년과 2014년까지 5년 동안 장르별 점유율
을 분석한 결과 댄스음악 점유율은 25% 감소한 데 반해 힙합은 7%
에서 18%로 11%포인트 증가했다.[17] 이러한 현상에는 힙합 프로그
램의 인기가 있다. Mnet의 쇼미더머니는 2016년 시즌 5를 방영하며
순간 최고 시청률 3.6%를 기록했다. JTBC에서 선보인 〈힙합의 민
족〉은 다소 어색하지만 젊은 힙합 뮤지션들 못지않은 열정을 장착한
'할미넴'들의 활약으로 첫 방송부터 주목받았다. 힙합의 인기는 단순

히 음원에서 그치지 않는다. 에잇세컨즈는 스트리트 캐주얼 브랜드 노나곤과 손잡고 힙합 감성 상품을 출시했다. 지드래곤과의 컬래버레이션으로 한국식 스트리트 패션을 선보이겠다는 전략이다. 식품에서도 힙합 마케팅이 활발하다. 롯데제과는 가수 빈지노와 함께 컬래버레이션 캠페인을 진행하였고, 코카콜라도 가수 도끼를 내세워 도끼가 작곡한 음원에 맞춰 소비자의 사연을 랩 가사로 만드는 소비자 참여형 마케팅을 기획했다.[18]

타인의 눈치 보지 않는 직설의 쾌감, 새로운 가치관의 확산
1970년대 후반 미국에서 힙합이 시작된 배경에는 가난한 흑인들과 이민자들에 대한 차별이 있었다. 차별과 가난에 대한 감정과 생각을 랩과 춤, 디제잉과 그래피티로 표현하면서 시작된 것이 힙합이다. 국내의 힙합 열풍도 이와 맥락을 같이 한다. 타인의 눈치를 보며 할 말 못하고 사는 2030세대들에게 일종의 쾌감을 주었다는 것이다. 현실에서 할 수 없는 말들이지만 힙합에 담긴 직설적인 가사를 통해 스트레스를 해소하고 있다. 아르바이트, 취업준비, 입시, 결혼 등 고민이 많은 사람들에게 힙합은 일종의 출구 역할을 한다.[19] 사회적 억압, 차별에서 시작된 만큼 힙합은 음악이 아니라 하나의 문화로 봐야 한다. 정부, 언론, 기업에 대한 신뢰가 무너지면서 기존의 것들과의 선 긋기가 힙합 정신을 구성하는 하나의 축이다. 격식이나 예의보다 자유분방한 스트리트 패션이나 타인의 취향을 존중해주는 다양성 추구, 자유로운 성 담론 등은 기성세대가 가졌던 편견을 무너뜨리는 삶의 가치관이다. 정해진 정답을 거부하는 새로운 가치관의 확산이 라

이프스타일로서 힙합문화를 이끄는 동력이 되고 있다.

향후 전망

힙합의 긍정적 에너지를 사회와 조직으로 환원해야

20세기가 록의 시대였다면, 21세기는 힙합의 시대다. 힙합의 직설적 표현 방식은 때로 지나치다는 비판을 받기도 하지만 출구 없는 생존 전쟁을 매일 벌여야 하는 현대인에게 힙합은 일상의 피로함을 날려 주는 사이다 같은 존재다. 현재 힙합문화를 선도하고 있는 10~20대 들이 소비사회의 주류로 등장할수록 힙합이 지닌 가치는 더욱 공고 해질 것으로 보인다. 남의 눈치나 기존의 고정관념보다는 자기만족 과 생활의 혁신을 즐기는 태도를 지향하는 것이다. 이에 따라 기업이 나 조직의 변화도 요구된다. 예를 들어, 기업에서는 관리자와 신입사 원들이 자유분방하게 대화를 나눌 수 있는 자리를 정기적으로 마련 해 이들의 라이프스타일을 조직에 수용하기 위한 노력을 해야 할 것 이다. 가볍고 격식 없는 문화라고 고개를 돌리거나 눈살을 찌푸릴 것 이 아니라 힙합이 지닌 긍정적 에너지를 어떻게 사회와 조직으로 환 원할 것인지 고민해야 할 시점이다.

★ 관련 키워드

『트렌드 코리아 2012』, 마이너, 세상 밖으로
『트렌드 코리아 2014』, 참을 수 있는 '스웨그'의 가벼움, 직구로 말해요
『트렌드 코리아 2016』, 원초적 본능

1

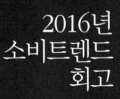

2016년
소비트렌드
회고

MONKEY BARS

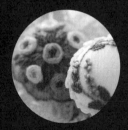

Make a 'Plan Z'

'플랜 Z', 나만의 구명보트 전략

「트렌드 코리아 2016」 예측 내용

플랜 A가 최선, 플랜 B가 차선이라면, 플랜 Z는 최후의 보루다. 초대형 유람선도 최악의 경우를 대비해 구명보트를 준비하듯, 소비자들도 불경기의 파고에 대비하는 생존전략, '플랜 Z'를 마련한다. 저성장, 취업난, 고용불안, 양극화 등 사회적 문제들이 악화되는 가운데서도, 이미 풍요의 시대를 경험한 바 있는 소비자들은 여전히 소비를 통해 행복을 추구한다. 플랜 Z 소비는 이 역설적인 긴장 속에서 단지 무조건 아끼고 긴축하는 것이 아니라, '적게 쓰지만 만족은 크게 얻으려는 전략'을 말한다. B급 상품, 샘플세일, 소분시장 등을 통해 살 것은 사고, 앱테크와 미끼상품을 활용해 푼돈이라도 개미처럼 긁어모으고, 집에서 스스로 해결하며 혼자 노는 전략에 이르기까지. 플랜 Z 소비는 결국 장기적으로는 합리화·선진화된 소비 관념의 결과이기도 하다. 소비자들의 불안과 합리성의 소산인 플랜 Z 소비를 지원할 수 있는 새로운 판과 전략이 필요하다.

「트렌드 코리아 2016」, 203~223쪽

무너진 터널 속, 한 남자가 갇혀 있다. 여전히 붕괴의 위험이 감지되는 아슬아슬한 상황, 추위와 배고픔과 함께 점점 짙어지는 어둠. 이 모든 것들이 두렵지만, 사실 그가 가장 두려운 것은 '언제 구조될지 알 수 없다는 것'이다. 그래도 반드시 살아나가겠다는 의지로 하루하루 버텨낸다. 그런데 이 남자, 의외의 모습을 보여준다. 눈금까지 그어 조금씩 아껴먹는 물은 마치 와인을 마시듯 우물우물 음미하며 마시고, 꿈쩍하기도 힘든 찌그러진 차 안에서도 최대한 편히 누울 공간을 찾아 자신의 옷을 야무지게 덮고 잔다. 유일하게 잡히는 주파수의 라디오 방송에서 흘러나오는 클래식 음악을 열심히 청취하고 진행자의 멘트에 혼자 답한다.

라디오 진행자: (광고가 시작하기 전 멘트) "딴 데 가지 마세요."
이정수(하정우): "딴 데 어디 갈 데도 없다, 치."

2016년 여름 개봉한 영화 〈터널〉의 한 장면이다. 관객 700만 명이 넘는 흥행을 거둔 영화의 터널 속 주인공이나 터널 밖 인간군상의 모습이 작금의 우리 사회와 닮았다고 한다면 지나친 해석일까? 터널 속 주인공 이정수(하정우)의 모습은 지속되는 불경기와 사건사고 속에서 살아남으려는 오늘날 우리의 모습과 얼마나 다르다고 자신할 수 있을까? 절박하고 고된 현실 속에서 살아남으려면 그 안에서 자신이 누릴 수 있는 최소한의 것들을 찾아내는 생존전략, '플랜 Z'가 필요하다. 2016년 대한민국 소비의 변화된 여러 모습은 사실 대부분 '플랜 Z 소비'로 환원시킬 수 있다고 해도 과언이 아니었다.

현재의 행복과 미래에 대한 준비 사이에서 위태로운 줄타기를 하고 있는 플랜 Z 세대, 이들은 초절약 소비전략을 모색하면서도 삶의 만족을 높이기 위한 합리적 소비에 집중한다. 누군가에게는 팍팍한 삶의 형태처럼 보이겠지만 정작 본인들에게는 최선의 선택이자 우아한 솔루션이라는 것이다. 소비와 만족의 비례공식을 깨고 적은 비용과 수고만으로도 만족은 크게 누리려는 플랜 Z 시대의 소비가 다양한 형태로 펼쳐졌다. 2016년 한 해, 우리 사회 전반에 걸쳐 그 존재감을 드러낸 플랜 Z 소비 현상과 이에 대응한 업계의 전략들을 하나하나 되짚어본다.

우아한 서바이벌 전략 1
아끼면서 누렸다

올해의 뜨거운 정점, 'PB 상품'과 '저가생과일주스'

2016년의 대표 플랜 Z 아이템은 바로 PB 상품과 저가 생과일주스였다. PB Private Brand 상품의 인기는 몇 년 전부터 뜨거웠지만 2016년 그 정점을 찍었다 해도 과언이 아니다. 특정 분야에서 부동의 1위 제품이 PB 상품에게 자리를 내줘야 했을 정도로 활약이 대단했다. 우유 시장의 절대 강자인 '서울우유'도 홈플러스에서는 PB 상품인 '좋은 상품 1A 우유'에게 1위 자리를 뺏겼다. 물티슈 업계에서도 이마트에서는 유한킴벌리 등 대형 기업들을 따돌리고 PB 상품 '노브랜드 물티슈'가 판매 1위를 기록했다. 이 밖에 홈플러스의 PB 상품 '좋은 상품 맑은 샘물(롯데칠성음료)'이 업계 1위 '제주삼다수'를 꺾었고, 롯데마트의 PB 상품 '통큰 초코파이(롯데제과)'는 출시하자마자 '오리온 초코파이'의 선두 자리를 가져갔다.[1]

저가생과일주스의 열풍 또한 이러한 소비자의 심리를 보여주는 사례다. 이 업계의 선두 주자인 '쥬씨'는 2016년 6월 기준, 가맹사업

1년 만에 510호점을 돌파했다. 대부분 2,000원 대의 저렴한 가격에 맛도 뒤처지지 않아 큰 인기를 끌고 있다.[2] 비록 재료의 성분이나 용량 차이 등의 문제로 잡음이 있었지만 소비자들은 이에 크게 개의치 않는 눈치다. 한 끼 식사 가격을 웃돌던 생과일주스가 저렴한 가격의 훌륭한 디저트로 인식되며 '킹콩쥬스' 등 유사 업체들의 경쟁도 치열해졌다. 이들 저가음료는 본서가 선정하는 2016년의 10대 트렌드 상품에 꼽히기도 했다(『트렌드 코리아 2016』 **10대 트렌드** 상품 참조).

'B급 상품'에 이어 중고명품, 중고책에 뛰어든 온라인 시장

일명 못난이 상품이라 불리는 B급 상품도 다양하게 제품군을 확대하며 보다 전략적인 형태로 시장에서 활약했다. 롯데백화점은 '2016 롯데 데코 마켓'을 열어 매 시즌마다 매장과 쇼윈도 등에 사용했던 장식용 소품들을 최대 90%까지 할인 판매해 소비자들의 큰 호응을 얻었다.[3] 최근에는 '홈카페' 열풍에 힘입어 커피머신에 대한 수요가 급증하고 있는 가운데, 커피머신에도 '리퍼브 제품'이 등장했다.[4] 예컨대 독일의 커피머신 브랜드 '밀리타'의 경우 많게는 200만 원에 달하는 고가의 커피머신을 반품제품과 전시상품을 중심으로 최대 60% 할인 판매하는 동시에 2년 무상 A/S를 제공하여 업계와 소비자들의 관심을 끌었다.[5]

이른바 '명품'을 선호하는 소비자들 사이에서도 플랜 Z 소비 현상이 두드러지고 있다. 저가로 승부하는 패스트패션 업체가 고가품 브랜드와 콜라보한 상품들이 명품 브랜드 애호가들을 줄 세웠다. 명품의 플랜 Z인 셈이다. H&M이 발망Balmain과 협업한 상품을 내놓자마자 뜨거운 반응을 일으켜 이른바 '발망대란'이라는 별명까지 얻었던 것이 대표적인 사례다.[6] 나아가 '샘플세일'은 패피(패션피플)들 사이에서 그 인기가 식을 줄을 몰랐고, 중고명품 시장 역시 거래가 활발했다. 특히 온라인 시장에서 중고명품 거래가 활발하게 이루어지고 있는 추세다. 오픈마켓 11번가는 2016년 1~2월의 수입명품(가방, 의류 등) 매출이 전년 동기 대비 약 27.8% 증가했다고 밝혔다. 특히 남성용 여행가방의 경우 126.7%라는 놀라운 매출 증가율을 보였다. 옥션 또한 2016년 1월 말부터 약 한 달간 여성용 중고명품 가방의 매출이 지난 해 같은 기간보다 188% 증가했다고 발표했다.[7] 대개 명품제품들은 가격이 높기 때문에 아무리 중고제품이라도 직접 거래가 선호되었으나 쇼핑의 즐거움보다 효율성을 우선하는 소비자들이 늘면서 거래 형태가 변하고 있는 것이다.

먼지를 뒤집어 쓴 옛날 잡지책을 팔던 중고서점도 말끔하게 새 단장을 하고 소비자 곁으로 다가서고 있다. 대형 온라인 서점 '예스24'는 2016년 4월 서울 강남역 인근에 중고책 매장 1호점을 열었다. 이어서 서울 목동에 1호점보다 더 큰 규모의 2호점을 열어 업계의 관심을 모았다. 예스24의 2016년 2분기 중고책 거래 관련 매출은 전년 동기 대비 50% 내외로 높은 증가세를 보이고 있다. 중고책 거래를 온라인에서만 운영하는 '교보문고'도 2분기의 관련 매출이 전년 대비 10% 증가했다. '알라딘' 또한 2011년부터 오프라인 중고책 매장을 열기 시작해 현재 국내외 29개의 매장을 운영 중이고, 2016년 한 해에만 국내에 7개의 신규 매장을 오픈했다.[8] 출판시장의 불황이 깊어지면서 대형 오프라인 서점들의 폐점 소식이 늘어나는 상황과는

▲ 출판시장의 불황이 깊어지면서 대형 오프라인 서점들의 폐점 소식이 늘어나는 상황과 대조적으로 중고책 매장은 활기를 띠고 있다.

매우 대조적인 현상이다. 도서정가제의 시행으로 발행된 지 오래된 서적마저 10%의 낮은 할인율로 구매해야 하는 소비자들이 적극적으로 자신의 책을 사고팔며 중고시장을 키우고 있는 것이다. 소비자에게는 어쩔 도리 없는 최후의 방안이지만 한편으로 정가 도서의 판매가 줄어드는 역작용 때문에 출판업계의 고민이 깊어지고 있는 상황이다.

최첨단 시대의 물물교환? 소분족의 주 무대, 온라인 시장

조금만 정보력을 동원하면 온갖 저렴한 물품을 손쉽게 득템할 수 있는 시대, 물물교환 거래 역시 이제 빠르게 성장하는 시장이 되었다. 가장 원시적인 형태인 물물교환 시장이 최첨단을 걷고 있는 현재에 다시 인기를 얻고 있다는 점이 아이러니하다. 물물교환은 주로 인터넷 커뮤니티를 통해 활발하게 이루어지고 있는데, 포털 사이트에 물물교환이라는 검색어만 입력해 봐도 5만~6만 건에 달하는 블로그

글이 검색된다. 한 온라인 중고거래 커뮤니티의 '물물교환' 게시판에는 매일 70~80개에 달하는 글들이 포스팅되고 있어 그 인기를 실감할 수 있다. 이 물물교환의 제품군들은 기존 시장보다 더욱 다양하고 일상적인 것들이다. 예를 들어, 귤 한 박스와 사용하지 않는 아기 젖병 3개, 쓰고 남은 스마트폰 데이터와 기프티콘, 수저세트와 평소에 입지 않는 무대의상 등 '아니, 저런 것들도 교환하나?' 싶을 정도의 물건들이 심심치 않게 등장한다. 2014년 등장해 현재 다운로드 700만 건을 돌파할 정도로 인기인 모바일 중고거래 플랫폼 '번개장터'나 페이스북의 '공유하는 지구별 순환터(공지순)' 등이 대표적인 사례다.[9]

온라인 커뮤니티에서는 '소분小分족'의 활동이 여전히 활발하다. 대형할인마트에서 구입한 식료품은 물론 화장품, 반려동물의 사료 등 그 대상과 범위 또한 다양해지고 있다. 낮은 가격에 구성과 품질이 좋은 상품을 판매하는 창고형 대형마트의 제품이 소분시장의 주거래 상품이다. '소공녀: 소분, 공동구매하는 여자들의 모임'이라는 커뮤니티는 현재 가입자 수가 약 7만 명에 이를 정도로 인기다. 주로 고가의 향수, 화장품, 의약품들이 거래되며 이들은 소분을 온라인 시장의 가장 실용적인 소비행위라 여기고 있다. 하지만 화장품이나 의약품 등은 현행법상 소분 판매가 불법이므로 이에 대한 분명한 인식과 개선책이 필요해 보인다.[10]

우아한 서바이벌 전략 2
누리면서 모았다

—

한 푼이 아쉽기는 하지만 별다른 수고는 들이고 싶지 않은 이들에게 '앱테크'야말로 푼돈을 모으기에 가장 유용한 수단이다. 2016년에도 앱테크를 위한 다양한 앱들이 등장해 스마트폰 이용자들의 관심을 끌었다. 2015년 12월 출시된 '돈 버는 키보드'는 더욱 진화된 형태의 앱테크를 선보여 출시 2달 째에 60만 건의 다운로드를 기록했다. 앱 설치를 해야 포인트가 적립되거나 잠금화면 광고를 봐야 하는 기존의 '돈 버는 앱'과 달리, 휴대폰 내에 다양한 무료 키보드 테마 사용을 유지하면 매달 8,000원 이상의 현금 포인트를 지급받을 수 있는 서비스다. 또한 서비스 이용자의 관심 분야를 파악해 각종 할인, 무료체험, 시사회 혜택 정보를 제공한다.[11]

터치하면 쌓인다! 치열한 선점 경쟁 속 마일리지 모으기

스마트폰으로 광고를 시청하거나 링크 등을 터치하면 적립금이 쌓이는 '리워드앱' 또한 점점 더 진화하는 형태로 등장하고 있다. 2016년 초에 출시된 앱 '캐시유'는 앱과 함께 다운로드 받은 위젯을 터치해 15초 광고를 시청해야 한다. 광고가 끝나면 적립급이 지급되면서 동시에 스마트폰은 자동적으로 잠금화면으로 전환되는 방식이다. 기존의 리워드앱 방식에 잠금기능을 접목한 독특한 형식의 서비스로 진화한 것이다.[12] 비슷한 사례로 수신자와의 통화가 끝나고 나면 등장하는 광고를 보고 캐시포인트를 얻을 수 있는 '캐시콜', 자신

▲ 한 푼이 아쉽기는 하지만 별다른 수고는 들이고 싶지 않은 이들에게 리워드앱은 푼돈을 모으기에 유용한 수단이다.

의 SNS에 각종 리뷰 콘텐츠의 링크를 공유하는 방식으로 캐시포인트를 받는 '리뷰스타' 등이 있다.

최근 치열한 시장선점 경쟁을 벌이고 있는 간편결제 서비스들도 플랜 Z 세대를 잡기 위해 다양한 할인혜택 공세를 펼치고 있다. '네이버페이'는 온라인 매장 구매액의 1%를 적립시켜 주고, '페이코'는 2~5개월의 무이자 할부혜택을 제공하며, '삼성페이'는 구매액의 20%까지 마일리지를 적립시켜 준다. 할인제공 경쟁도 뜨겁다. '카카오페이'는 스타벅스·GS25에서 10% 할인, 'SSG페이'는 5만 원 이상 결제 시 5% 할인을 실시하고 있다. 이렇게 점차 진화하는 형태로 속속 등장하고 있는 다양한 앱들은 편안하게 실속을 챙기고자 하는 플랜 Z 소비 세대의 단면을 보여주는 예다.

우아한 서바이벌 전략 3
결국, 집으로 돌아왔다

—

집밥에 이어 홈술이 대세, 쏟아지는 취향저격 상품들

2016년은 어느 때보다 '집'에 대한 관심이 뜨거웠다. 집을 떠나는 것이 상식이던 휴가를 집에서 보내는 트렌드가 자리 잡을 정도였다. 여행의 즐거움 대신 집 혹은 집 근처 호텔에서의 완전한 휴식을 선택한 **스테이케이션족**'의 등장이 2016년 '집'의 중요성을 잘 말해준다.

스테이케이션Staycation
'머무르다Stay'와 '휴가Vacation'의 합성어, 말 그대로 집이나 집 근처, 도심 속 호텔 등 한곳에 머무르며 휴가를 즐기는 것.

따끈한 '집밥'을 선호하던 소비자들이 이제는 술 한 잔의 여유를 즐기는 공간마저 집으로 옮기고 있는 추세다. 집에서 술을 즐기는 이들을 가리켜 이른바 '홈술(홈-home과 '술'의 합성어)족'이라 부르기도 한다. 주류업계는 이 홈술족을 겨냥한 제품들을 선보이며 인기몰이 중이다. 특히 전문 술집에서나 즐길 수 있던 칵테일을 집에서도 마실 수 있는 신개념 칵테일 발효주 제품들이 등장해 홈술족의 취향저격 아이템으로 떠오르고 있다.

오비맥주는 맥아 발효 원액에 상큼한 과일과 탄산을 더한 '믹스테일'을 내놓았다. 출시 한 달 만에 신사동 가로수길에 '믹스테일 하우스'라는 무료 체험관을 열어 누적 방문객이 12,000명을 넘어설 정도로 큰 호응을 이끌어냈다. 하이트진로의 '망고링고'의 경우 2016년 6월 출시 이후, SNS에서 '맛있음주의(맛있으니까 주의하라는 뜻)'라는 태그가 달린 수많은 리뷰들로 화제를 모으기 시작했다.[13] 두 제품 모두 저렴한 가격으로 집에서 바bar 못지않은 '홈술'을 즐길 수 있다는 점이 플랜 Z 소비자들의 이목을 끈 것으로 보인다.

홈캠핑과 홈트족, 셀프네일아트 제품 매출의 급상승

집밥을 선호하고, 홈술을 마시며, 홈카페의 여유를 만끽하는 소비자에게 집은 휴식처를 넘어 놀이터와도 같다. 이들은 집 밖에서나 가능

◀ 2016년 2월 일산 킨텍스에서 열렸던 '국제캠핑페어'에서 '일상 속 즐거움: 홈캠핑'이라는 기획전을 선보일 만큼 캠핑마저 집에서 즐기는 이들이 늘고 있다.

했던 야외 레저 활동마저 집 안에서 만끽하고 있다. 몇 해 전부터 대한민국의 여가 트렌드로 확고히 자리매김한 캠핑 역시 집에서 즐기는 '홈캠핑'이 그 인기를 이어가고 있는 추세다. 시간과 돈을 들여 나간 캠핑이지만 날씨와 미세먼지 등 환경의 영향을 많이 받는 것이 불편한 이들에게, 내 집에서 즐기는 아늑한 홈캠핑이야말로 안성맞춤인 셈이다. 여름에는 집 베란다에 작은 텐트와 대형 풀장튜브를 들여놓아 베란다캠핑을 즐기기도 한다. 이러한 인기를 반영해 2016년 2월 일산 킨텍스에서 열렸던 '국제캠핑페어'에서는 '일상 속 즐거움: 홈캠핑'이라는 기획전을 선보여 홈족들의 발길을 모았다.[14]

집에서 운동을 하는 '홈트족(홈트레이닝족)'도 빠르게 확산되고 있다. 이들은 유튜브 동영상이나 셀프트레이닝 애플리케이션 등을 보고 따라하며 전문 헬스장 못지않은 운동효과를 내기 위해 노력한다. 유튜브를 통해 선풍적인 인기를 불러일으키고 있는 일명, '마일리 사이러스 하체 운동'은 아예 홈트의 클래식으로 자리를 잡았다. 홈트족의 증가에 따라 홈트레이닝 용품의 매출도 증가세를 보였다. G마켓은 2016년 상반기, 자세 교정용 요가 도구인 '요가 블록'과 필라테스 도구 '토닝볼'의 매출이 전년 동기 대비 각각 462%, 207% 급증했다고 밝혔다. '승마운동기'와 '에어보드' 같은 비교적 작은 크기의 실내 유산소 운동기구 역시 각각 467%, 382%의 높은 매출 증가율을 기록했다.[15]

이제는 대중적인 메이크업으로 자리 잡은 네일아트도 도구만 있다면 집에서 혼자 해결한다. 숍을 이용하면 보통 1회에 3만~6만 원이 드는 네일아트 비용이 부담스럽기는 해도 밋밋한 손톱을 견딜 수 없는 것이 요즘 여성들이다. 이들을 겨냥한 셀프네일아트 제품이 꾸준한 성장세를 보이고 있다. 헬스·뷰티숍 올리브영에 따르면 2016년 6월(1~23일) 약 한 달간 셀프네일아트의 매출이 전년 동기 대비 65% 늘어났고 온라인몰 롯데닷컴 역시 같은 기간 매출이 전년 동기 대비 62% 증가했다고 밝혔다.[16]

'셀프인테리어' 바람, 먹방에 이어 이제 집방이 대세

집에서 누리기 위해 집을 꾸미려는 사람도 늘었다. 이케아의 한국 상륙 이후 거세진 '셀프인테리어' 바람은 국내의 가구 및 인테리어 시장의 치열한 경쟁 속에서도 전반적인 성장세를 보여주었다. 집방의 열기도 좀처럼 식지 않고 있다. 2015년 12월부터 2016년 7월까지 방영된 JTBC의 〈헌집 줄게 새집 다오〉는 높은 인기에 힘입어 9월부터 시즌2를 선보이고 있다. tvN의 〈내 방의 품격〉 역시 현재 시즌2를 준비 중이다. 유명 연예인들의 주거공간을 공개하는 프로그램에서 이제는 일반인들이 자발적으로 자신의 공간을 리뉴얼하기 위해 사생활 공개를 꺼리지 않고 있는 모습이다.

이러한 집 꾸미기의 열기가 가장 뜨거운 곳은 바로 SNS다. 직접 인테리어를 시공하는 과정과 사용한 제품에 대한 정보, 완성 후의 모습을 인증하는 것이 유행처럼 퍼지면서 '방스타그램(방+인스타그램)'이라는 합성어도 등장했다. 인테리어 관련 앱 또한 인기다. 셀프인테리어 정보를 제공하는 앱, '하우스'와 '오늘의 집'은 사용자가 10만 명(구글플레이 기준)에 달했다. 집 안 사진만으로 평면도를 받을 수 있는 앱 '매직 플랜'과 3D로 가상의 집을 꾸며주는 앱 '홈스타일러 인테리어 디자인'은 각각 100만 명, 500만 명의 사용자를 돌파했다.[17]

향후 전망
상황에 따른 발 빠른 전략과 긍정적·적극적 자세가 중요

—

경제의 장밋빛 미래를 예측하기 힘든 시대, 소비자들의 플랜 Z 소비 양상은 당분간 지속될 전망이다. 최근 전국 성인 남녀(만 19~59세) 1,000명을 대상으로 온라인리서치회사 마크로밀엠브레인의 트렌드모니터가 실시한 'B급 상품 이용 관련 인식 조사' 결과, 전체 조사 대상자 중 75.1%가 B급 상품을 구매하는 것이 현명한 소비행위라 응답하고 있다. 이렇듯 B급 상품에 대한 전반적인 인식이 긍정적으로 변화한 것은 소비자들의 소비 태도와 활동이 변화되었다는 것을 반증하는 것이다.[18] '싼 게 비지떡'이라는 옛말도 이제는 '비지떡도 내 입에 맞으면 꿀떡'으로 변화한 모양새다. 이러한 인식과 소비문화의 변화는 B급 상품 시장은 물론 중고시장, 소분시장, 그리고 최근 급부

상하고 있는 온라인 물물교환 시장에서 더욱 두드러질 전망이다.

무엇보다 주목해야 할 현상은 바로 주거 공간 문화의 발전과 진화 양상이다. 모든 활동들이 집에서 가능해지고, 집이라는 공간에 대한 사람들의 애착이 날로 증가하는 추세를 보이고 있다. 셀프인테리어와 가구 및 생활용품 시장의 성장세가 유독 두드러지고 SNS를 통해 공유되는 인테리어 정보도 아마추어 수준을 뛰어넘고 있다. 공간을 잘 꾸미는 것을 넘어 이제 그 안에서 잘 생활하는 것으로 주거 문화가 점차 진화하고 있는 것이다.

플랜 Z 소비를 '불경기에 대응하는 단순한 소비절약'으로 치부해서는 안 된다. 플랜 Z 세대는 어쩔 수 없이 못나고, 저렴하고, 남이 쓰던 것들을 선택하긴 하지만, 그러한 과정 속에서도 개인의 정보력과 취향이 더해져 이를 자부심으로 만들고 있다. 따라서 단순히 저렴하다는 것을 강조하기보다는, 이러한 자부심을 느낄 수 있는 합리성을 담보하는 것이 플랜 Z 상품 성공의 첫째 비결이다.

현대인의 가치관이 사회적 성취보다는 개인적 라이프스타일의 완성을 중시하는 방향으로 변화하고 있다. 하지만 끝을 모르는 불황 속에서 순간의 즐거움을 한껏 누릴 수도 그렇다고 포기할 수도 없는 상황이다. 그럼에도 낙담하거나 포기하지 않고 어쩔 수 없는 선택마저 긍정적이고 적극적인 자세로 누리는 플랜 Z 소비자들의 행보는 저성장 소비트렌드 시대, 최적의 대안이다. 상황에 따라 시시각각 변하는 이들을 태우기 위해 기업들도 새롭고 더 안전한 구명보트를 띄우기 위한 전략을 다시 짜야 할 것이다.

Over-anxiety Syndrome

과잉근심사회, 램프증후군

~~~~~~ 『트렌드 코리아 2016』 예측 내용

대중매체와 SNS 등을 통해 재난과 사건사고를 시시각각 시각적으로 접하며 대리외상을 경험하게 되면서 현대인들에게 불안은 일상이 되고 있다. 현대사회에서 대중은 실제 수준보다 위험을 과장되게 인지하며 큰 불안과 공포를 느끼곤 한다. 기업들은 소비자의 이런 불안과 공포를 역으로 이용하여 이를 상품화하고 있다. 불안감이 확산되는 상황에서 공포 마케팅은 기업에게 더 자극적이고 효율적인 무기가 되기도 한다. 앞으로 불안은 공포 마케팅의 요소를 넘어 새로운 산업의 요소로 활성화될 전망이다. 현대인에게 심리적 안정감을 줄 수 있는 새로운 형태의 불안 상품과 서비스들이 다양하게 등장할 것이다. 불안에는 더 훌륭한 업적을 가능하게 하고 활동을 신중하게 만드는 긍정적 측면도 있다. 한치 앞도 내다보기 어려운 시대이지만 이럴 때일수록 불안을 현명하게 활용할 필요가 있다. 2015년 메르스 사태 이후 확대된 걱정과 근심 가득한 대한민국의 상황을 기업과 소비자가 현명하게 극복하기 위한 방안은 무엇일지 고민해 보자.

『트렌드 코리아 2016』, 226~244쪽

~~~~~~

"**옥시만** 그럴까요? 다른 제품도 쓰기가 꺼려져요. 지난주에 산 것 모두 반품했어요."

"화학제품이 안 좋다고 하잖아요. 인터넷을 뒤져 천연소재를 사용한 세제를 만들어 쓰고 있어요."[1]

전국을 전기요금 누진제 공포에 빠뜨렸던 기록적인 폭염, 역대 최대 규모의 '9·12 지진', 남부 지방을 맹폭한 '태풍 차바', 시도 때도 없이 빈발하는 엽기적인 살인, 성폭행 사건, 도로를 횡행했던 여러 차례의 보복, 분노운전까지 2016년 대한민국은 불안했다. 하지만 자연재해나 각종 사건사고는 어쩔 수 없다손 치더라도 이제는 마트에서 장을 볼 때조차 손을 멈칫거리게 된다. '가습기 살균제 사건'은 우리가 늘 먹고 마시고 생활하는 일상에까지 큰 근심의 그늘을 드리웠다는 점에서 국민에게 심각한 트라우마를 남겼다. 2016년은 화학제품 포비아phobia(특정 대상이나 상황에 국한되어 발생하는 공포감정)라는 용어를 쓸 정도로 관련 제품에 대한 공포심과 불안이 절정에 달한 한 해였다. 가습기 살균 성분이 샴푸, 치약, 바디워시, 물티슈 등에서 검출됐다는 소식이 전파되면서 화학제품을 극도로 거부하는 일명 노케미족까지 등장했다.

가습기 살균제 사태 이후 옥시 불매운동이 거세지며 생활용품 매출도 지속적으로 감소했다. 특히 표백제와 방향제, 탈취제, 제습제 등의 생활 화학제품의 매출 감소가 두드러졌다. 이런 경향은 나아질 기미를 보이지 않아, 시장이 정상화될 것이라는 당초 예상도 빗나갔다. 이에 대해 일부에서는 화학제품에 대한 공포가 우리나라 소비자들의 근본적인 소비패턴의 변화로 이어져 화학성분이 들어간 생활용품 시장구조 자체가 변했다는 해석도 있다.[2]

문제는 우리 일상과 가장 밀접한 관계를 맺고 있는 생활용품 시장에서 시작된 근심이 다른 영역에서도 광범위하게 관찰된다는 점이다. 2016년 취업포털 잡코리아가 글담출판사와 함께 성인 남녀

1,924명을 대상으로 '현대인들의 걱정과 불안감'에 대한 조사를 실시했는데, "요즘 걱정이 많은가?"라는 질문에 전체 응답자의 과반수가 넘는 64.4%가 "매우 많다"고 답했다. 특히 20대 응답자 중에는 10명 중 7명 이상인 71.8%가 요즘 걱정이 "매우 많다"고 답했고 30대 중에도 60.3%, 40대 이상 중에도 50.7%가 걱정이 "매우 많다"고 답했다. 또 요즘 걱정이 있다는 응답자(1,900명)에게 "최근 꼬리에 꼬리를 무는 걱정으로 잠 못 든 적 있는지"라고 물었더니 83.0%가 "있다"고 답했다.[3] 대한민국 근심, 걱정의 수위가 정상 수위를 넘고 있다. 『트렌드 코리아 2016』에서 우려스럽게 진단했던 '과잉근심 증후군', 2016년 대한민국을 술렁이게 만든 불안의 현장을 짚어 본다.

화학제품 포비아, 생활용품 시장을 바꾸다

옥시 사태의 파장, 화학제품 기피현상의 확산

이제 소비자들은 그 어느 때보다 화학제품의 성분표 라벨을 꼼꼼히 살펴본다. 실생활에서 사용하는 어떠한 화학제품도 안심할 수 없다는 풍조가 확산되었기 때문이다. 이렇듯 화학제품 기피현상이 심화되면서 천연제품 시장의 규모는 점점 커지고 있다. 아예 천연재료를 이용하여 방향제나 세제 등을 직접 만들어 사용하는 사람들도 늘어나는 추세다. 또한 샴푸와 린스 대신 식초나 천연비누를 사용하거나 물로만 세안하는 일명 노푸(NO 샴푸)족도 늘고 있어 케미포비아(화학제품 공포증)가 다양한 형태로 확산되고 있음을 보여준다.

판매 증가한 제품들			
천연세제	78.2%	57.8%	94%
식초	26.5%	37.3%	24%
모기장	10.6%	17.4%	17%
	이마트	롯데마트	G마켓
섬유유연제	-10.9%	-10.2%	-3%
탈취제	-37.6%	-16.8%	-26%
제습제	-42.7%	-21.3%	-3%
판매 감소한 제품들			

◀ 가습기 살균제 사태 본격 수사 이후 3개월간 국내 대형마트 · 온라인몰 판매 상황(5~7월 기준, 전년 동기 대비 %)

출처: 중앙일보[4]

제일기획 빅데이터 분석 조직인 제일DnA센터와 조선일보가 2016년 5~7월 인터넷에 올라온 '생활 화학제품' 관련 글 1만 4,000여 건을 조사한 결과, '건강', '안전'과 관련된 연관 검색어는 1만 1,700건에 달했다. '우려', '논란', '유해한', '불안', '심각한' 등 부정적 의미의 단어는 2,657번 등장했다. 이를 반영하듯 '화학성분이 들어간' 생활용품 매출도 뚝 떨어졌다.[5] 이마트에서 제습제와 탈취제 판매는 전년 동기 대비 각각 43%, 38% 급감했다. 롯데마트에서도 같은 기간 제습제 매출은 21%, 탈취제는 17% 줄었다. 반면 화학세제의 대체재로 떠오른 밀가루와 식초, 베이킹소다 같은 제품의 매출은 늘었다. 모기약과 같은 해충제도 위험 카테고리에 올라 모기장의 매출이 급증하기도 했다.[6]

정보력을 바탕으로 늘어나는 노케미족

안전에 대한 정보력을 높이기 위한 활동
도 두드러졌다. 온라인 카페나 모바일 앱
을 통해 일상용품에 든 화학성분이나 화
학제품 대체재에 대한 정보를 검색하는
노케미족이 늘고 있다.[7] 『트렌드 코리아

노케미족
노케미족은 노No와 케미스트리
Chemistry의 합성어로 일체의 화
학제품 사용을 거부하는 소비
자를 가리키는 신조어다. 옥시
가습기 살균제 사태를 계기로
화학제품이 들어가지 않은 천
연제품 등을 사용하는 소비자
를 일컫는다.

2016』에서 소개했던 '화해(화장품을 해석하
다)' 앱은 최근 급속도로 이용자 수가 증가하여 2016년 8월, 다운로
드 300만 건을 돌파했다. 월간 실사용자 수MAU 역시 전년 대비 두 배
이상 증가한 60만 명을 기록할 정도로 화학제품에 대한 소비자의 불
안과 우려가 깊어졌다. '옥시 학습 효과' 여파로 건강과 안전에 직결
된 제품의 경우 가격이 아닌 검증된 제품을 선호하게 된 것이다.

소비재뿐만 아니라 건축자재나 자동차 용품과 같은 내구재를 구
입할 때에도 더 안전한 제품을 찾는 추세가 강해지고 있다. 기존 시
멘트형 바닥재에 환경호르몬 추정 물질인 프탈레이트 가소제의 검
출이 알려지면서 시트형 바닥재(장판 등)의 시장점유율이 급증하기도
했다. 화재 사고에 대한 경각심도 높아져 화재에 강한 고성능 단열재
시장도 가파르게 상승하고 있다.[8] 이는 불안심리를 자극해 변화를
유도하는 공포 마케팅과는 달리 소비자가 직접 정보를 취득하고 제
품을 취사선택하고 있다는 점에서 사회에 만연한 불안감이 시장을
변화시키는 것으로 해석할 수 있다.

사회심리적으로 깊어진 불안 증상

—

보안업체의 매출 급상승, 셉테드 설계로 우리 마을 지킴이

화학제품 사고와 자연재해 이외에 연이어 벌어진 흉악 범죄도 평범한 사람들의 마음에 뿌리 깊은 공포감을 심어 주었다. 서울 도심 한복판의 공중화장실에서 젊은 여성이 정신질환자의 흉기에 찔려 숨졌던 강남역 살인 사건이나 섬마을 여교사가 마을 주민과 학부모에게 성폭행을 당하는 사건 등은 공공기관의 치안능력을 근본적으로 의심할 수밖에 없는 사고였다.

이처럼 묻지마 범죄의 확산은 개인 보안, 안전 서비스에 대한 관심으로 이어져 관련 산업 매출이 크게 상승하였다. 신한카드 트렌드연구소의 분석에 의하면 2016년 상반기 국내 보안 3사의 이용건수가 전년 대비 무려 49% 증가한 것으로 나타났다.

보안업체 주요 3사 이용건수

출처: 신한카드 트렌드연구소

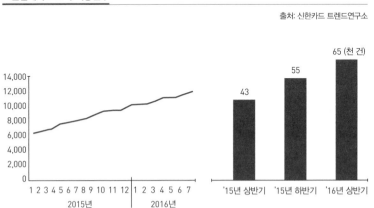

▲ 인천광역시 계양구는 옷, 신발 등에 묻어나 범죄 예방과 범인 검거에 큰 효과가 있는 특수형광물질을 다세대 주택 밀집지역에 도포하고 경고판을 부착하는 셉테드 사업을 시작했다.

범죄 사고를 막기 위해 아예 도시 자체를 설계 단계부터 범죄예방에 주력하는 일명 **셉테드**CPTED 설계에 대한 논의도 활발해지고 있다. 경찰청은 국제셉테드협회, 한국셉테드학회와 업무협약을 맺어 이러한 설계와 활동을 확산시킬 계획이다. 특히 서울·인천·안산·익산·구리·부산·대구·창원 등 많은 지자체들이 도시의 범죄예방 디자인과 설계를 강화

> **셉테드** CPTED, crime prevention through environmental design
> 환경설계를 통한 범죄예방 건축설계기법을 지칭한다. 건축물 등 도시시설을 설계 단계부터 범죄를 예방할 수 있는 환경으로 조성하는 것으로 아파트·학교·공원 등 도시생활공간의 설계 단계부터 범죄를 예방할 수 있도록 다양한 안전시설 및 수단을 적용한 도시계획 및 건축설계다.**9**

하는 사업에 적극적으로 뛰어들고 있다. 신축 아파트들도 셉테드 설계를 적용한 단지가 새로운 트렌드로 자리 잡고 있어 앞으로도 범죄예방을 위한 건축, 디자인 분야의 변화가 주목된다.

건강 걱정, 돈 걱정… 불안에 시달리는 대한민국

사회적·심리적 불안감이 깊어지고 스스로 체감하는 안전지수까지 낮다 보니 자신의 건강에 대한 확신도 낮아질 수밖에 없다. 한국보

건사회연구원의 조사결과에 따르면, 15세 이상 한국인 중에 자신의 건강이 좋다고 응답한 비율은 35.1%에 불과했다. 이는 OECD 평균(69.2%)의 절반 수준으로 최하위다. 반면 뉴질랜드·미국·캐나다 등 선진국의 경우 긍정 답변 비율이 90%에 육박했다. 이를 두고 최재욱 고려대 의대 교수는 사회·경제·문화적으로 안전하거나 보호받지 못하고 있다는 심리적 요인이 작용하고, 검증되지 않은 의료·건강 정보가 미디어 등을 통해 과다 유포되는 것도 그릇된 신체관과 자기 왜곡을 일으키는 원인이라고 진단하기도 했다.[10]

경제적 문제, 즉 돈에 대한 걱정은 세대를 막론하고 우리나라 사람들의 가장 큰 근심이기도 하다. 보건사회연구원이 2015년 8월부터 한 달여간 19세 이상 성인 7,000명을 대상으로 조사한 결과, 대상자의 25.3%는 노후 준비에 불안감을 느꼈고, 18.4%는 취업 및 소득 문제를 근심했다. 국내 성인의 절반에 가까운 43.7%가 경제적 사정으로 인한 불안감에 시달리는 것이다. 경제 문제에 대한 자신의 걱정도를 테스트할 수 있는 체크리스트도 나왔다. 중앙일보가 헨더슨의 연구보고서와 한국건강심리학회장의 자문을 토대로 선보인 '돈 걱정 증후군Money Sickness Syndrome 자가진단표'다. 10개의 항목 중 '예'가 3개 이하면 양호, 5개 이상이면 의심, 7개 이상이면 전문가와의 상담을 권하고 있다.[12]

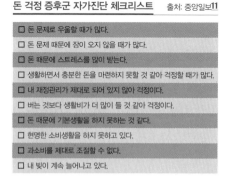

돈 걱정 증후군 자가진단 체크리스트 출처: 중앙일보[11]

- □ 돈 문제로 우울할 때가 많다.
- □ 돈 문제 때문에 잠이 오지 않을 때가 많다.
- □ 돈 때문에 스트레스를 많이 받는다.
- □ 생활하면서 충분한 돈을 마련하지 못할 것 같아 걱정할 때가 많다.
- □ 내 재정관리가 제대로 되어 있지 않아 걱정이다.
- □ 버는 것보다 생활비가 더 많이 들 것 같아 걱정이다.
- □ 돈 때문에 기본생활을 하지 못하는 것 같다.
- □ 현명한 소비생활을 하지 못하고 있다.
- □ 과소비를 제대로 조절할 수 없다.
- □ 내 빚이 계속 늘어나고 있다.

괴담, 불안의 악순환을 낳다

─

불안과 걱정이 많아지면서 관련 괴담과 유언비어도 돌고 돌았다. 2016년 9월의 지진으로 인한 사람들의 심리적 충격은 지진의 규모나 진도보다 훨씬 컸다. 지진 발생 직후 SNS에서는 '일본의 지진 감지 프로그램으로 나타난 그래프'가 떠돌았다. 이 그래프에 따르면 9월 30일 토요일에 울산에서 규모 6.6 안팎의 큰 지진이 다시 발생하리란 것이었다. 이 괴담 때문에 울산을 떠나겠다는 사람들까지 나오면서 실제로 한 대형 할인매장에서는 식사대용 간편 식품이 매진되어 텅 빈 진열대 사진이 SNS에 올라오기도 했다. 지진 발생 전인 2016년 7월, 부산 광안리에 개미 떼가 출몰했다는 게시글과 함께 해안가에 물고기 떼가 몰려들었다는 글도 실제 지진 발생 이후 재조명받았다. 이 같은 현상이 지진의 전조현상이었을 수 있다는 소문도 무성해졌다.

'짭짤이 토마토' 괴담과 근거 없는 소문의 '지카 바이러스'

괴담의 확산은 비단 자연재해뿐만이 아니었다. 갖가지 식품 괴담도 사람들을 극단으로 몰아갔다. 특히 소셜미디어를 중심으로 때아닌 현미가 이슈화되었는데 현미의 독성 성분을 거론하며 오래 먹으면 사망에 이를 수 있다는 유언비어가 확산되었다.[13] 몸에 좋은 곡물로 검증된 현미까지 독약으로 둔갑할 만큼 현대인의 먹거리에 대한 인식이 흔들리고 있음을 보여주는 괴담이다. 일명 '짭짤이 토마토'로 부르는 대저토마토도 정체 불명의 SNS 괴담에 시달렸다. 짭짤이 토마토를 키울 땐 평소 수분을 공급하지 않다가 수확 15일 전부터 질소 비료를 많이 공급한다. 이 과정에서 과다한 질소를 함유하게 되며 이를 흡수하면 체내에서 성인병과 암을 유발하는 나이트로소아민이라는 화합물이 만들어진다는 내용이다. 식품의약품안전처와 농가에서 적극적으로 해명을 했지만 SNS를 타고 급속도로 퍼져나가면서 농가들은 토마토 판매 실적에 상당한 피해를 입었다. 이 외에도 달걀이 심장병 발생 위험을 높인다거나 국산 표고버섯의 방사능 분량만으로도 나비가 죽는다는 등의 괴담들이 횡행했다.[14]

지카 바이러스도 그릇된 정보가 돌고 돌며 괴담의 진원지가 되었다. 예를 들어, 지카 바이러스에 한 번 감염되면 시간이 한참 지난 후에 임신해도 소두증 아이를 낳는다거나 체내 잠복기가 2년에 달한다는 등의 근거 없는 소문이 떠돌았다.[15] 불신과 불안을 틈타 뜬소문이 고개를 들면서 또 다른 불신과 불안을 낳는 악순환이 이어지고 있다. 괴담의 그늘을 없앨 수 있는 것은 역시 믿을 수 있는 정보뿐이다. 명확하고 쉽게 공유 가능한 정보의 공개가 필요한 때다.

향후 전망
투명한 공개와 소통, 신속하고 정확한 대처 필요
—

과잉근심에 대한 책임을 개인에게만 전가할 수는 없다. 소비자들이 그토록 아무것도 모르고 사고를 당한 것은 제품 성분이나 안전에 대한 정보가 제대로 공개되지도 전달되지도 못했기 때문이다. 가습기 살균제 성분이 그토록 유해한 것임을 미리 알았더라면 누구도 절대 사용하지 않았을 것이다. 전 성분 표기가 의무화되어 있는 화장품 제품 분야는 모든 정보가 소비자들에게 공개되어 있기 때문에 오히려 케미포비아 현상에서 자유롭다. 유해성분을 소비자 스스로 인지하고 앱 등을 통해 거르고, 보다 건강한 제품을 자발적으로 취사선택할 수 있기 때문이다. 케미포비아의 확산에도 불구하고 화장품 시장이 건재한 이유 중 하나일 것이다. 즉, 제품에 대한 투명하고 올바른 정보 제공이 가장 핵심적인 과제다. 생활용품에서도 이러한 투명한 공개를 제도로 정착시킬 필요가 있다.

투명한 정보를 원하는 소비자를 위해 일부 기업은 **시스루 마케팅**을 펼치기도 했다. 제품의 제조공정이나 유통과정 등을 소비자에게 공개하고 체험단이나 견학단을 받아 지속적으로 검증받고 소통하겠다는 것이다. 기업과 소비자가 신뢰와 소통을 강화하는 좋은 방식이지만 이 또한 일회성 이벤트로 그치거나 보여주기식 홍보에 치우치지 않도록 진정성과 투명성 강화에 더욱 노력을 기울여야 한다.

체계적인 재난안전관리시스템 구축을 통하여 안전사고 예방과 재난 시 종합적이고 신속한 대응 및 수습체계를 마련한다는 취지로 2014년 말 국민안전처가 출범했다. 국민의 안전과 국가적 재난관리를 위한 재난안전총괄기관이 설립됐다는 것은 물론 다행한 일이다. 하지만 여전히 소 잃고 외양간 고치는 식의 뒷북 경고에

시스루 마케팅

See-through Marketing

시스루란 패션용어로서 살갗을 살짝살짝 비쳐 드러내 보이는 패션을 말한다. 이처럼 생산 환경과 제조과정을 공장 견학이나 체험 프로그램들을 통해 소비자에게 그대로 보여주려는 노력을 시스루 마케팅이라고 한다. 주로 식품·의약 분야에서 많이 활용된다.

만 치우쳐 있어서 비난의 목소리도 높다. 특히 긴급재난문자의 경우가 그렇다. 실제로 경주에서 여진이 발생했을 때는 10분 후에 문자가 발송되어 문제가 되었고 이마저도 받지 못한 사람들이 상당수였던 것으로 밝혀졌다.

뒤늦은 문자 발송뿐 아니라 너무 잦은 재난문자의 남발도 문제가 되었다. "아침부터 폭염이라는 문자를 긴급으로 보내면 사람들이 긴급하게 에어컨 켜고 물이라도 마셔야 하나"라는 비아냥거림부터 "긴급재난문자를 너무 자주 발송하면 진짜 긴급사태가 발생했을 때 효과가 없을 수 있다"는 진지한 우려도 많았다. 재난문자를 향한 국민들의 인식이 개선될 수 있도록 시스템 재정비가 시급해 보인다.[16]

국가가 발송한 재난문자도 온전히 믿지 못하는 시대, 정보 공개가 기업 활동을 위축시키고 시장을 교란시킬 것이라는 우려와 불안은 오히려 정반대일 가능성이 높다. 불안 사회가 심화될수록 진짜 승부는 투명성과 진정성에서 발휘될 수 있기 때문이다. 정부도 위험 대비 시스템 수준을 지속적으로 끌어올려 국민들의 불안과 불신이 높아지지 않도록 관리하는 노력이 필요하다. 이에 대한 원칙은 투명한 공개와 소통, 그리고 위험에 대한 신속하고 정확한 대처라는 점을 잊지 말아야 할 것이다.

Network of Multi-channel Interactive Media

1인 미디어 전성시대

「트렌드 코리아 2016」 예측 내용

과거 비주류라고 평가받던 1인 방송이 메이저 콘텐츠로 급부상하고 있다. 공중파 TV에서도 1인 미디어를 전격적으로 수용한 포맷의 프로그램들이 큰 인기를 끌고 있으며, 한류 전파의 새로운 수단이 되기도 하고, 기존 산업의 제품기획이나 마케팅에서의 활용도 늘고 있다. 인터넷에 자기 이야기를 올리는 '블로그'에서 출발한 1인 미디어는 이후 '사용자 제작 콘텐츠' UCCUser Created Contents로 옮겨갔다가, 이제 1인 방송의 형태로 진화한 것이다. 개별적으로 활동하던 1인 미디어는 앞으로 MCN을 통해 견고한 네트워크를 형성하며 미디어와 시장 부문에 강력한 변화의 바람을 예고하고 있다. 특히 극세분화되고 있는 소비시장에서 대중들의 취향에 정확하게 부합하는 다채로운 콘텐츠를 생산하는 데 최적의 미디어로 떠오를 전망이다. 지나치게 자극적이고 선정적이라는 비판을 받기도 하지만, 1인 미디어는 현존하는 다양한 미디어 중에서 가장 젊은 세대에 속한다. 1인 미디어의 행보에는 비단 미디어 시장의 변화상뿐 아니라, 미래 세대 소비자의 시대정신과 소비가치가 담겨 있다.

「트렌드 코리아 2016」, 245~268쪽

대도서관, 김이브, 양띵, 허팝, 최군, 악어, 슈기, 영국남자, 소프, 쿠쿠크루…

새로운 스타가 탄생하고 있다. TV나 영화계의 스타가 아니다. '1인 미디어'라는 새로운 플랫폼 위에서 주가를 올리고 있는 스타 BJ Broadcasting Jockey, 1인 방송 진행자들이다. 이들은 단지 유명세를 누리는 데 그치지 않고, 연간 2억~4억 원의 엄청난 수입을 올린다. 1인 미디어계의 유재석이라 불리는 대도서관의 유튜브 채널 구독자는 120만 명이고, 유튜브와 자신이 직접 제작하는 광고의 수익을 합치면 월 5,000만~6,000만 원 이상을 벌어들이고 있다.[1] 최슬기 씨는 먹는 것을 잘 보여주는 것만으로 대기업 임원 월급 수준인 월 1,500만 원 정도의 수입을 올리고, 온라인 게임 마인크래프트를 중계방송하는 양띵의 1인 방송 구독자는 201만 명에 달한다. 74세의 아프리카 TV 최고령 BJ 진영수 씨는 인터넷 1인 방송을 통해 인생 상담도 하고 자신의 힘든 상황을 전달하며 네티즌으로부터 위로를 받아 우울증도 극복했다고 말한다.[2]

이것은 세계적인 현상이다. 미국 연예매체 버라이어티의 2015년 7월 조사에 따르면, 최근 미국에서도 10대에게 가장 영향력 있는 10대 인물 중 유튜브 스타가 8명이 들어갔을 정도로 1인 미디어 스타들은 웬만한 슈퍼스타의 인기를 넘어서고 있다. 1위는 유튜브 최고의 코미디언인 스모쉬 Smosh가 올랐고 『트렌드 코리아 2016』에도 소개된 바 있는 퓨디파이 PewDiePie가 3위에 올랐다. 영화배우로는 폴 워커와 제니퍼 로렌스가 각기 6위와 7위에 올라 가까스로 할리우드의 체면을 세웠을 뿐이다. 중국에서 1인 미디어 스타의 열기는 더욱 뜨겁다. '왕훙網紅'이라 불리는 온라인 진행자들이 중국 소비시장의 아이콘으로 급부상하고 있다. 왕훙은 온라인 유명 인사를 뜻하는 '왕

뤄홍런網絡紅人'의 줄임말로 자신이 운영하는 사이트를 통해 콘텐츠를 선보이면서 50만 명 이상의 팔로워나 팬을 보유한 이들을 일컫는다. 온라인에서 왕홍이 소개한 화장품이나 옷은 순식간에 팔려 나가는데 〈중국 온라인 생방송 사업 보고서〉에 따르면 왕홍이 움직이는 중국 시장 규모는 10조 원에 이른다.[3]

우리나라에서도 1인 미디어 시장의 규모가 빠른 속도로 성장하고 있다. KT경제경영연구소 보고서에 따르면, 1인 미디어의 대표주자인 아프리카TV의 월평균 방문자 수는 지난 2013년 630만 명에서 매해 약 100만 명씩 꾸준히 증가하고 있다. 아프리카TV는 2016년 2분기 매출 198억 원, 영업이익 37억 원을 기록하며 분기 기준 사상 최대 규모 영업이익을 기록했던 1분기 기록을 가뿐히 경신했다.[4]

1인 미디어는 이제 콘텐츠 자체에 대한 소비뿐만 아니라 다양한 분야로 영향력을 확장해나가며 새로운 시장을 만들어내기도 한다. 관련 방송용품의 매출액이 크게 증가한 것이 한 예다. G마켓에 따르면 마이크, 조명 등 방송 촬영 장비 관련용품의 판매량이 2016년 1월에서 4월 사이, 전년 동기 대비 품목별 최대 3배 이상(246%) 증가했다. 1인 미디어 방송을 위해 필수 장비만 모은 패키지 상품이 출시될 정도로 이 분야에 대한 일반인들의 관심이 뜨겁다.[5]

친근함을 무기로 소비자와의 소통이라는 핵심을 탁월하게 파고들어 대중과의 공감에 성공한 1인 미디어 산업, 거침없이 영역을 파괴하며 주류 네트워크로 진격한 1인 미디어 콘텐츠들은 어떻게 대중의 마음을 사로잡았을까? 소비 시장의 지도를 다시 그리고 있는 1인 창작자들의 행보를 따라가 본다.

실시간 소통의 힘, 유통방식의 지형을 바꾸다

—

1인 미디어 크리에이터들이 온라인, 모바일, 홈쇼핑 등의 다양한 채널과 손잡고 MCN 커머스와 쇼핑 트렌드를 이끌어나가고 있다. 이제 유통시장에서 1인 미디어와의 컬래버레이션은 선택이 아닌 필수가 되고 있는 모습이다.

'쇼핑 어벤G스' 등 유통시장과 손잡은 1인 미디어

국내 MCN의 하나인 다이아티비는 G마켓과 협력해 12명의 1인 크리에이터로 구성된 '쇼핑 어벤G스'라는 미디어 커머스를 시도했다. 1인 미디어 스타들이 게임, 뷰티, 푸드 등 각자의 주력 분야별로 직접 선정한 상품을 독창적인 스토리를 담은 영상으로 소개한 것이다. 공개 2주 만에 조회 수 270만 건을 기록하며 큰 호응을 얻었고, 영상에 소개된 제품은 G마켓에서 베스트셀러에 진입하기도 했다. 현대홈쇼핑도 아프리카TV와 협력하여 먹방 BJ로 유명한 갓형욱과 양수빈을 캐스팅해 생방송을 진행했다. H몰 역시 비슷한 콘텐츠를 모바일앱, 유튜브, 페이스북 등 3개 채널을 통해 상품을 선보였는데, 방송 전날과 당일을 비교할 때 식품은 162%, 선글라스는 74%, 화장품은 107% 신장하는 놀라운 실적을 보였다.

CJ오쇼핑도 아프리카TV와 연계해 '집방', '먹방' 등의 친근한 소재로 고객들에게 다가섰으며, 인기 뷰티 블로거 레오제이와의 컬래버레이션으로 뷰티 전용 프로그램을 유튜브에 선보였다. NS홈쇼핑은 자사 개최 요리축제에서 BJ 4명을 출연시켜 요리축제 행사장 곳곳을 소개하는 방송을 온라인과 모바일을 통해 보여주었다. 본격적인 MCN 커머스 채널도 등장했다. '무궁화 꽃이 피었습니다'는 1인 미디어에 쇼핑을 접목한 인터넷 쇼핑 플랫폼이다. 기존 TV홈쇼핑과는 달리 실시간 라이브 방송, 채팅, 버추얼 스튜디오 등을 활용하고 방송 송출 후 VOD를 유튜브, SNS를 통해 지속적으로 노출한다.[6]

1인 미디어, 홍보와 마케팅의 선봉이 되다

한우, 전통주, 식품 명인, 전통 분야의 젊어지는 마케팅 방식

대내외적 홍보가 중요한 공공기관에서도 1인 미디어가 젊은 세대와 해외 소비자에게 효과적으로 다가갈 수 있는 수단으로 각광받고 있다. 농식품부는 2016년 6월, 유명 BJ들과 '한우 투어'를 떠난다는 설정으로 BJ가 한우 농가를 방문해 도축에서 시식까지 참여하는 전 과정을 아프리카TV로 생중계했다. 젊은 세대와 쉽게 소통하기 힘든 농축산 마케팅 분야에 1인 미디어를 접목해 변화를 꾀한 것이다.

도농교류사업에도 1인 미디어가 맹활약하고 있다. 농식품부는 아프리카TV와 협약을 맺어 농촌 관련 주요 사업을 방송 소재로 활용해 홍보했다. 우수 식재료와 음식점, 전통주, 식품 명인 등 외식산업 발전을 위한 콘텐츠는 물론 한식 관련 이벤트와 외식문화개선 캠페인이 그 대상이었다. 2016년 9월 아프리카TV에 방영된 〈K-푸드, 1인 미디어로 소통하다〉는 '2016 농식품 상생협력 경연대회'에서 농식품부장관상을 수상하기도 했다. 1인 미디어가 정부기관의 정책사업 홍보와 활성화에 기여했다는 공을 인정받은 것이다.

'미디어 파머', '위비TV'…, 정부도 기업도 1인 미디어

방송통신위원회는 2016년 1월 정부업무보고에서 1인 미디어를 신규 융합산업으로 육성하기로 했다. 새롭게 등장하는 융합산업을 활성화하기 위해 웹콘텐츠 및 1인 미디어 기업을 발굴·육성한다는 계획이다. 지방자치단체들도 1인 미디어의 중요성을 인지하고 관련 인력을 확충하는 등 변화를 꾀하고 있다. 전남농업기술원에서는 농촌문화와 농식품 정보를 소비자에게 보다 현장감 있게 전달하기 위해 '미디어 파머Media Farmer' 32명을 양성하는 프로그램을 신설했다. 미디어 파머란 1인 미디어 BJ처럼 스마트폰 등으로 농촌 축제나 농식품 생산과정을 촬영해 라이브 방송을 진행하는 농업인을 일컫는다. 이를 통해 농식품 소비 촉진과 지역 관광 활성화를 꾀한다는 것이다. 서울시에서도 2016년 9월, '1인 미디어 아카데미'를 개설하고 일반인들을 대상으로 무상교육을 시작했다.

기업들도 자사의 마케팅과 홍보를 위해 1인 미디어를 적극 활용하고 있다. 우리은행은 MBC 〈마이 리틀 텔레비전〉의 포맷을 빌려 '위비TV'라는 플랫폼을 선보였다. 다소 딱딱하게 느껴지는 금융상품 정보를 유머러스한 댓글 등의 자막을 활용해 1인 미디어처럼 홍보하는 형태로 젊은 세대의 호응을 이끌었다. 삼성전자는 '셀프광고 어워드' 이벤트를 열어 소비자가 직접 S 아카데미 행사 제품의 모델이 되어 셀프 광고를 제작해 응모할 수 있는 장을 마련했다. 특히 유튜브 1인 미디어 스타 '영국남자' 조쉬 캐럿이 출연한 삼성전자 크리에이

▲ 1인 미디어는 기업들의 주요 홍보수단으로 떠오르고 있다. 영국남자가 나오는 삼성전자 영상은 조회수 176만 건을 기록했고, 인기 BJ를 기용한 잇츠스킨의 쇼핑쇼는 화제를 모으며 제품 매출을 끌어올렸다.

터의 영상은 조회수 176만 건을 기록할 정도로 인기를 끌었다. 화장품 브랜드 잇츠스킨도 1인 미디어와 홈쇼핑 포맷을 결합하여 디지털 홍보 캠페인을 진행했다. 크리에이터가 홈쇼핑 형식의 방송을 TV가 아닌 온라인 동영상 플랫폼으로 진행한 것이다. 캠페인에는 대도서관과 양띵 등의 1인 미디어 BJ와 개그맨, 일반인 등이 출연했는데 유튜브, 아프리카TV 등으로 생방송되면서 큰 화제를 뿌렸다.

확대되는 1인 미디어 관련 투자

1인 미디어 시장의 선봉, 중국에 진출하는 한류 BJ

수전 워츠치키 유튜브 최고경영자CEO는 2016년 6월 세계 최대 온라인 동영상 콘퍼런스인 '비드콘VidCon 2016' 기조연설에서 1인 미디어 크리에이터 지원안을 발표했다. 모바일 생중계 기능의 도입을 특히 강조했는데 이미 인터넷에서 시행 중인 스트리밍 서비스를 모바일로 확대하겠다는 뜻이다. 유튜브의 모바일 애플리케이션에 있는 라이브 중계 옵션을 뜻하는 빨간색 캡처 버튼만 누르면 곧바로 생중계가 가능하다. 이제 모바일을 통해 실시간 방송은 물론 팬들과 실시간 채팅도 가능해 그야말로 실시간 쌍방향 소통 무대의 정점을 찍게 됐다.[7]

1인 미디어 시장의 선봉은 중국이다. 중국 리서치 전문기관 이꽌 즐쿠易观智库는 2016년 중국 내 온라인 1인 방송 시장이 약 100억 위안(약 1조 8,164억 원)을 달성할 것으로 예측했다. 특히 중국 1인 미디어 업체인 YY는 미국 나스닥에 상장되었고, 개인 인터넷 방송국 앱서비스로 2015년 중국 iOS 모바일 애플리케이션 수익 랭킹 6위에 올랐다. 회원수만 10억 명이 넘고 월간 실사용자 수는 1억 2,200만 명에 달한다. 이렇게 몸집이 커지고 있는 중국 1인 미디어 시장에 국내 유명 1인 방송 BJ들도 속속 진출을 준비하고 있다.[8] 한류 열풍에 힘입어 한국 스타의 옷, 메이크업, 헤어스타일을 따라 하려는 중국 여성들이 많아서 'K-스타일' 관련 콘텐츠는 국내 BJ나 중소기업에도 새로운 돌파구가 될 것으로 보인다.

플랫폼의 확산, 'U+tv 유튜브 채널'에서 '두비두'까지

국내에서도 1인 미디어 확산을 위한 플랫폼이 꾸준히 진화하고 있다. 2016년 9월부터 LG유플러스는 인기 유튜브 콘텐츠를 IPTV 서비스 U+tv에 가상 채널로 편성, 검색 없이 리모콘 조작만으로 간편하게 감상할 수 있는 'U+tv 유튜브 채널' 서비스를 시작했다. 앞으로 IPTV 등에서 이러한 1인 미디어 유튜브 채널을 제공함으로써 1인 미디어 창작자들은 새로운 동영상 제공 플랫폼을 얻게 됐고, 이를 통해 보다 다양한 연령층의 시청자를 유입할 수 있어 1인 미디어의 파

급효과와 영향력은 더욱 높아질 전망이다.[9]

주요 포털 업체도 1인 미디어 창작자들의 활동을 활성화하기 위한 기반 마련에 나서고 있다. 네이버는 'TV캐스트'와 'V라이브'를 중심으로 동영상 플랫폼을 강화하고 있다. 특히 V라이브는 빅뱅과 엑소 등 K팝 스타가 직접 채널을 개설한 뒤, 전 세계 팬들과 실시간 소통하는 채널로 해외 시청자들을 유입할 수 있는 활로가 되고 있다. 또한 하나의 동영상을 다양한 트랙으로 구성하는 '멀티트랙' 제작 도구도 창작자들에게 제공했다. 이른바 '멀티트랙 크리에이터' 제작 툴을 이용하면 누구나 쉽게 인물이나 장소, 카메라 각도에 따라 달리 촬영된 영상을 한 화면에서 매끄럽게 감상할 수 있다. KT도 최근 1인 미디어를 겨냥한 동영상 플랫폼 '두비두'를 선보였는데 기존 PC 기반 비디오 제작환경을 모바일에서 구현한 것이 특징이다.[10]

향후 전망
이 젊은 매체의 위협적인 영향력에 진지하게 접근해야 할 때

—

이처럼 화려한 성장을 거두고 있는 1인 미디어 산업의 성취만큼이나, 그 부작용에 대한 우려도 크다. 연일 폭발적으로 증가하고 있는 1인 미디어 콘텐츠의 홍수 속에서 '별풍선' 한 개, 광고뷰 하나라도 더 얻으려는 진행자들의 과당경쟁이 문제를 일으키고 있는 것이다.

가장 먼저 지적되는 것이 일부 BJ들의 선정성이다. 일부의 경우지만, 유료 아이템을 많이 보내주는 VIP 회원에 대해서는 별도의 비공

식 채팅방을 개설해 더 선정적인 방송을 하기도 하고, 심지어 성매매도 서슴지 않는 BJ가 등장하면서 사법처리가 되는 사고도 벌어졌다. 도로를 시속 180km로 질주하는 장면이나 유흥업소 내부를 생중계한다거나, 사람들을 인터뷰하는 척하면서 여성들의 특정 신체부위를 촬영해 1인 방송으로 내보내고 별풍선을 모으는 경우도 있었다. 또한 어느 20대 직장인이 회삿돈을 횡령해서 1억 5,000만 원어치의 별풍선을 한 BJ에게 선물했다가 경찰에 덜미가 잡히는 일까지 벌어졌다.[11] 개인 소감을 가장한 홍보 영상을 제작해 특정 상품을 비판하고, 그 뒤에 홍보물을 찍자며 돈을 요구하기도 한다.[12]

물론 이러한 문제점을 정화하기 위한 노력이 없는 것은 아니다. 아프리카TV 등 관련 업체들도 하루 3교대로 24시간, 365일 공백이 생기지 않도록 실시간 모니터링을 실시하고 있다. BJ들과의 개별 상담도 진행하며 문제가 발생하지 않도록 노력하고 있지만, 너무 많은 BJ들이 존재하고 이들의 활동이 수익과 직결되는 이상 선정성 이슈는 쉽게 잦아들지 않을 것으로 보인다.

이 때문에 방송통신위원회는 1인 미디어 시장에 '원 스트라이크 아웃제'를 실시한다고 발표했다. 음란, 도박, 성매매 등 명백한 불법 정보를 방송하는 악성 개인 BJ에 대해서는 사업자가 즉각 서비스를 중단시키는 제도다. 시장이 커지고 과열되며 이제 정부의 개입까지 시작됐지만 방송이 아니라 통신으로 분류되는 1인 미디어를 얼마나 효과적으로 규제할 수 있을지는 숙제다. 기본적으로 1인 미디어는 철저히 개인적인 플랫폼이다. 1인이라는 개인의 자유로운 활동이 다수의 공감을 일으키며 성장한 소통의 무대가 막장 무대로 얼룩지지

▲ 1인 미디어 최고의 충성팬은 어린이들이다. 유아를 대상으로 한 장난감 소개 콘텐츠인 〈캐리와 장난 감 친구들〉(왼쪽), 〈토이몬스터〉(오른쪽)의 진행자들은 유튜브 최고의 1인 방송 스타로 등극했다.

않도록 창작자와 이용자 모두 자정의 노력이 필요해 보인다.

이러한 여러 문제점에도 불구하고 1인 미디어는 앞으로도 계속 그 영향력을 키워나갈 것으로 보인다. 가장 중요한 이유는 콘텐츠에 대한 수익 기반이 다양해지고 있기 때문이다. 유튜브 등 플랫폼 광고 (인스트림 광고), 별풍선, 브랜디드 콘텐츠(기업 광고 제작 참여), VOD(IP TV), TV CF, 라이센싱, O2O 비즈니스, 오프라인 행사 등 비즈니스 모델 의 확장세가 매우 빠르게 진행되고 있다.[13]

무엇보다 1인 미디어에서 가장 높은 인기를 누리는 분야는 단연 어린이 관련 콘텐츠다. 같은 영상을 오랫동안 반복적이고 지속적으 로 시청하는 어린이의 특징 때문이다. 다양한 장난감을 사용법과 함 께 재미있게 소개하는 〈캐리와 장난감 친구들〉, 〈토이몬스터ToyMonster〉 등의 채널이 대표적이다. '뽀통령'의 인기에 버금가는 '캐통령' 을 탄생시킨 〈캐리와 장난감 친구들〉의 경우에는 2016년 6월 기준 으로 구독자 수가 89만 명에 이른다. 이러한 어린이 관련 콘텐츠는 모바일과 스마트폰 등에 친숙한 소위 모모세대를 중심으로 1인 미디 어 시장을 견인하고 있다. 다이아티비는 모모세대를 겨냥해 2016년,

대도서관, 씬님, 라임튜브, 허팝, 달려라 치킨 등 **모모세대** 디지털 스타 120팀이 오프라인에서 만나는 축제, '다이아 페스티벌'을 개최했다. 이 모모세대가 나이가 들면서 시장에 대한 영향력이 커질수록, 이들이 선호하는 매체의 영향력 또한 커질 것이라고 전망할 수 있다.

1인 미디어의 성장을 전망하게 하는

모모세대

모모세대란 '모어 모바일More Mobile'의 줄임말로, 김경훈 한국트렌드연구소 소장이 쓴 『모모세대가 몰려온다』에 나온 신조어. 1990년대 후반 이후 출생한 어린이, 청소년들로, TV보다 스마트폰, 태블릿PC 등 모바일 기기에 익숙한 세대를 뜻한다.

출처: 한경경제용어사전

세 번째 요인은 1인 가구의 증가다. 곽금주 서울대 심리학과 교수는 "현대사회 속에서 외로움과 고독감을 느끼는 이들이 비슷한 취미를 가진 이들과 익명성을 공유하며 나만 혼자가 아니라는 안도감을 얻는 것 같다"고 언급했다. 날로 원자화하는 사회에서 1인 미디어가 일상 속 즐거움을 주는 친구와 같은 존재로 다가서게 된 것이다.

수전 워츠치키는 "밀레니얼 세대와 청소년 유튜브 구독자의 40%는 '1인 미디어 크리에이터가 친구들보다 자신을 더 잘 이해한다'고 생각한다"며 "유튜브 사용자 60%가 유튜브 동영상을 통해 자신의 인생을 바꿀 수 있을 만큼 개방적인 성향을 갖고 있다"고 언급했다. 다음 세대에게 1인 미디어의 영향력이 얼마나 크게 확장될지를 시사하는 부분이다. 또한 상호소통을 기반으로 시청자의 의견이 적극 반영되는 1인 미디어의 특성은 현대의 소비자가 공감이라는 정서에 목말랐음을 반증하기도 한다. 아직은 젊은 매체이기에 변화의 가능성이 높지만, 현대인들이 왜 이 문제 많고 수다스러운 콘텐츠에 이목을 집중하는지 여전히 그 속성과 영향력을 면밀히 파악할 필요가 있다.

Knockdown of Brands, Rise of Value for Money

브랜드의 몰락, 가성비의 약진

『트렌드 코리아 2016』 예측 내용

사치의 시대는 가고 가치의 시대가 오고 있다. 장기 저성장 시대의 소비자들은 이제 최고의 성능이 아니어도 최선의 질에서 타협하고 적당한 가격에서 포기할 줄 안다. 소비자들은 더 이상 브랜드가 약속하는 성능의 환상을 믿지 않는다. 그들에게 중요한 것은 나에게 그 제품이 얼마나 가치 있는가에 대한 판단이다. 적정 수준 이상의 품질이 보장된다면 감정적이고 상대적인 과시의 만족감은 중요하지 않다. 같은 값이면 대용량을 선택하고, 일부 품목에 불과하던 PB 상품이 전방위적으로 확대되어 '노브랜드화' 되고 있다. 가성비의 약진은 필요한 기능에 필요한 가격만 지불하겠다는 변화한 젊은 세대 소비자들의 선언이기도 하다. **가성비의 약진, 브랜드의 죽음** 트렌드는 정보력으로 무장한 소비자 앞에서 복면을 쓰고 실력으로 승부하는 기업들에 도전의 장이 될 것이다.

『트렌드 코리아 2016』, 269~310쪽

약 20여 년 전, 새로운 브랜드의 햄버거 가게 두 곳이 문을 열었다. 서울 쌍문동에 매장을 연 '맘스터치'와 서울 압구정동에 첫 둥지를 튼 '크라제버거'가 그 주인공이다. 똑같이 수제버거를 만들던 두 업체의 운명은 어떻게 됐을까? 결과는 완전히 갈렸다. 2015년 전년 대비 2배를 뛰어넘는 1,500억 원의 매출액을 기록한 맘스터치는 높은 성장률을 기록하며 증시 상장을 눈앞에 두고 있지만 크라제버거는 현재 청산절차를 밟고 있다.[1] 두 브랜드의 운명을 가른 것은 바로 '가성비'였다. 크라제버거는 몇 년 전까지만 해도 연인들의 데이트 장소로 인기를 끌며 고급버거 시장을 선도했지만 패스트푸드업계의 저가 공세에 밀려 결국 쓰러지고 말았다. 이와는 반대로 2004년 매년 6억 원씩 적자를 내던 맘스터치는 가성비를 앞세운 중저가 전략으로 이제 800개가 넘는 가맹점을 자랑하고 있다.[2] 저성장 시대, 트렌드의 변화에 적확하고 신속하게 대응하는 것이 얼마나 중요한지를 극적으로 보여주는 대비다.

"가성비 甲 실속 선물 세트 출시", "수입차 시장 가성비 전쟁 돌입", "물 오른 가성비, 가구 시장에서 주목받아", "이제는 공연도 가성비 시대" 등 경제 기사의 제목만 봐도 2016년의 여러 트렌드 중에서도 가성비는 단연 돋보이는 키워드였다. 『트렌드 코리아 2016』에서는 가성비가 브랜드 파워를 추월하게 된 주요 배경으로 지속되는 불경기, 고객의 정보력 향상, 소유보다 경험이 더 중요해진 젊은 소비자 등을 들었다. 전통적으로 브랜드를 중시하던 한국 소비자들이 '가격 대비 성능 비율', 즉 가성비를 따져가며 지갑을 열기 시작했고, 이에 발맞춰 가성비 마케팅으로 소비자를 유혹하는 기업이 증가했다. 유통업계를 중심으로 시작된 가성비 열풍은 도심 속의 오아시스가 된 편의점의 PB 상품에서 출발하여 IT·자동차·부동산 등 전 산업 영역으로 확산되는 추세다.

주목할 점은 현재의 가성비 바람이 단순히 최저가 상품을 찾아내는 것에 머물지 않고 최고의 성능을 찾아가는 현명한 소비로 진화하고 있다는 것이다. '싼 게 비지떡'이 아니라 '싼데 엄지척'인 제품을 소비하는 것, 2016년의 소비자들은 SNS에 '가성비 갑 리스트'를 공유하며 더 알뜰하고 똑똑하게 돈을 쓰고자 정보력을 총동원하고 있다. 가격 대비 성능이라는 말이 의미하듯이 이제는 제품이 브랜드라는 가면 뒤에 숨을 수 없게 되었다. 제품의 성능 자체로 승부해야 소비자의 마음을 잡을 수 있게 된 것이다. 2016년 소비자의 머릿속에 확실하게 자리 잡은 가성비 트렌드가 야기한 시장의 변화를 되짚어본다.

정보력으로 무장한 소비자, 시장을 움직이다

최근 들어 가성비가 구매의 중요한 기준이 되고 있는 것은 역시 지속되고 있는 불경기의 영향이 크다. 경기불황이 장기화되며 소비절벽으로 내몰린 소비자가 늘면서 국내 가구의 월평균 소득증가율은 0%대로 제자리걸음 수준이다. 통계청이 발표한 2016년 2분기 가계동향을 보면, 처분가능소득 대비 소비지출을 나타내는 평균소비성향은 70.9%로 관련 통계가 작성된 2003년 1분기 이래 최저치를 보였다.[3] 이런 상황에서 고가의 브랜드들이 고전을 면치 못하게 된 것은 당연한 일이다.

브랜드 충성도를 위협하는 구매 상품평과 SNS 입소문

더 중요한 사실은 소비자들의 구매 정보가 많아졌다는 사실이다. 가성비의 약진과 소비자 정보력의 향상은 불가분의 관계다. 소비자는 이제 언제 어디서든 손쉽게 정보에 접근할 수 있다. 전문적인 정보를 제공하는 미디어 매체도 늘었다. 온라인에서 손쉽게 접할 수 있는 구매 상품평과 SNS 입소문이 브랜드 충성도를 위협하고 있다. 다시 말해서 동료 소비자들의 구매후기와 풍부한 정보 덕분에 '신뢰의 지표'였던 브랜드에 의존할 필요성이 줄어들고, 단순하게 가격대비 성능만 보면 되는 시대가 됐다는 것이다.

이러한 변화는 브랜드 후광효과가 상대적으로 높던 화장품 시장에도 변화의 바람을 일으켰다. 다이소가 발표한 '2016년 상반기 베스트 아이템 10'에 포함된 조롱박형 화장퍼프가 대표적이다. 똥퍼프라는 애칭으로 불린 이 조롱박형 화장퍼프[4]는 해외 브랜드의 고가 퍼프인 '뷰티블렌더'에 비교해도 밀착력이나 피부표현이 뒤지지 않는다는 점이 뷰티 블로거 사이에 입소문이 퍼지면서 불티나게 팔리

출처: 다이소 홈페이지

◀ 뷰티 블로거 사이에 해외 브랜드의 고가 퍼프에 비교해도 밀착력이나 피부표현이 뒤지지 않는다는 입소문이 퍼지면서 불티나게 팔리는 '다이소 블렌딩 퍼프'

기 시작했다.

사용자들의 후기는 또 다른 후기들을 만들어냈고 해당 제품의 인기몰이에 더욱 큰 영향을 미쳤다. 브랜드도 없고 광고도 하지 않은 제품이 가성비 하나로 무장해 입소문을 탈 수 있었던 것이다. 잡지나 TV 프로그램뿐만이 아니라 유튜브와 같은 미디어 채널과 다양한 SNS 플랫폼들이 앞다투어 정보를 제공하는 상황에서 이제 소비자의 선택지는 다양해졌으며 스스로 가격에 어울리는 제품을 발굴하는 이들이 늘고 있다.

복제약, 저비용 항공사는 정보력을 타고…

정보력의 향상은 복제약 판매 시장에서도 큰 영향력을 행사하고 있다. 부동의 1위를 지키던 발기부전치료제 '시알리스'의 복제약이 시판되면서 종근당과 한미약품의 복제약 매출이 발매 두 달 만에 원제조사인 다국적 제약사 릴리의 국내 매출 실적을 넘어섰다.[5] 보통 오리지널 약의 특허가 만료되면 수십여 개의 복제약이 시장에 등장한다. 효능이 비슷하고 가격도 저렴하지만 건강과 직결된 의료시장에서는 복제약 구매를 꺼리는 경우가 많았다. 그런데 소비자의 정보력이 높아지면서 유명 브랜드에 대한 의존도가 높던 의약품 소비까지 가성비 바람을 맞게 된 것이다. 이처럼 복제약 시장의 파이가 커지면서 국내 제약업체들은 그동안 불모지였던 글로벌 시장에서 복제약 기술이 새로운 수출 동력으로 자리 잡을 것으로 기대하고 있다.[6] 정보력으로 무장한 소비자가 소비문화뿐만 아니라 기업의 성장 전략까지 움직이고 있는 것이다.

가성비로 승부하는 저비용항공사LCC들도 2016년에는 더 높이 날아올랐다. 해외여행이 이제 일상화되면서 항공 수요가 높아진 것도 있으나 비행기 티켓 가격이 여행에서 차지하는 비중이 높다 보니 동남아 등 가까운 여행지는 저비용항공사를 이용하는 것이 거의 대세로 자리 잡아가고 있는 분위기다. 이를 반영하듯, 2016년 7, 8월 성수기에만 저비용항공사 탑승객이 전년 동기보다 30% 증가하며 역대 최대 성수기 실적을 올렸다.[7] 신규 취항 국제노선들도 계속 증가하고 있어 이러한 열기는 당분간 계속될 전망이며, 국내 500대 기업 49%가 불황 여파로 올 하반기 신규 채용을 전년 대비 줄이겠다고 밝히는 상황에서 저비용항공사만 계속 추가로 신규 채용을 진행하고 있어 고용창출에도 한몫을 하고 있다.[8] 이 외에도 무대 장치 등 비싼 제작비를 절감해 저렴한 가격에 음악에만 집중할 수 있는 '콘서트 오페라'들의 공연이 잇따라 개최되는 등 공연계에서도 가성비에 주목하기 시작했다.[9]

가치 소비의 시대,
이름값을 버리고 몸값을 올리다
—

더 이상 '싸구려'의 대명사는 NO! 중국산 제품의 약진

휴대폰 시장에서도 브랜드의 이름값이 가성비에 밀리는 상황이 펼쳐졌다. 고가의 프리미엄 스마트폰 신제품이 출시될 때마다 판매점 앞에 밤새 줄 서던 풍경은 이제 옛말이 되어가고 있다.[10] 스마트폰

시장에서 저가폰의 등장은 기존의 굵직한 브랜드가 누리던 시장 구조를 재편시켰다. 삼성·LG·애플 등 메이저 회사들도 주력 프리미엄폰의 출시 전에 가성비를 강화한 중저가 모델을 내놓는 것이 일반적인 출시 전략으로 자리 잡았다. '값싸고 쓸 만한 폰'을 찾는 젊은 소비자들에게 생소한 브랜드 이름은 더 이상 문제가 되지 않는다. 중국의 화웨이가 내놓은 비와이폰의 경우 9월 한 달 하루 평균 500대 이상의 판매를 기록하며 화제를 불러일으켰다.[11]

　스마트폰뿐만이 아니다. 전자제품 전반에서도 가성비 트렌드를 잡기 위한 치열한 경쟁이 펼쳐지고 있다. 브랜드의 힘이 곧 기술력의 차이로 인식되었던 과거와 달리 이제는 가격 경쟁력이 브랜드의 역할을 대신하고 있다. 중국 가전업체들이 '싸구려'의 대명사였던 과거의 이미지를 벗고 높아진 기술력으로 국산 제품에 비해 30~40% 저렴한 가격으로 승부수를 띄웠다. 예컨대 중국의 가전 공룡인 TCL은

출처: 화웨이 홈페이지

▲ 중국의 화웨이가 내놓은 비와이폰의 경우 9월 한 달 하루 평균 500대 이상의 판매를 기록하며 화제를 불러일으켰다.

TV시장에서 압도적인 점유율을 차지하
고 있는 LG와 삼성의 틈새를 노리고 있
다.[12] 중국산뿐 아니라 국내 중소기업 제
품들도 TV시장에서 좋은 평가를 받으며
가치소비족의 높은 지지를 얻고 있다. '티
베라'나 '제파' 등 국내 중소기업 TV 브

가치소비족

가격 대비 만족도와 성능을 중
시하며 상품의 가격, 품질, 만
족도 등을 꼼꼼히 따지는 소비
자를 지칭한다.[13] 프라브PRAV,
Proud Realisers of Added Value족이라
고도 한다.

랜드는 중국산 핵심 부품을 들여와 한국에서 최종 조립해 판매하는
방식으로 TV 값을 대기업 제품의 절반 수준으로 낮추는 데 성공했
으며, A/S가 힘든 중국산 전자제품과 비교해 '불량 패널 무상 교체'
라는 파격적인 A/S까지 제공해 큰 관심을 모았다.[14]

大大익선, 기왕이면 더 싸고 더 크게 승부하다

—

2016년 음료 시장은 더 저렴하고 더 큰 용량을 앞세운 업체들의 경
쟁으로 넘쳐났다. 이미 포화 상태에 이른 것이 아니냐는 우려에도 불
구하고 커피 시장은 15년간 매년 평균 9%씩 성장을 계속하고 있다.[15]
신한카드 트렌드연구소의 분석에 따르면 2016년 상반기 저가 커피/
주스 전문 업체 이용률은 전년 동기 대비 1,741% 이상 증가해 커피
시장의 건재함을 보여주었다. 특히 저가 커피 전문점의 상승세가 무
섭다. 빽다방 커피 전문점은 '싸다, 크다'를 콘셉트로 소비자들의 인
기를 끌었으며, 가성비와 커피 본연의 맛에 집중한 이디야 커피 전문
점 역시 가맹점 수 1위를 기록하고 있다. 주스 전문점 쥬씨 역시 고

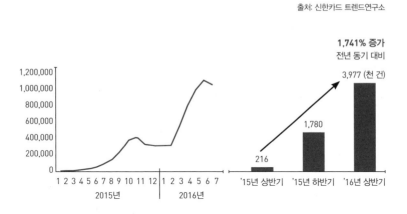

출처: 신한카드 트렌드연구소

2016년 저가 커피/주스 전문 업체 이용률 변화

가의 생과일주스를 대용량 사이즈에 2,800원이라는 저렴한 가격에 선보여 삼복더위 속에서 고객들이 줄을 설 만큼 불황 속에 호황을 누렸다. 값비싼 음료 한 잔이라는 작은 사치 대신 값싸고 양 많은 음료 한 잔이 고물가에 허덕이는 서민들에게 차선의 합리적인 가치로 선택된 것으로 보인다(『트렌드 코리아 2016』**10대 트렌드 상품** 참조).

식품업계에서는 동일한 가격에 용량만 늘린 소위 '착한 포장' 제품으로 가성비 전쟁에 대응하고 있다. 질소 포장이라 불리며 과대 포장으로 문제가 되었던 업체들이 소비자들의 엄중한 질책과 요구에 변화를 꾀한 것이다. 오리온은 '착한 포장 프로젝트'를 내세워 '마켓오 리얼브라우니', '초코파이 정(情)' 등의 과자 가격을 그대로 유지하며 중량을 늘렸다. 초코파이의 경우, 기존 35g에서 39g으로 11.4%가량 사이즈를 키우며 초콜릿 함량도 13%로 올렸다. 이는 소비자들의 긍정적 반응을 끌어내며 초코파이의 경우 중량을 늘린 후 한 달

사이 매출이 21% 증가했다.[16] 마찬가지로 '팔도 비빔면' 또한 변동 없는 가격에 중량만 20% 늘린 '팔도 비빔면 1.2'를 한정판으로 출시해 연간 판매량의 15%인 1,000만 개를 생산했으나 50일 만에 완판에 성공했다.[18]

업스케일 마케팅
Up-Scale Marketing

고급화가 아닌 고도화 전략으로, 상품의 품질과 양은 높이고 가격은 비교적 저렴하게 유지하는 마케팅 전략. 가성비를 높이는 대표적인 방법이다.[17]

국민 배달음식인 치킨 시장에서도 가성비가 통했다. 2016년, '호식이두마리치킨'의 경우 치킨 한 마리 가격에 두 마리를 주는 1+1 전략으로 치킨배달 서비스 부분에서 소비자 만족도 1위를 차지했다.[19] 이러한 **업스케일 마케팅**은 실속을 추구하는 가치소비족의 증가와 맞물려 식품업계뿐 아니라 다양한 분야로 확대되고 있다.

향후 전망
틈새 시장 속 새로운 가치를 창출하는 노력이 중요

'부정청탁 및 금품 등 수수의 금지에 관한 법률' 이른바 김영란법의 시행으로 가성비 트렌드는 향후 선물 시장에서도 또 한 번의 지각변동을 일으킬 것으로 보인다. 법 시행 전인 2016년 추석부터 조짐이 심상치 않았다. 백화점에서 판매하는 고가의 프리미엄 선물 매출이 뚝 떨어진 것이다. 반면 생활 밀착형 저가 상품은 2015년과 비교해 큰 상승세를 보였다. 갤러리아백화점의 경우, 추석 전날까지 명절 선물 세트가 전년 대비 10% 늘었다고 발표했다. 그중 5만 원 미만 선물 세트의 매출이 47% 급증하며 전체 판매 실적을 이끌었다.[20] 제과 업체 파리바게뜨 또한 추석에 판매된 100만 개의 선물 세트 중 90% 가 1만~2만 원대의 저가 세트였다. 이러한 현상은 비단 김영란법의 시행뿐만 아니라 불경기에 선물 하나라도 거품을 빼고 실속을 차리려는 소비자들의 변화된 인식이 반영된 것으로 보인다.

가성비에 집착하는 소비자가 늘어감에 따라 기업 간의 가격 경쟁도 더욱 치열해지고 있다. 무리한 가격 경쟁은 장기적인 관점에서는 혁신적인 기술 개발을 위한 기업의 성장 동력을 저해할 수 있다. 소비자에게도 현저하게 품질이 떨어지는 저가상품이 범람해 '악화가 양화를 구축하는' 선택권의 축소현상이 발생할 수도 있다. 하지만 소비자들이 브랜드보다 개별 제품의 가성비에 주목한다는 사실은 그동안 브랜드 파워가 약해서 고민이었던 중소기업 제품이나 추격 제품에는 커다란 기회다. 그와 동시에 소비자들이 저렴한 외국산 제품에도 큰 편견 없이 지갑을 열게 됐다는 사실은 커다란 위협이 되기도 한다. 결국 이러한 위기요소를 최소화하고 기회를 극대화하기 위해서는 자기 시장을 명확히 정의한 뒤 세분화하고 해당 카테고리 안에서 킬러 아이템, 즉 개성 있는 1등 제품이 되는 것이 중요하다. 이것은 브랜드라는 계급장을 떼고 오직 제품의 가치로만 겨뤄야 하는 냉혹한 승부의 시대가 다가오고 있음을 의미한다.

그렇다면 어떻게 제품력만으로 킬러 아이템이 될 수 있을 것인가? 먼저 치열한 가격 경쟁에서 어떻게 스스로를 차별화시킬 수 있을 것인가의 고민이 가장 중요한 이슈로 대두될 것이다. 전술한 바와 같이 불경기 속에서도 고객들은 여전히 '작은 사치'를 추구하고, 가성비를 중시하면서도 여전히 프리미엄한 요소를 선호한다. 따라서 다음 단계는 가성비 경쟁 속에서의 프리미엄 추구로 전개될 가능성이 높다. 이것이 『트렌드 코리아 2017』에서 설명하는 'B+ 프리미엄' 개념이다. '럭셔리'가 차별화된 고가의 브랜드를 통해 소비자의 지위나 취향을 과시할 수 있느냐의 문제라면, '프리미엄'은 가성비를 추구하면서도 어떻게 프리미엄한 가치를 고객에게 납득시킬 수 있을 것인가의 문제다. 역설적이지만 가성비 시대에 가장 중요한 요소는 B+ 프리미엄으로 환원될 것으로 보인다. 자세한 설명은 해당 부분에서 계속하기로 한다.

이러한 변화가 던지는 중요한 시사점은 이제 브랜드 관리 역량보다는 신제품 개발 역량이 중요해졌다는 것이다. 소비자의 정보가 절대적으로 다양해진 가성비의 시대에는 브랜드 파워가 약하더라도 가성비 좋기로 소문난 상품은 주저 없이 선택된다. 따라서 가성비 좋은 신상품을 누가 먼저 출시하는가가 기업의 핵심 역량이 된다. 기존의 상품을 업스케일하는 것은 물론이고, 새로운 틈새niche 시장을 찾아내고 전에 없던 제품 카테고리를 창출해내는 노력이 매우 중요해진다. 이런 작업이 가능하기 위해서는 무엇보다도 소비자의 급변하는 니즈를 파악하고 거기에 신속하게 반응할 수 있는 스피드가 절실하다. '브랜드 관리'에서 '트렌드 대응'으로 기업의 핵심 역량이 전환되는 이유가 여기에 있다.

Ethics on the Stage

연극적 개념소비

~~~~~~~~~~~~~~~~~~~~~~~~~~~~~~~~~~『트렌드 코리아 2016』 예측 내용

재밌어야 기부하는 바뀐 세대에 주목하라. 착한 것은 겸손함이라는 고정 관념도 깨졌다. '착한 소비'는 어느덧 대세로 자리잡고 역설적이게도 '선함'은 과시의 목록으로 서서히 편입되기 시작한다. 에코백을 수집해 매일 매일 그날의 패션에 맞게 고르고 그 안에는 뱀피 클러치백을 넣은 채 외출하는 세태가 나타난 것이다. 환경을 위하는 것이라고 자위하며 비싼 업사이클링 제품을 구입하고, 유행처럼 번지는 기부에 기꺼이 동참한다. 이기적 이타주의, 즐겁고 쉽게 할 수 있는 착한 일을 찾고, 남을 돕는 자신의 모습에 도취되는 소비자들에게 불우하고 힘든 상황을 어필하며 감정에 호소하는 전통적인 윤리소비에서 탈피할 필요가 있다. 이타적인 선의와 이기적인 과시의 조화가 중요해지면서 기업과 공공조직 및 공익단체의 대의마케팅에도 새로운 방향 전환이 필요한 시점이다. 내 주머니에서 직접 돈을 꺼내지 않아도 기부에 적극 동참할 수 있는 기발한 방법들은 신선한 재미와 적당한 과시를 버무린 새로운 기부 문화를 만들어가고 있다.

『트렌드 코리아 2016』 291~310쪽

~~~~~~

"색다른 동전털이 '기부방방' 모금함, 즐겁게 털릴 준비되셨습니까?"

서울 올림픽공원 평화의 광장에 대형 트램펄린(방방)이 등장했다. 일명 '기부방방'이라는 이 트램펄린에 오르기 위해서는 먼저 지폐를

▲ 이미 참여해본 사람들이 말하는 기부방방의 즐거움은 유산소 운동을 했다는 장점과 더불어 분명 내 호주머니가 털렸는데 조금도 아깝지 않다는 것이다. 그들은 분명 즐거운 기부를 경험했다는 걸 알 수 있다.

동전으로 교환해 주머니에 넣어야 한다. 그리고 트램펄린 위에서 신나게 방방 뛰기만 하면 된다. 이용자의 주머니에서 자연스럽게 떨어진 동전들은 모금함에 모여 기부활동에 쓰인다. 남녀노소 누구나 적은 금액으로도 즐겁게 기부할 수 있는 독특한 방식의 모금 캠페인이다. 초록우산어린이재단에서 기획해 2015년 서울에서 첫 캠페인을 시작한 기부방방은 지금도 전국 각 지역을 순항하며 기부의 즐거움을 전하고 있다. 게다가 "당신이 뛰면 어린이의 꿈도 함께 뛴다"는 슬로건을 내건 캠페인 영상 또한 온라인을 통해 인기를 끌면서 나눔 문화 확산에 기여했다. 그 결과 기부방방 캠페인은 '2016 **에피 어워드** 코리아' 시상식에서 무려 3개 부문 수상이라는 영광

에피 어워드 Effie Awards
1968년 미국에서 처음 시작되어 전 세계 44개국에서 실시하고 있으며 약 50년의 역사를 갖고 있는 저명한 마케팅 시상식이다. 마케팅 커뮤니케이션 캠페인이 마케팅 목표 달성에 얼마나 기여하였는지 '캠페인의 결과Effectiveness'를 기준으로 평가하고 있다.

을 안았다.[1] "기부는 돈이 있어야 하는 것이다" 혹은 "기부금은 엉뚱한 데로 샌다"와 같이 막연하게 기부에 대한 불편한 부담감을 가진 이들에게도 기부방방은 주머니가 털릴수록 더 즐거워질 수 있다는 긍정적인 인식을 심어주고 있다.

2016년 8월, 부산 벡스코에서 개막한 '2016 부산국제광고제'에서 올해의 그랑프리 광고로 뽑힌 아이디어도 주목할 만하다. 바로 세계 최초의 모기 퇴치 오토바이필터, 모터리퍼런트MOTOREPELLENT가 그 주인공이다. 아직도 모기로 인한 사망률이 높은 국가를 위해 배기가스에서 모기약이 나오도록 오토바이를 개조해 모기를 퇴치한다는 기발한 아이디어로 공공의 이익을 도모했다는 높은 평가를 받았다.[2] 세계인이 참여하는 국제적인 광고제에서도 이제는 선정적인 자극이나 화려한 포장술보다 현실에 뿌리 내린 착한 메시지가 중요한 평가 대상이 되고 있다.

2016년은 '개념'을 장착한 소비문화가 확산되며 공감과 공유, 교환을 통한 행복한 나눔 문화가 중요한 가치로 자리 잡았다. 많이 벌어 많이 쓰는 게 미덕이었던 소비행태가, 같은 돈을 쓰더라도 가치 있게 쓴다는 개념소비로 진화한 것이다. 이에 따라 기업의 사회적 책임CSR도 갈수록 강조되고 있으며 '대의', '명분'이라는 뜻의 '코즈cause'를 붙인 '코즈 마케팅' 열풍이 좀처럼 식지 않고 있다. 『트렌드 코리아 2016』에서 언급한 다양한 개념소비의 양상들이 2016년 어떻게 발현되었는지 살펴보고 개념소비가 낳은 부정적인 단면으로 꼽았던 연극적 개념소비의 유형은 어떤 변화를 겪었는지 착한 소비문화의 겉과 속을 함께 들여다본다.

'참여형 개념소비'와 '적정기술'의 스토리텔링

—

착한 브랜드, 착한 제품, 윤리적 소비에 대한 인식이 확산되면서 환경오염이나 빈곤과 같은 사회 문제를 마케팅에 접목시키는 기업이 늘고 있다. 바로 코즈 마케팅이다. 기업과 소비자의 관계를 통해 기업이 추구하는 이익과 사회적 공익을 동시에 얻는 방식이다. 기업의 일방적인 홍보가 아니라 소비자가 함께 참여해 결과적으로 사회에 공헌하는 것이 필수조건이다. 이 때문에 기업은 단순히 소비자의 지갑을 열기 위해서가 아니라 소비자가 참여해야 하는 명분을 만들기 위해 스토리가 있는 아이디어를 짜내고 있다. 넘쳐나는 기부 행사와 나눔 이벤트에 피로감을 느끼는 소비자들도 늘고 있어서 코즈 마케팅에도 차별화된 전략이 중요해진 것이다.

업사이클링 브랜드 '에이제로'와 군복의 환골탈태

2016년 패션업계에는 체험형 이벤트나 독특한 **리메이드 전략**으로 개념 소비자들의 적극적인 참여를 이끌어내기 위해 분주했다. 옷을 만들고 남은 자투리 원단은 어디에 쓸 수 있을까? 그것도 마크 제이콥스 같은 '명품' 옷의 원단이라면? 대개는 버려지지만 자투리도 유명 브랜드의 것은 그 쓸모가 남다르다. 업사이클링 브랜드 '에이제로AZERO'는 마크 제이콥스·빈스·존 바바토스 등 고가 브랜드의 가죽 재킷을 만들고 남은 자투리 가죽 원단을 A4, A3 사이즈로 재단해 가

> **리메이드Remade 전략**
> 기존의 원단이나 상품을 현대적으로 재해석해 '다시 만드는' 패션용어. 빈티지 옷이나 군복을 리메이드하는 크리스토퍼 래번이 대표적인 디자이너다.

죽공예에 필요한 간단한 툴킷과 함께 고객에게 제공한다. 그동안 버려지는 자원으로 제품을 만들어 파는 업사이클링 브랜드는 많이 등장했지만 에이제로는 구매자가 원하는 것을 만들 수 있도록 일종의 백지를 건넨 셈이다. 유명 컬렉션에 등장했거나, 유명인이 착용한 옷 등 스토리가 있는 최고급 가죽원단을 소비자가 맘껏 활용할 수 있도록 저렴하게 제공해 창작욕을 북돋워주고, 소비자에 의해 업사이클링이 완성되도록 그 과정을 상품화했다. 마치 마크 제이콥스의 가죽 옷을 직접 만드는 것과 같은 묘한 만족감을 주는 이 쿨한 스토리텔링은 프랑스 파리에서 열리는 세계적인 실내장식 박람회인 '2016 메종 오브제Maison & Objet'에서 론칭되었는데, 무엇을 만들지 고민하고 템플릿을 찾아 다운받으며 손수 바느질까지 해야 하는 수고스러움이 특별한 체험으로 변주되며, 개념소비의 매력적인 일면을 보여주었다.[3]

그런가 하면 실제 부대에서 사용된 군복을 업사이클링한 옷이 패션쇼 무대에 오르기도 했다. 유행에 따라 많은 재고품이 버려지는 패션계에서 자원절약과 환경보호와 같은 공익적 가치를 높이는 한 방법으로 아무도 눈여겨보지 않던 군복에 주목한 것이다. 군용 직물과 텐트, 낙하산 등을 재활용해 주목받는 영국의 신예 디자이너 크리스토퍼 래번과 국내 브랜드 MCM의 컬래버레이션으로 펼쳐진 이 무대는 사회적 책임과 지속 가능한 럭셔리를 표현하기 위해 기획되었다고 한다. 군복이라는 의외의 소재를 도입해 창의성을 강조하고 공익 실현에도 참여해 고급스러우면서 착한 브랜드라는 이미지 구축에 적극적으로 뛰어든 것이다. 특히 영국 런던에서 펼쳐진 해당 패션쇼는 네이버의 라이브 스트리밍으로 실시간 생중계되어 한국의 많은 패션 피플들이 해외 런웨이의 생생한 열기를 간접적으로나마 체험해볼 수 있었다.

우간다 아이들의 백팩 물통과 손 씻는 습관을 길러주는 크레용 비누

코즈 마케팅은 사회적 숙제를 풀어가며 영업활동을 수행하는 사회적 기업과 불가분의 관계다. 2016년은 다양한 나눔 활동을 실천하는 사회적 창업과 소셜벤처가 증가하는 추세였다. 디자이너와 과학자들을 필두로 한 사회적 기업들은 적정기술로 전문성과 훈훈한 정을 나누었다. 핀란드에서 디자인을 공부한 한 디자이너는 우간다에 갔다가 목숨을 걸고 물을 길러 다니는 어린이들을 보고 '제리백'을 만들었다. 10L짜리 물통이 딱 들어맞는 백팩 형태의 제리백은 물을 길러 갈 때는 물통 운반용으로, 학교에 갈 때는 책가방으로 쓰인다. 이 기업의 CEO이자 디자이너인 박중열 씨는 우간다의 수도 캄팔라에 위치한 재래시장에 월세 사무실을 얻고 현지 직업학교를 졸업한 우간다 여성 2명을 고용해 제리백을 만들고 있다.[4] 제품 전량을 우간다에

출처: 제리백 홈페이지

◀ 10L짜리 물통이 딱 들어맞는 백팩 형태의 제리백, 물을 길러 갈 때는 물통 운반용으로, 학교에 갈 때는 책가방으로 쓰인다.

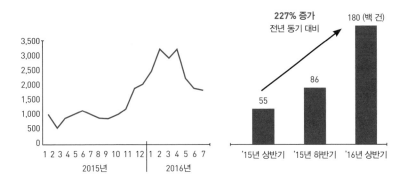

출처: 신한카드 트렌드연구소

서 제작하기 때문에 지역의 고용창출도 일으키고 수익금 또한 현지 어린이들에게 기부되어 좋은 반응을 얻고 있다.

'무전원 정수기', '크레용 비누'처럼 솔깃한 이름의 제품들도 있다. 마치 혁신제품의 마케팅용 팻네임Pet Name 같아 보이지만, 알고 보면 저개발 국가의 열악한 환경에 맞추어 개발된 제품이다. 무전원 정수기는 특별한 필터 대신 중력이라는 자연의 힘을 이용해 미세한 구멍이 무수히 많이 뚫려 있는 고분자 막을 형성시키는 데 성공했다. 이 막은 그 자체만으로 병원균과 이물질을 99.9% 이상 걸러내기 때문에 저개발 국가에서 특별한 유지보수 없이 반영구적으로 사용할 수 있다. 크레용 비누는 마치 크레용처럼 아이들의 손등에 그림을 그려주고 그 그림을 깨끗이 지우는 과정에서 자연스럽게 아이들에게 손 씻는 방법을 가르쳐주는 비누다. 이 비누는 이용자의 행동을 유발하는 디자인으로 유니세프가 주최한 '웨어러블 포 굿' 공모전에서 우승을 차지했다.[5] 이처럼 각계각층의 전문가들이 공존을 위한 적정기술 개발에 자발적으로 참여하면서 긍정적인 사회적 변화를 이끌고 있다.

즐기면서 하는 기부, '퍼네이션funation'의 확대

2016년에는 실제로 돈 한 푼 내지 않고도 나눔 활동에 적극 동참할 수 있는 기발한 방법들이 쏟아져 나왔다. 왕십리역 멀티플렉스 극장에 설치된 '기부 건강계단'은 계단을 오르내릴 때마다 각각 10원씩 적립되는데 금액은 한국야쿠르트에서 대신 부담해준다. 영화 시작 전까지 남는 자투리 시간에 운동도 할 수 있고, 기부 금액도 쌓을 수 있어 별다른 부담 없이도 기부에 참여하는 즐거움을 누릴 수 있다. 신한카드 트렌드연구소가 물건을 구매하면 일정 금액이 기부되는 온라인 대표 기부업체 3곳을 조사한 결과, 2016 상반기의 이용건수만 전년 동기 대비 3배 이상 증가한 것으로 나타났다.

축구스타와 함께 슛포러브, 이색 송년회 'The 짝'

올림픽이 치러진 2016년은 축구계를 중심으로 소아암 환자들을 위한 기부 캠페인이 활발히 진행되기도 했다. 사회적 기업인 비카인드bekind와 히딩크 재단이 함께 진행하는 '슛포러브shootforlove 챌린지' 캠페인은 치료비에 어려움을 겪는 소아암 환자들을 위한 기부 릴레이 캠페인이다. 일반 시민들이 작은 축구장에 설치된 골문에 패널티킥을 성공시키면 한 골당 5,000원이 삼성카드의 후원으로 기부된다. 행사기간 동안 약 5,000명의 시민이 작은 골문을 향해 4,608골을 성공시켰다. 이 장면들은 슛포러브 공식 SNS와 네이버 TV캐스트를 통해 영상으로 공개되었고 조회수 1회당 1원씩이 한국백혈병소아암협회로 추가 기부되었다.

착한 마음의 후원자들을 모아 소개팅을 주선해주는 기발한 아이디어도 등장했다. 국제적 구호 개발 비영리단체인 플랜인터내셔널 한국지부에서는 기존 후원자들 중 20~30대 싱글 남녀 20명을 모아 만남을 주선해주는 이색 송년회 'The 짝'을 기획했다. 참가비와 애장품 경매 판매금 등 행사 수익 전액은 해외 어린이 돕기에 사용한다. 2012년 처음 기획된 이 행사로 인연을 맺어 결혼에 골인한 커플까지 탄생했다고 한다. 밀알복지재단은 시민들이 아프리카로 보낼 태양광 랜턴을 시민들의 손으로 직접 만드는 프로그램을 열었는데, 2,000여 명의 시민이 참여하는 뜨거운 반응을 얻었다.

게임 속 나무가 현실로, 모바일 기부 바자회 '도넛도넛'

기부와 봉사를 하면서 재미까지 챙기는 '퍼네이션funation'이 현대 사회의 새로운 기부문화로 자리 잡고 있다. 퍼네이션은 영단어 'fun'과 'donation'의 합성어로 기부와 즐거움의 만족을 배가시키는 새로운 이타주의를 지향한다. 퍼네이션의 연장선상에서 '디지털 퍼네이션'의 발전도 주목할 만하다. 『트렌드 코리아 2016』에서 소개한 바 있는 '트리플래닛'은 게임 속에서 나무를 키우면 실제 현실에서 나무가 기부되는 디지털 퍼네이션의 대표적인 사례다. 일반인들의 참여도 꾸준히 증가했지만, 스타의 팬들이 스타의 이름으로 숲을 조성하기 위해 적극적으로 참여하면서 '스타의 숲'이 조성되기도 했다. 디지털 퍼네이션을 플랫폼으로 한 팬덤의 순기능이라 할 수 있다. 모바일 바자회 애플리케이션인 '도넛도넛'은 사용자들이 평소 쓰지 않는 물건을 가격과 함께 올리면 구입을 원하는 구매자가 도넛도넛에 금액을 입금하는 방식이다. 입금액은 전액 기부된다. 어차피 쓰지 않는 물건을 처리했을 뿐인데, 그 일이 누군가를 돕게 되는 것이다.[6] 카카오가 2016년 9월 진행한 '기브티콘' 기부 캠페인도 11만 명이 참여하며 기록적인 후원을 이끌어냈다. 생활밀착형 서비스로 녹아든 모바일 플랫폼이 기부의 영역에도 성공적으로 스며드는 분위기다.

개념소비를 이끄는 '이유 있는 개념경영'
—

가치를 더한 善한 마케팅과 갑질 대신 협력업체 띄우기

공격적인 매스마케팅을 일체 하지 않는 노마케팅 전략을 고수하는 기업들도 개념소비자들에게 좋은 반응을 이어갔다. 화장품 브랜드 '더바디샵'이 하나의 예다. 1976년 설립 당시부터 '기업이 선善을 위한 동력원이 될 수 있다'는 콘셉트를 표방한 더바디샵은 동물실험 반대, 지구환경 보호, 인권보호, 공정무역 등 사회적 선을 추구하기 위한 활동을 지속해왔다. 더바디샵은 공존을 위한 공익이라는 모토 아래, 베트남 케누옥트롱 지역 주민들의 생계를 보장해주기 위해 지역민들에게 농작물 재배를 맡기고 이를 매입해 샴푸나 바디워시 등

제품의 주원료로 사용한다. 벌목과 밀렵을 감시하는 '순찰대원'까지 지역민들을 채용하는 등 근원적인 자립 시스템을 만들고 있다.[7] 해당 브랜드의 제품을 구매하는 것만으로도 공익 활동에 참여할 수 있다는 점을 윤리적 가치를 중시하는 개념소비자들에게 호소하고 있는 것이다.

협력업체와의 상생을 강조하는 사례도 등장하고 있다. 국내 가방 브랜드 로우로우RAWROW는 제품 라인을 확장하며 티타늄 안경을 출시했는데, 안경테에 메인 로고가 아닌 협력업체인 대한하이텍의 '대한DAEHAN'을 새겨 넣었다. 하청업체로 불리는 협력사들이 존경받아 마땅함에도 유명인이나 유명기업과의 컬래버레이션에서 기술만 제공하고 브랜드 뒤로 숨어야 하는 업계의 현실을 정면으로 반박하기 위해서라고 한다. 로우로우는 보란 듯이 협력사 이름을 인기 제품에 새겨 넣으며 협력업체와 함께 성장한다는 공생의 개념경영을 이끌어냈다.[8]

'바로드림'과 '자전거 아빠', 기부에 기업의 스토리를 담다

전국경제인연합회가 발표한 '2015년 주요기업재단 사회공헌백서'는 국내 기업들의 60%가 사회공헌 사업계획을 세울 때 기업의 특성을 살린 사회공헌, 공유가치창출 등 새로운 방식의 도입을 고려하고 있다고 밝혔다. 사회공헌 트렌드가 단순한 기부 형태에서 벗어나 자사 브랜드의 특수성을 활용해 더 큰 가치를 만드는 공유가치창출csv, Creating Shared Value 형태로 진화하고 있는 것이다.

예를 들어 신한카드는 교보문고 '바로드림' 서비스에서 신한 FAN

페이(앱카드)로 3만 원 이상 결제할 경우 도서 1권을 지역아동센터나 복지관 등에 기부하는 캠페인을 진행했으며, 삼천리자전거는 아빠가 없는 한부모 가정 자녀들에게 자전거 타는 법을 가르쳐주는 '자전거 아빠' 캠페인을 시작해 아이들의 자존감을 고취시키기 위해 노력했다. 파나소닉코리아는 청소년복지센터 학생들을 대상으로 포토 아카데미를 열고 카메라 교육 및 사진 촬영 방법을 가르쳤다.[9] 이처럼 현금 기부나 단발성 후원보다 기업의 특성을 최대한 살려 연계성이 높은 스토리를 활용해 브랜딩에도 효과적인 CSV 활동을 선보이는 기업의 움직임이 활발해지고 있다.

지방정부와 의회의 사회적 책임 활동CSR에 대한 관심도 높아져 **사회책임공공조달**SRPP을 채택하는 사례가 늘고 있다. 경기도는 2015년 4월 '경기도 공공조달의 사회적 가치 증대를 위한 조례안'을 통과시켰다. '경기도 공공기관 및 중소기업의 CSR 활성화 지원 조례'는 도지사가 기업의 사회적 책임 활성화 지원에 필요한 기본 계획을 3년마다 수립하도록 되어 있다.[10] 서울시 역시 공공조달에 CSR 요소를 평가에 반영한 '사회적 가치 증대를 위한 공공조달에 관한 조례'를 제정해 사회책임공공조달을 시행하고 있다.

사회책임공공조달
SRPP, Socially Responsible Public Procurement
정부와 공기업의 구매력을 이용해 기업들이 지속가능하고 사회적으로 책임 있는 경영을 하도록 유도하는 것을 말한다. 이를 통해 간접적으로 고용기회를 늘리고, 일자리의 질을 높이며, 사회적 취약계층의 포용을 촉진하고, 공정한 무역을 하도록 유도할 수 있다.

향후 전망
더불어 행복한 사회를 지향하는 개념적 소비가 필요
—

놀면서 기부하고 착한 소비를 즐길 줄 아는 소비자가 많아지면서 기부에 대한 진입장벽은 점차 낮아지고 있다. 하지만 어렵게 자리 잡은 개념소비 트렌드가 지속적으로 이어지기 위해서는 선한 의도가 이익 추구를 위한 수단으로 변질되지 않도록 주의가 필요하다. 프랑스 명품 브랜드 루이비통은 UN산하 아동구호기관인 유니세프와 글로벌 파트너십을 맺고 기금 마련을 위해 실버락킷lockit이라는 이름의 목걸이와 팔찌를 특별 제작했다. 도움이 필요한 아이들을 돕겠다는 약속의 증표로 자물쇠 디자인을 차용해 만든 이 팔찌의 가격은 65만 원이었다. 적지 않은 금액인 만큼 기부되는 액수도 크다. 1개가 팔릴 때마다 40%에 해당하는 26만 원이 유니세프에 자동 기부되는데, 이 팔찌는 판매 시작 하루 만에 국내 유일물량이 완판됐다.[11] 물론 좋은 뜻으로 구매한 소비자들도 있겠지만 고가 브랜드의 한정판 액세서리를 소유하고자 하는 과시와 허영심이 완판을 이끌었는지도 모른다는 논란을 남겼다.

　재능기부라는 가면을 앞세워 사사로운 이익을 취하려는 일부 단체와 개인들도 지탄을 받았다. 2016년 4월, 어느 한 대형 비영리단체가 감사업무를 담당할 재능기부자를 공개적으로 모집해 논란이 벌어진 것이다. 공공기관의 투명성과 전문성을 높이는 데 중요한 역할을 맡을 감사업무를 재능기부라는 명목으로 헐값에 쓰려는 꼼수가 아니냐는 비판이 거셌다. 비난 여론이 쇄도하자 해당기관은 추가로 감사 기간에 따른 수당을 지급할 것이라 해명했지만 논란은 쉽게 사그라지지 않았다.[12] 이처럼 재능기부가 사회 전반에 무분별하게 쓰이기 시작하면서 이를 악용한 사례를 고발하는 글들이 온라인 커뮤니티에 올라와 많은 이들의 공분을 사기도 했다. 자발적 참여가 아니라 강요된 이타주의는 진정한 기부가 아니다. 재능기부란 말로 포장해 한 개인의 노동력을 무보수로 요구하는 것은 지양되어야 할 일이다.

핵심은 역시 진정성이다. 인종차별 문제에 적극적으로 나서고자 '레이스 투게더Race Together'라는 캠페인을 벌였던 스타벅스가 기획의도와 달리 소비자들로부터 '기회주의자'라는 맹비난을 받자 황급히 캠페인을 종료했던 사례는 우리에게 시사하는 바가 크다. 스타벅스 현장 직원의 40%가 소수인종인 데 반해 19명의 임원 중 16명이 백인으로 알려지면서 진정성에 의심을 받았던 것이다.[13]

기부 선진국에서는 이미 기부 장려 캠페인이 엔터테인먼트 산업의 일부가 되어 남녀노소 모두 즐기는 건전한 '놀이문화'로 통한다. 행복한 사람이 기부하고, 기부하면 행복해지는 '감정의 사이클'이 만들어 졌기 때문이다. 윤리소비의 개념과 기부자들의 특성이 변하며 시시각각 새로운 소비패턴이 만들어지고 있는 시대, 사람과 사회가 더불어 행복한 사회를 지향하는 주제적, 개념적 소비 활동에 어쩌면 이 기나긴 불황을 타개할 기회와 공존의 열쇠가 존재하는 것인지도 모른다. 기업들이 앞으로도 진정한 개념 소비자를 주목하고 지원해야 하는 이유다.

Year of Sustainable Cultural Ecology

미래형 자급자족

「트렌드 코리아 2016」 예측 내용

'늙어갈 용기'를 필요로 하는 100세 시대가 본격적으로 도래하면서 오래 건강하고자 하는 욕망은 커졌지만, 환경오염과 자연재해가 심각해지고 도시생활의 사회경제적 조건이 악화되면서 자족적인 삶을 추구하는 사람들이 많아졌다. 이 새로운 자급자족은 물물교환 시대 이전으로 돌아가려는 것은 아니다. 어떻게 하면 현대 자본주의의 도회적 교환경제 시스템을 유지하면서 그것을 보완해 좀 더 '지속가능하고 인간적인 삶'을 누릴 것인가에 대한 고민이 늘어가는 것이다. 우리는 이 새로운 시류를 '미래형 자급자족'이라고 명명한다. '미래형 자급자족'은 100세 시대를 맞았지만 갈수록 척박해지는 도시생활에 대응하기 위해 친환경·생태주의적 삶을 실천하려는 현대인들의 노력이 반영된 트렌드다. 눈에 쉽게 드러나지는 않지만 우리의 소비문화에 많은 영향을 미치는 '보이지 않는 손'과 같은 미래형 생태주의. 그 변화를 감지하고 실천적인 생태주의와 현실적인 자급자족에 대한 산업과 소비생활을 점검하게 될 2016년은 기존의 환경 이슈가 새로운 생태운동으로 발돋움하는 변곡점의 한 해가 될 것으로 보인다.

「트렌드 코리아 2016」 311~332쪽

기록적인 폭염에 시달렸던 2016년의 여름, 올라간 것은 기온뿐만이 아니었다. 냉방기 사용량이 늘면서 전기 계량기의 숫자도 무섭게 올라갔고 전기세 폭탄을 맞은 시민들의 분노 게이지 또한 솟구쳐 올랐다. 세계 최고 수준의 누진율이 존재하는 나라에서 전기요금은 폭염 속 가장 뜨거운 이슈가 되었다. 그런데 수도권에서 전기료 폭탄 은커녕 전기료 할인을 받았다는 마을이 등장해 관심을 모았다. 바로 '에너지자립마을'이다.

에너지자립마을은 최첨단 시스템을 자랑하는 거창한 미래형 도시가 아니다. 작은 실천들로 시민 스스로 에너지 사용량을 줄여가는 아파트 공동체다. 집안 형광등을 비롯해 지하주차장, 계단, 엘리베이터 등을 모두 저전력 LED등으로 바꿔 달고 독거 어르신 댁을 정기적으로 찾아가 쓸데없이 낭비되는 에너지가 없는지 돌보기도 한다. 동대문구 제기이수브라운스톤의 경우 전체 299가구 중 60%에 달하는 172가구가 베란다에 미니태양광을 설치해 에너지 자립에 도전했으며 성북구 석관두산마을의 경우 2,000가구가 에너지를 아끼면 인센티브로 돌려주는 '서울시 에코마일리지'에 가입했다.[1] 현재 서울시는 55곳의 에너지자립마을을 지원하고 있다.

이들은 그동안 큰 주목을 받지는 못했지만, 2016년 폭염으로 전기 사용량에 대한 관심이 높아지면서 그 성과가 실제적으로 드러나기 시작한 것이다. 동작구 신대방동 현대푸르미의 경우 사상 최대의 폭염에도 불구하고 전년 대비 11%가 줄어드는 놀라운 성과를 보였다.[2] 절약에서 출발한 작은 실천들이 쌓이고 태양광발전 생산효과가 시너지를 일으키며 에너지 자립기반 다지기에 성공한 것이다. 도심 아파트 공동체의 이러한 성과가 알려지기 시작하면서 앞으로 에너지 절약에 동참하는 단지는 더욱 늘어날 것으로 기대된다.

이처럼 2016년의 대한민국은 폭염과 지진 등의 기후변화와 자연재해를 몸으로 겪으며 온난화, 탄소배출 등의 환경문제를 심각하게 받아들이기 시작했다. 이는 소비패턴의 변화로 이어져 생태소비를 실천하는 소비자들의 행보가 주목받고 있다. 자연스럽게 환경산업과 관련된 수요가 급증하며 미래형 자급자족에 대한 채비가 본격적으로 펼쳐진 것이다. 『트렌드 코리아 2016』의 **미래형 자급자족** 트렌드에서 전망한 변화는 더 이상 보이지 않는 손이 아니라 시장의 주체가 되어 산업의 판을 다시 짜고 있다. 지속가능한 미래를 위한 새로운 생태운동의 변곡점이 된 2016년, 미래 지구 환경 변화에 대처하고 예방하기 위해 더욱 현명해져야 했던 현대인들의 자급자족 라이프스타일을 따라가 본다.

변화하는 자동차 시장,
신재생에너지의 시동을 걸다

—

전기차에 대한 3040세대의 관심, 충전소도 확대 예정

신新생태주의 라이프스타일의 확산 붐을 타고 가장 활기차게 변화의 시동을 걸고 있는 영역은 자동차산업이다. 현대·기아, 한국지엠, 르노삼성 등이 전기차 판매를 본격적으로 시작했는데 아직 그 매출 비중은 크지 않다. 하지만 전기차를 선택하는 주 소비층이 경제 활동이 왕성한 3040세대에 집중되어 있기 때문에 관련산업의 연쇄 성장 효과도 충분히 기대해볼 만하다. 실제로 신한카드 트렌드연구소가 전기차 업체의 신모델 예약금 결제자를 파악해본 결과 50세 미만 고객의 전기차 구매 비중이 50세 이상 고객보다 약 23% 높았으며, 특히 30~45세의 예약비율이 눈에 띄게 높았다. 3040세대를 중심으로 전기차에 대한 긍정적인 인식이 확산되면서 실제 구입으로까지 연결되고 있는 것이다.

유통부문에서도 전기차 인프라 구축에 관심을 보이기 시작하고 있다. 신세계는 스타필드 하남에 국내 최초로 64평 규모의 테슬라 전기차 리테일 스토어를 선보였고, 전기차 고객들이 쇼핑을 하거나 호텔에 숙박할 때 전기차를 충전할 수 있는 고객 전용 충전소를 백화점, 이마트, 프리미엄 아웃렛, 조선호텔, 스타벅스 등 다양한 유통채널에 구축할 예정이라고 밝혔다.[3]

'탄소 없는 섬' 프로젝트와 나눠 쓰는 자동차

전기차에 가장 적극적인 지방자치단체는 제주도다. 탄소 없는 섬 **카본프리 아일랜드 2030** 정책을 선언한 제주도는 중국 자동차업체 비야디BYD와 손잡고 전기택시 사업을 추진하고 있다. 단지 차량 수입뿐만이 아니라 에너지 저장장치Energy Storage System와 태양에너지 발전설비 등 신재생에너지 사업까지 다각도로 추진할 계획이다.[4]

환경을 위해 꼭 비싼 돈을 들여 전기

카본프리 아일랜드 2030

Carbon Free Island 2030

2015년 12월 파리에서 열린 제21차 기후변화당사국총회(COP21) 본회의장 한국 홍보관에서 제주특별자치도가 국제사회에 발표한 비전이다. 신재생에너지와 전기차 테스트 베드로 자리 잡은 제주에 2030년까지 제주 전역의 전력수요를 신재생에너지로 전환하고, 운행하는 자동차를 전기차로 전환하는 내용을 주요 골자로 하고 있다.

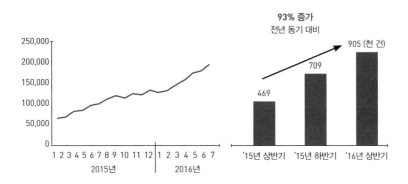

출처: 신한카드 트렌드연구소

차를 살 필요는 없다. 개개인의 작은 실천도 모이고 쌓이면 거대한 변화의 기류를 만들 수 있다. 자동차를 소유물이 아닌 함께 나눠 쓰는 방식의 카셰어링도 환경을 생각하는 미래형 자급자족의 좋은 형태다. 신한카드 트렌드 연구소에 따르면 카셰어링 대표업체 2곳의 이용건수를 분석해본 결과 2015년 상반기 대비 2016년 이용건수는 2배, 약 93%가 증가한 것으로 나타났다. 자동차로 부를 과시하는 것이 아니라 합리적 이동의 수단으로 여기는 소비자가 늘어나면서 카셰어링 산업은 앞으로 더욱 순항할 것으로 전망된다.

생활밀착형으로 스며든 '생태소비 패러다임'

'NO WASTE(쓰레기 없는 삶)'를 실천하는 생태주의 소비자들의 라이프스타일도 일상 곳곳에서 만개했다. 쇼핑에 나설 때는 에코백이나 장바구니를 챙겨 비닐봉지 사용을 자제하는 것은 물론이고, 잔반을 남기지 않기 위해 집에서 직접 지렁이를 키우는 가정까지 등장했다. 지렁이가 있는 흙 속에 잔반을 묻어 두면 지렁이가 잔반을 먹어치우기 때문에 음식물 쓰레기를 전혀 남기지 않을 수 있다고 한다. 이와 같은 노하우들은 소셜미디어를 통해 전파되며 사람들의 자발적인 동참을 이끌고 있다.

도심 한복판의 도시농부와 친환경 먹거리 장터

벼룩시장도 생태주의란 날개를 달고 더욱 특화되고 있다. 도심 한복판에서 농부시장을 표방하는 '마르쉐@' 장터가 대표적이다. 공동체 텃밭이나 옥상 등 도심에서 농산물을 키우는 도시농부, 수도권 근교에서 농사를 시작한 귀농자, 부모가 재배한 농산물을 가공해 판매하는 20대, 30대 청년농부들이 한데 어우러져 직접 농산물을 거래하는 장이다. 소비자 입장에서는 복잡한 유통망을 거치지 않고도 좋은 가격에 안심하고 먹을 수 있는 친환경 먹거리를 구입할 수 있어 좋고, 다품종 소량 생산으로 마땅한 판매처를 찾지 못하는 판매자들에게도 귀한 활로가 되고 있다. 2012년에 시작된 이 장터는 현재 매월 4,000여 명이 참가하는 인기 장터가 되어 마르쉐@상암, 마르쉐@양재, 마르쉐@명동 등 서울 각 지역에서 한 달에 두 번 정기적으로 열리고 있다.[5] 이 밖에도 판매자가 직접 매대를 열고 손으로 만든 가방, 향수, 꽃, 빵 등을 판매하는 '사이데이 마켓'이 방배사이길에서 열리고 있고, 성북로8길에서는 '프롬에잇 마켓'이라는 수제품 장터가 현

◀ 생태주의란 날개를 달고 더욱 특화
되고 있는 '마르쉐@' 장터는 도심
한복판에서 복잡한 유통망을 거치
지 않고도 좋은 가격에 친환경 먹
거리를 구입할 수 있어 좋은 반응
을 얻고 있다.

명한 소비자들의 발길을 모으고 있다. 이처럼 도심 곳곳에 벼룩시장
보다 진화한 개성 있는 장터가 활발히 펼쳐지고 있다.[6]

미래형 생태주의는 주택 시장에서도 주목할 만한 변화를 불러 일
으켰다. 2016년의 분양 트렌드를 살펴보면 평수는 작더라도 테라스
가 있는 아파트가 인기를 끌었다. 기존에 볼 수 있었던 오픈형 테라
스뿐 아니라 방·거실·주방 등의 사이에 테라스를 만들어 집 가운데
에 정원이 들어선 것 같은 '중정형' 형태까지 등장했다. 아예 오픈형
과 중정형을 모두 적용하거나 가구마다 섞어서 짓는 아파트도 있었
다. 공동주택일지언정 보다 자연친화적으로 일상을 누리고 싶은 현
대인의 니즈가 표출된 것이다. 다양하게 진화하는 테라스와 4베이
구조의 인기는 콘크리트 숲에 갇힌 현대인들의 니즈가 어떻게 변하
고 있는지 잘 보여주고 있다.

'실내 가드닝'의 인기도 이러한 변화의 연장선에 있다. 자연 가습
효과와 시각적 안정을 주는 녹색식물은 콘크리트 건물에 생기를 불
어넣어 준다. 자연을 집 안으로 들여오고 싶은 현대인의 니즈를 반영

해 실내 가드닝용 식물들은 미관상 효과뿐 아니라 그 기능도 다양하게 세분화되어 있다. 아예 먼지를 양분처럼 빨아들이는 공중식물, 벽지나 바닥재의 포름알데히드 제거에 효과가 있는 식물, 이산화탄소를 제거하는 식물 등 친환경 가드닝 제품들이 생활 깊숙이 스며들고 있다.

자투리 공간을 알뜰하게 이용하고, 내 집의 환경은 스스로 지킨다

치솟는 전셋값에 작더라도 내 집을 짓는 사람도 부쩍 늘었다. 시 외곽에 유행을 몰고 왔던 땅콩집이 아니라 도심 한가운데 협소주택이란 이름으로 자신이 살고 싶은 집을 짓는 것이다. 33~66㎡(10~20평)짜리 자투리땅을 활용해 나만의 집을 짓는 사람들은 비록 협소하고 조금은 불편할지라도, 스스로 발품을 팔아 땅을 찾고 좁은 공간을 활용할 아이디어를 짜내며 미래형 자급자족에 한발 더 다가갔다. 본격적인 도시재생 시대를 맞아 땅의 개성을 극대화하는 새로운 개발방식과 주택 유형이 등장한 것이다.[7]

도심 텃밭의 인기도 식을 줄을 모른다. 서울시는 노들섬과 용산가족공원의 텃밭을 470여 세대의 시민들에게 분양했고, 성북구·강동구·도봉구 등 8개의 구내 공원을 중심으로 10㎡당 3~6만 원 정도의 이용료를 받고 텃밭을 분양했다.[8] 도심 속 자투리 공간을 이용한 미니텃밭은 미래형 자급자족을 체험할 수 있는 확실한 수단으로 자리잡은 모양새다.

공기청정기 시장도 1조 원 규모의 거대 산업이 되었다. 이제는 일상 속 숙제가 되어 버린 미세먼지가 소비자들의 주요 골칫거리가 되면서 미세먼지 줄이기에 기여하는 친환경 제품의 수요가 급격히 늘었다. 제품도 다양화되었는데, 주방기기 중에는 미세먼지를 흡수하는 '양면팬'도 등장했다. 2016년에는 환경부가 밀폐된 주방에서 고등어를 구울 때 미세먼지가 나온다는 발표를 하면서 제품문의가 쇄도했다고 한다. B2B 시장에서도 미세먼지는 주목받는 사업 아이템이 되었다. 특히 포스코ICT가 개발한 산업현장에서 발생하는 미세먼지 제거용 전기집진기는 해외시장에서 먼저 인정받으며 수출에 청신호가 켜졌다.[9]

선택에서 필수가 된 '신재생에너지 산업'

———

『트렌드 코리아 2016』의 '미래형 자급자족' 편에서 전망한 것처럼 신재생에너지와 관련된 산업 역시 급물살을 타기 시작했다. 특히 기존 전력망에 정보통신기술을 결합시킨 차세대 전력 인프라 스트럭처 시스템인 '스마트 그리드'는 이제는 선택이 아니라 필수 인프라의 자리를 굳혀가는 추세다. 정부는 2016년부터 3년에 걸쳐 민간과 공동으로 전국 13개 지방자치단체에 스마트 그리드 거점을 구축하겠다는 계획을 발표했다. 스마트 그리드 시장 규모는 2014년 166억 달러에서 2017년에 227억 달러로 연평균 11%의 성장률을 기록할 것으로 전망된다.[10]

전례 없던 폭염에 예측불가능한 환경, 에너지 구조 변화가 시급

전례 없던 폭염 등 예측할 수 없는 환경변화가 잦아지면서 근본적인 에너지 구조를 바꿔야 한다는 여론이 형성되고 있다.[11] 영국이 에너지 절감 계획을 확대해 2020년까지 전체 전력소비량의 31%를 신재생에너지로 충당한다는 목표를 수립했듯 우리나라도 신재생에너지에 대한 전면적인 개발 계획에 들어서야 하는 시점이다.

서울의 전체 에너지 소비량은 1,500만 TOE다. 국토부 보고서에 의하면 에너지 효율화 사업만으로 30%를 절감할 수 있는데, 이를 환산하면 250만 TOE로 원자력발전소 1개가 없어도 되는 셈이다. 전체적인 전력구조에 비하면 미미한 수준이지만 많은 노력이 곳곳에서 일고 있다. 대표적인 시도가 태양광 미니발전소 설치다. 2016년 자치구별 실적을 보면 노원구가 693개로 1등을 차지했고, 구로구(453개)와 양천구(448개)가 그 뒤를 이었다. 각 구는 미니발전소 설치 가정에 대한 자체 보조금을 지급하면서 시민들을 독려했다.[12] 앞으로 초·중·고등학교 옥상에도 태양광발전설비가 설치될 계획이다. 발전설비를 설치한 학교는 옥상 용지를 제공하는 대가로 매년 400만 원의 임대료를 받게 된다. 학교마다 통상 연간 4,000만 원 내외의 전기료를 지불하고 있기 때문에 임대수입을 통해 전기요금의 10%가량을 줄이는 효과를 볼 수 있으며 10~15년 이상 운영하면 투자비까지도 모두 회수할 수 있게 된다.[13] 이처럼 다양한 신재생에너지 아이템 발굴이 활기를 띠고 경제적 성과까지 예고하고 있어 관련산업 시장에도 훈풍이 불 것으로 예상된다.

악취 소매곡리에서 친환경 마을로, 애플의 태양광에너지 사업

하수종말처리장과 가축분뇨처리장이 뿜어내는 악취로 골머리를 앓던 홍천군의 작은 마을, 소매곡리는 그 시설을 활용해 바이오가스 태양광과 같은 신재생에너지 시설을 만들었다. 여기서 생산되는 전기와 도시가스를 판매해 마을의 수익도 창출한다. 폐기물을 자원으로 활용해 환경과 에너지 문제를 동시에 해결한 것이다. 주민 생활환경이 개선되었음은 물론이고 벌어들이는 소득은 연간 2억 원에 이른다. 이와 같은 변화로 57가구 119명이었던 인구가 70가구 139명으로 증가하는 등 미래형 자급자족마을에 대한 주민들의 만족도가 높아지고 있다.[14]

외국에서는 신재생에너지에 대한 관심이 훨씬 뜨겁다. 2016년 8월 애플이 미국정부로부터 태양광 전기 판매 승인을 받으면서 태양광, 연료전지 등 본격적인 신재생에너지 사업 확장에 나섰다. 자사 전력 수요를 충당하고 남는 전기는 전력회사 등 필요한 기업에 판매하는 **넷 미터링**을 비롯해 본격적인 태양광발전 사업을 시작한다는

▲ 하수종말처리장과 가축분뇨처리장이 뿜어내는 악취로 골머리를 앓던 홍천군의 작은 마을, 소매곡리는 그 시설을 활용해 바이오가스 태양광과 같은 신재생에너지 시설을 만들었다.

계획이다. 실제로 2021년 출시예정인 애플의 전기차는 태양광을 활용해 자체 전기차 충전소를 구축할 전망이다. 구글 역시 2009년 구글에너지를 설립한 이후 꾸준히 태양광 사업을 지속하고 있는데, 이세돌 9단과의 대결로 유명해진 인공지능 알파고가 전기효율을 높일 목적으로 신재생에너지 분야에 투입될 것으로 알려졌다.[15]

태양광뿐이 아니다. **수열에너지**에 대한 관심도 높아지고 있다. 수열에너지는 바닷물, 하천수, 하수, 댐저장수 등 물과 대기의 온도 차이를 활용해 발생한 전력을 실내 냉난방에 사용하는 것으로 화석연료를 연소하지 않아 친환경 대체에너지로 통한다. 한국수자원공사는 2006년부터 밀양 정수장 관리동과 아산 정수장 관리동 등 자사 운영 사업장 12곳에서 수열에너지 냉난방을 적용해왔다. 기업으로는 서울 송파구의 제2롯데월드가 대표적이다. 제2롯데월드는 2014년 11월부터 팔당댐 한강물을 이용해 국내 최대 규모의 수열에너지 냉난방 시스템을 가동 중인데, 전기 화석연료 대비 냉난방 비용을 20~50%까지 절감할 수 있어 연간 약 7억 원을 절약하고 있다.[16] 온실가스 배출량을 감축할 수도 있고 경제성까지 갖춘 데다 더운 바람을 내뿜는 실

외기로 인한 도심 열섬 현상도 방지할 수 있어 친환경 수열에너지의
적극적인 도입이 불러올 변화가 기대된다.

향후 전망
유별난 소수가 아닌 대중의 가치관 변화로 인식할 때
—

대한민국 소비자들의 삶에 대한 가치관이 변하고 있다. 환경문제의
심각성을 자신의 일로 받아들이기 시작한 소비자들이 생태소비에
자발적으로 뛰어들고 있다. 갖가지 환경사고가 끊이지 않고 이슈가
되면서 '잘 사고Buy 잘 사는life 것'에 대한 현대인의 인식이 미래형
자급자족으로 변하고 있기 때문이다.

　이러한 트렌드는 무조건 허물고 새로 짓기 바빴던 재건축 현장에
도 변화의 바람을 불어넣었다. 낡은 주택이 밀집되어 있는 서울 용산
구의 '해방촌'에 역사문화탐방로가 만들어진다. 남산을 잇는 보행자
중심의 골목길 형태로 조성될 역사문화탐방로에는 1960~80년대 해
방촌의 주력 산업이었던 스웨터 공장을 탐방하고 체험하는 프로그
램도 운영될 계획이다.[17] 강원도 정선 함백산 자락에 위치한 폐광된
탄광도 '삼탄아트마인'이란 새로운 이름으로 현대미술관, 레스토랑,
아트 레지던시 등을 갖춘 근사한 문화공간이 되었다. 옛것은 낡은 것
으로 치부하고 방치하거나 없애 버리던 불도저공화국 한국이 보존
과 복원의 의미를 받아들이기 시작한 것이다. 우리나라도 이제 전국
적인 도시재생사업이 실시되면서 방치되었던 낡은 주거·상업지역

을 지역 특성에 맞게 되살리는 움직임이 곳곳에서 나타나고 있다. 환경과 자산의 가치를 되새기는 의미 있는 변화다.

미래형 자급자족은 사회나 다수가 정한 절대적 가치보다 개인의 상대적 가치가 더 중요해진 시대적 분위기와도 맞물려 있다. 유독 타인의 시선과 소문에 민감했던 사람들이 이제는 오롯이 자신의 삶을 들여다보고 소비습관과 라이프스타일을 바꾸며 그 과정을 트렌드로 만들고 있다. 아직은 '미래형'이라는 수식어가 필요하지만 다양한 형태로 발현되고 있는 자급자족 트렌드는 머지않아 현재진행형으로 자리 잡을 가능성이 커보인다.

전통적인 자급자족과는 거리가 먼 이 트렌드의 핵심은 공존과 소통이다. 나 혼자 해결하고 나 혼자 산다가 아니라 우리가 함께 풀고 우리가 같이 산다는 공동체적 정서가 강하다. 온라인으로 연결된 거대한 소통의 시대를 살면서도 고독한 개인, 단절된 집단 등 현실적으로는 심각한 소통의 문제를 겪고 있는 현대인에게 미래형 자급자족은 SNS보다는 느릴지 모르지만 더 강력한 공감의 장을 만들 수 있을 것이다. 역사는 축적된 시간의 궤도고, 그 궤도는 미래를 잇는 길이다. 미래형 자급자족은 소수의 유별난 라이프스타일이 아니라 현명한 소비자의 변화된 삶의 방식이자 장기적 트렌드로 더욱 진화할 것이다.

Basic Instincts

원초적 본능

「트렌드 코리아 2016」 예측 내용

자극적인 것이 주목받는다. 수년간 지속되는 경기침체와 사회적 좌절이 소비자가 체감하는 반응의 역치를 올리고 있다. 드라마보다 눈물겹고 소설보다 초현실적인 현실 속에서 젠체하고 미화하기보단 말초적이고 적나라한 자극에 더 쉽게 반응한다. 하드코어급의 극단적 콘텐츠에 주목하고, 세련된 A급보다 촌스러운 B급이 사람들의 시선을 끌고 있다. 자신을 망가뜨리는 적나라한 솔직함에 공감하며, 질서정연함보다는 어이없는 부조화에 열광한다. 원초적 본능 키워드는 '잔인하고 유치하고 솔직한 것들을 적나라하게 추구'함으로써 힘든 현실을 돌파해 나가고자 하는 사회적 현실을 반영한다. 부조리한 현실과 우스꽝스러운 초현실 사이에서 현대인들이 아슬아슬한 줄타기를 하고 있는 것이다. 이 줄타기가 만들어갈 균형감각은 사회의 다양성을 인정하는 방향으로 발전해 비주류로도 충분히 살아갈 수 있다는 긍정의 에너지로 진화할 수 있다. 이러한 현상이 단순히 사회적 냉소와 조롱의 차원이 아니라 문화적 다양성을 확보하고 건강한 소비문화를 이끄는 계기가 되기를 기대한다.

「트렌드 코리아 2016」, 333~352쪽

"**뭣이** 중헌디, 뭣이 중한지도 모름서"

짤막한 전라도 사투리 한 마디를 대유행시킨 한국영화 〈곡성〉은 새로운 오컬트(신비적, 초자연적 현상) 무비의 지평을 열며 700만 명에 달하는 관객들을 모으는 데 성공했다. 무당·악귀·좀비 등을 뒤섞어 상황을 극단으로 밀어붙이고 결국 파멸해가는 잔혹한 이야기가 스크린을 압도한 것이다. 뒤이어 개봉한 〈부산행〉은 한국형 좀비물이라는 마니악한 장르임에도 불구하고 국내에서만 1,100만 명의 관객을 사로잡았고 싱가포르, 베트남, 대만, 홍콩 등 아시아 시장에서도 흥행 돌풍을 이어갔다. 팔다리와 내장을 적나라하게 찢어발기는 하드코어적 묘사와 파국으로 치닫는 극단적인 상황이 관객들에게 오락 이상의 쾌감을 선사한 것이다. 2016년에는 〈아가씨〉, 〈데드풀〉 등 이른바 '청불'(청소년 관람불가) 영화들의 약진도 눈에 띄었다. 과거 제한된 흥행범위를 갖던 청불영화들이 이처럼 큰 인기를 끌게 된 것을 영화계에서는 이례적인 현상으로 받아들이고 있다.

2016년 상반기, 광고 한 편으로 전년 동기 대비 매출이 20%가량 상승한 유통업체가 있다. 신세계그룹의 온라인 복합쇼핑몰 SSG닷컴은 자사의 영문약자를 유머러스하게 표현한 광고를 선보였다.[1] 귀족풍의 의상과 소품으로 한껏 꾸민 배우들이 으스대듯 영문 SSG를 '쓱~'이라 발음하는 모습을 보고 소비자들은 '병맛 광고'라며 웃음을 터뜨렸다. 잘난 척, 멋진 척 하는 두 배우의 천연덕스러운 연기가 싼티 나는 발음과 만나 그야말로 소비자들의 마음에 쓱~ 들어왔다.

이처럼 2016년의 대한민국은 사람들의 원초적 감각을 자극하는 극도의 '잔인함과 선정성'으로 무장한 콘텐츠가 큰 인기를 끌었고, 싼티 나고 유치하지만 위트 있는 B급 감성이 의외의 즐거움을 선사했다. 답답한 속을 시원하게 뚫어주는 '사이다' 같이 시원한 '직설화법'이 출판·문화계에서 주목받았으며 뻔뻔할 정도로 '어울리지 않는 것들'을 의도적으로 함께 배치함으로써 사람들의 눈길을 사로잡은 식품업계와 광고업계의 변화도 인상 깊다. 감수성을 건드리거나 감동을 끌어내기보다 대놓고 메시지를 전하고 직접적으로 본능을 자극하는 분위기가 업계 전반에 퍼진 것이다.

흔히 현대 사회를 '초자극 사회'라고 한다. 너무 많은 자극들이 난무한 나머지, 역치 수준을 뛰어넘는 초자극이 아니고서는 사람들의 눈길 한 번 받기 어렵다. 이 같은 자극의 홍수 속에서 생존하기 위해선 고상한 체하기보다는 낯 뜨거울 정도의 솔직함이, 세련됨보다는 극단적인 촌스러움이, 어색한 부조화와 하드코어적인 극단성이 더 효과적인 전략이 될 수 있다. 인간이 가지고 있는 원초적이고 본능적인 성향을 건드림으로써 상시적 긴장 상태에서 살아가는 사람들의 감각을 잠시나마 이완시킬 수 있기 때문이다. 지속적인 경제 불황 속 활기를 잃어버린 일상에서, 작지만 짜릿한 자극이 되어 반전매력을 선사한 **원초적 본능**Basic Instinct 트렌드가 2016년 어떤 형태로 발현되었는지 하나씩 되짚어본다.

싼티 나고 유치하지만 위트 있는 'B급 감성'

———

2016년 패션업계에서는 유독 '싼티'가 인기를 얻었다. 바로 옷에 화려한 자수가 돋보이는 '스카잔sukajan'이라는 패션이다. 스카잔은 제2차 세계대전 직후 일본에 주둔하던 미군들이 귀대 기념으로 항공점퍼에 일본식 자수를 놓으면서 유래된 패션을 일컫는데, 주로 불량배

◀ 화려한 자수 장식이 특징인 스카잔 점퍼는 영화와 하이패션에서 지속적으로 등장하면서 주류문화의 패션 아이템으로 자리잡았다.

나 깡패를 상징하는 패션으로 통용됐다. 그런데 이 마이너한 스타일을 럭셔리 패션 브랜드에서 차용한 것이다. 루이비통이 2016년 봄·여름 남성복 컬렉션에서 스카잔 스타일을 선보인 데 이어, 돌체앤가바나·발렌티노·디젤·스텔라 매카트니와 같은 디자이너 브랜드에서도 스카잔 패션을 런웨이에 올렸다.[2] 이러한 인기는 스트릿 패션에까지 확산되어, '스카잔'에 대한 네이버 키워드 검색 수는 2016년 봄 기준 약 23만여 건으로 전년 동기 대비 20배 이상 증가하기도 했다.[3]

책표지·간판·광고 등에 사용되는 활자도 '촌스러움'을 선택했다. 1960~70년대 간판이나 포스터에 나왔을 법한 옛날 글씨체가 신제품 디자인에는 물론 최첨단 모바일 애플리케이션에까지 사용됐다. 탄산주로 인기를 끌고 있는 '부라더 소다'는 제품명을 표기할 때 특유의 촌스러운 폰트font를 적용했고, '배달의 민족' 애플리케이션 역시 자체 글씨체인 '한나체'와 '주아체'를 적용, 온라인을 통해 무료로 배포했다. 이 촌스러운 글씨체는 이제 회사의 발표용 보고서에 적용될 만큼 일상적으로 사용되고 있다.[4] 너무 촌스러워서 오히려 보는 이들의 주목도를 높이는 효과가 나타나기 때문이다.

　신규 앨범 판매를 위해 고급스러움 대신 싼티 전략을 선택한 가수도 등장했다. 주인공은 높은 음악성과 지적인 이미지로 대중의 사랑을 받는 가수 '루시드폴'이다. 루시드폴은 지난 2015년 12월, 자신의 신규 앨범과 직접 가꾼 귤 1kg을 세트로 판매하기 위해 CJ오쇼핑에 등장했다.[5] 총 40분으로 편성된 프로그램에서 그는 우스꽝스러운 귤 모자를 쓰고 나와 말을 더듬거리며 상품을 소개했다. 싼티와 촌스러움으로 무장한 도전 덕분이었을까? 해당 제품은 9분 만에 완판됐고, 남은 31분 동안 루시드폴은 신곡을 라이브로 들려주며 '농산물＋음반' 판매의 컬래버레이션을 성공적으로 마무리했다.

답답한 마음 탁 트이는, 사이다 같은 '직설'

　"경영자의 마인드로 일할 테니 경영자의 월급을 주세요~ 쌍~"

　위와 같은 말을 상사 앞에서 대놓고 한다면? 물론 실천은 어렵겠지만 상상하는 것만으로도 막혔던 속이 탁 트이는 것 같다. 2016년 서점가는 직장인들의 마음에 통쾌한 한 방을 선사하는 책들로 활기를 띄었다. 일본인 저자 히노 에이타로의 『아, 보람 따위 됐으니 야근수당이나 주세요』는 업무에 시달리는 직장인들의 지지를 받고 발행 2주 만에 4쇄를 찍으며 베스트셀러 반열에 올랐다. '사축일기', '잠깐만, 회사 좀 관두고 올게'처럼 고단한 직장생활을 풍자한 위트 있는 제목도 눈길을 끌었다.[6] 몇 년 전까지만 해도 직장인을 겨냥한 서적은 'CEO처럼 일하면 성공한다'와 같은 메시지를 담은 자기계발서가 대부분이었다. 하지만 이제 다르다. 'CEO의 연봉을 준다면, CEO처럼 일하겠다'와 같은 사이다 돌직구가 고된 직장인들에게 더 큰 위로를 준다. 성취하기 힘든 거창한 교훈보다 현실을 직시한 촌철살인의 말들이 더 큰 공감대를 만들고 있다.

"넌 뭘 믿고 공부 안 하니?"

"100일이면 곰도 사람이 되는데, 넌 포토샵으로도 안 되겠다. 언제쯤 사람이 될래?"

대형문구점에서 판매 중인 공책과 메모장의 표지에는 '자학성' 문장이 가득하다. 빈정거리는 말투로 듣는 사람의 약점을 톡 건드려 기분을 거스르는데도 불구하고, 사람들은 오히려 재미있다며 사진을 찍어 SNS에 올린다.[7] 커피 위에 욕을 적어주는 '쌍욕라테'도 인기다. 경남 통영시 동피랑 마을의 '울라봉 카페'는 카페라테 거품 위에 초코시럽을 사용해 욕을 적어줘 유명세를 탔다. '평생 솔로일 것 같은 면상'처럼, 하늘 같은 고객에게 다소 비하적인 욕을 퍼붓는데도 불구하고 손님들의 반응은 열광적이다. 자신을 비하함으로써 오히려 심리적 안도감을 찾는 일종의 **셀프 핸디캐핑** 전략인 셈이다.[8]

2016년 음원 순위를 휩쓴 힙합 역시 사이다 같은 가사로 사람들의 마음을 사로잡았다. 독특한 비트 위에 랩이라고 부르는 가사를 얹어 표현하는 힙합의 생명

셀프 핸디캐핑

self handicapping

중요한 일을 앞두고 미리 불리한 조건을 만들어 두는 것으로, 스스로 단점이나 결점을 만드는 행위를 일컫는다. 시험시간에 '아파서 공부를 못했다'고 핑계를 대는 이유는, 시험을 망쳤을 때를 대비해 변명거리를 미리 만들어 놓기 위함이라는 것이다.[9]

은 역시 '가사'다. 리듬감을 표현하기 위해 운율과 각운을 맞추는데, 작사가의 생각을 얼마나 날카롭게 표현하느냐에 따라 그 매력도가 결정된다. 덕분에 힙합 가사는 다소 은유적인 가사를 사용하는 다른 장르와 달리, 좀 더 직설적이고 솔직하다. '돈이 최고다'란 식의 속물적인 욕망도 노골적으로 표현하고 필요하다면 욕설과 비속어도 동원된다.[10] 예의를 갖추기 위해 욕망을 숨기던 기성세대와 달리 물질주의를 적나라하게 표현하길 원하는 젊은 세대의 목소리를 대변하는 것이다(『트렌드 코리아 2016』 **10대 트렌드 상품** 참조).

어색하고 이상한, 하지만 호감 가는 '부조화'

도전정신 충만한 낯선 조합의 시너지

어울리지 않는 것들을 함께 배치함으로써 사람들의 시선을 잡아끄는 '부조화' 역시 2016년 다양한 영역에서 활용됐다. 부조화를 가장 잘 활용한 영역은 단연 식품 부문이었다. 2016년 신조어로 등극한 '단짠단짠'은 '달고 짠맛을 번갈아가며 먹는' 방식을 의미한다. 양극단에 위치한 두 가지 맛을 반복해 즐기다 보면 음식이 질리지 않기 때문에 무한정 먹을 수 있는 것이 특징이다.[11] 식품업계에선 '단짠'을 활용한 신상품을 경쟁적으로 선보였다. '프링글스'는 짭짤한 감자칩에 달콤한 캐러멜을 더한 신제품을, 빙그레 '끌레도르' 아이스크림은 천일염과 캐러멜 맛을 접목한 '솔티드 캐러멜'을 출시했다. 맥도날드역시 '솔티드 캐러멜 와플콘'을 출시해 사람들의 입맛을 사로잡았다.

전혀 예상치 못한 맛을 함께 곁들여 소비자를 충격에 빠뜨린 신제품도 있다. 농심은 '포테토칩 짜왕맛', '포테토칩 맛짬뽕맛'처럼 자사의 과자 브랜드에 라면 브랜드를 섞어 도전적인 맛을 선보였다.[12] 해태제과는 '오코노미야키칩, 타코야키볼'을, 오리온은 '스윙칩 간장치킨'을, 롯데제과는 '꼬깔콘 새우마요맛'을 신제품으로 선보였다. 이처럼 뜬금없는 조합의 스낵류가 출시되자, 도전정신이 충만한 일부 소비자들은 김치찌개맛 과자를 밥에 비벼먹고, 그 인증샷을 SNS에 올리는 등의 파격을 연출했다.[13]

화장품 광고 찍는 '마동석', 에르메스 화보에 '신포리 할머니'

2016년 광고업계에서도 부조화는 적극적으로 차용됐다. 20대 젊은 여성을 타깃으로 하는 화장품 브랜드 '에뛰드하우스'는 과거 송혜교, 고아라, 박신혜, 크리스탈처럼 아름다운 여성 배우를 광고모델로 기용했다. 하지만 2016년 신규 광고에선 전혀 예상치 못한 인물이 등장했다. 바로 배우 '마동석' 씨다.[14] 우락부락한 인상으로 그동안 영화에서 다소 거친 역할을 맡았던 마동석 씨가 대중과 호응하는 자리에서 보여준 외모에 걸맞지 않은 귀여운 모습에 '마블리(마동석 러블리)', '마쁜이(마동석 예쁜이)'란 별명으로 인기를 끌자 화장품 모델로 전격 발탁된 것이다. 근육질 몸매에 분홍색 앞치마를 두르고 공손하게 고객을 응대하는 마동석 씨의 광고 속 모습은 어색하지만 왠지 호감이 가는 새로운 이미지로 대중에게 어필했다.

럭셔리 패션 브랜드의 화보집에도 부조화가 적용됐다. W매거진이 2016년 5월 '똥개'란 제목으로 발표한 화보에는 춘천시 사북면

신포리에서 사는 마을 할머니들이 개들과 함께 잡지 모델이 되어 등장한다. 어미 개가 목줄이 아닌 에르메스 스카프를 두르고 있고, 개집 안 밥그릇에는 사료와 함께 루이비통의 클러치가 담겨 있다. 이상한 점은 8등신 모델이 해변가에서 취한 멋진 포즈보다, 강아지를 안은 신포리 할머니들의 어색한 포즈가 훨씬 더 맛깔난다는 사실이다. 화보집을 감상한 네티즌 역시 "뭔가 배경이 이상한데, 희한하게 잘 어울린다"며 이색적인 시도를 반겼다.[15]

선정적이고 자극적이지만 눈길 가는 '극단성'

―

"분위기깡패, 음원깡패, 마약김밥, 발암캐릭터, 마스크팩성애자…"

2016년 사람들이 즐겨 사용하는 단어에는 유난히도 극단적 표현이 많았다.[16] '깡패, 마약, 발암'처럼 자극적이고 부정적인 단어를 써서 단어의 뜻을 최고급으로 강조하는 것이다. '깡패'는 그 분야에서 두드러지게 독보적이란 뜻이다. '마약'은 중독될 정도로 강한 매력을 갖는다는 의미다. '발암'은 암을 유발할 정도로 짜증나거나 답답한 상황'을 묘사할 때 사용되며, 'OO성애자'는 특정 대상을 몹시 좋아한다는 뜻이다. 자극의 역치가 높아진 사회에서 극단적인 접두어나 접미어를 사용해야만 비로소 전달하고자 하는 의미를 속 시원하게 전달할 수 있을 거라는 대중들의 속내가 역으로 두드러지는 상황처럼 보인다.

국내 치킨업계에선 극단적일만큼 자극적인 매운맛 전쟁이 벌어졌다. 매운맛의 시초가 된 굽네치킨의 '볼케이노'에서부터 BHC의 '맵스터' 치킨, BBQ의 '마라핫' 치킨, 페리카나의 '핫데블' 치킨에 이르기까지 거의 모든 치킨 브랜드에서 '매운맛 메뉴'가 2016년 신제품으로 출시됐다.[17] 라면업계도 매운맛 열풍에 동참했다. 오뚜기 '진짬뽕', 농심 '맛짬뽕', 팔도 '불짬뽕'을 비교해, 어떤 라면이 어떤 형태로 매운지 상세하게 평가한 글들이 SNS에 앞다퉈 게시됐다. 이처럼 극단적인 매운맛은 사람들에게 '통각'의 아픔도 제공하지만, 희한하리만큼 '통쾌한' 감정도 함께 선사한다.

문화콘텐츠 부문에서는 19금의 야한 웹툰은 물론이고 살인, 장기매매 등 범죄물을 소재로 한 잔인한 웹툰의 수요가 증가하는 현상이 두드러졌다. 신한카드 트렌드연구소가 자사 카드 보유자를 대상으로 빅데이터 분석을 실시한 결과에 따르면, 국내 대표 성인웹툰 플랫폼 3사의 이용건수는 2016년 상반기 기준으로 전년 동기 대비 약 2배 이상 증가했다. 이처럼 선정적인 웹툰의 인기가 급등하자 업계에선

성인웹툰 플랫폼 이용건수 증가 현황(대표 3개 업체 기준)

출처: 신한카드 트렌드연구소

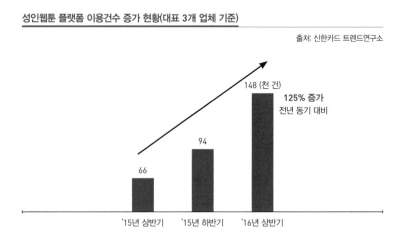

자정의 목소리가 높아지기도 했다. 웹툰이 해외에서 'K툰' 열풍을 일으킬 만큼 성장하고 있는 상황에서 자칫 도를 넘은 선정성이 발목을 잡을 수 있다는 이유에서다.

향후 전망
다양성을 인정하는 솔직함이 관건

—

2016년, 잔인하고 유치하고 솔직한 것들을 적나라하게 추구하는 원초적 본능 트렌드는 역설적이게도 우리가 마주한 현실이 얼마나 엄혹한지를 보여준다. '힘들고 아프다'라는 표현을 입 밖으로 내뱉는 것을 넘어, 그것을 잠시나마 잊어버릴 수 있도록 더 큰 생채기를 내는 행동과 같다. 불편하지만 마주해야 할 진실인 원초적 본능 트렌드는 앞으로 어떻게 변화할까?

'극단적 촌스러움'은 지속적으로 불고 있는 '복고' 바람과 함께 향후 메가트렌드mega trend로 자리 잡을 가능성이 크다. 현재는 단지 세련됨의 반작용으로 나타나는 의도적 촌스러움이지만, 이것이 발전되면 '고급화된 빈티지'로 성장할 수 있다. 가령, 디지털 음원에 싫증난 세대가 LP판이나 카세트테이프 등을 찾아 수집하는 경우가 증가하고 있는데, 만약 제품의 가격이 고가로 책정된다면 '빈티지'가 고급화 포지셔닝으로 충분히 자리 잡을 수 있다. 과거의 풍요로웠던 콘텐츠가 지속적으로 재조명될 가능성도 높다. 이미 2016년 극장가에선 〈이터널선샤인〉, 〈러브레터〉와 같은 아날로그적 감수성이 짙은 과거의 명작들이 재개봉되어 성공을 거뒀다. 요약하면 이러한 현상은 '프리미엄의 옷을 입은 복고 제품의 부활'을 의미하며, 프리미엄의 최상위 포지션은 곧 '빈티지'가 차지한다는 뜻이다.

극단성의 반대 방향에는 '착함'이 자리한다. 2016년 상반기 음원시장의 1, 2위는 '힘을 내라'는 메시지를 담은 트와이스의 〈치어업 Cheer up〉과, '거친 세상 속에서 손을 잡아주겠다'는 여자친구의 〈시간을 달려서〉가 각각 차지했다.[18] 이른바 '착한 아이돌'이 주목받은 것이다. 선정적이고 극단적인 자극의 홍수 속에서 이러한 '착함'을 수식어로 달고 있는 콘텐츠와 제품이 다시 한 번 주목받을 가능성이 높다. 청년층과 노년층의 세대 갈등 사이에서 소통의 아이콘으로 재조명받고 있는 '아재' 열풍이나, 극단적인 맛 사이에서 저자극 알코올류가 지속적으로 인기를 끄는 것도 넓게는 이러한 변화의 맥락에서 이해할 수 있다.

다소 거칠지만 유쾌했던 원초적 본능 트렌드의 핵심은 '솔직함' 그 자체다. 어떤 상황에서든 '무조건 할 수 있다'고 외치는 과거 성장기 시대의 주문을 외우는 것이 아니라, '어쩌면 할 수 없겠다'거나 '굳이 하고 싶지 않다'는 새로운 시대의 솔직한 자기고백이야말로 핵심 가치가 된다. 남은 숙제는 그 솔직한 자기 욕망의 고백 앞에서 '좋아. 그럼 이제 어떻게 할래?'에 대한 대답을 찾아 나서는 일이다. 그리고 그 대답은 하나의 답이 아니라 '다양성'을 인정하는 것에서부터 비롯될 것이다. 불편하지만 마주할 수밖에 없는 현실에 위트 있고 솔직하게 맞선 원초적 본능 트렌드가 앞으로 어떻게 변주될지 그 귀추가 주목된다.

All's Well That Trends Well

대충 빠르게, 있어 보이게

〰〰〰〰〰〰〰〰〰〰〰〰〰〰〰〰〰〰『트렌드 코리아 2016』 예측 내용

자원이 충분하지 않고 정식이 아니더라도 무언가 대단히 '있어 보이게' 만드는 능력, '있어빌리티'가 SNS 시대를 살아가는 새로운 역량이 되고 있다. 있어 '보이게'를 강조하면 있는 '척'이 되지만, '능력'에 방점을 찍으면 포장력이자 연출력이 되고 자신을 브랜딩하는 하나의 기술이 되는 시대다. '꿀팁'과 '야매'로 무장하면 지금 가진 몇 가지만으로도 '그럴싸해 보이는' 무언가를 만들 수 있다. 꿀팁을 찾아서 헤매는 꿀벌 소비자들은 오랜 시간이나 노력을 들이지 않고 남에게 검증된 정보를 손쉽게 얻는 것에서 큰 만족감을 느낀다. 다른 한편으로는 남에게 뒤지지 않을 만큼 현명하고 알뜰하게 생활해야 한다는 강박관념이 낳은 정보 검색 패턴으로도 볼 수 있다. 전국적 리더보다 '작은 유명인사'를 더 많이 키워내는 디지털 환경의 변화와, 경제 상황이 나빠지고 1인 가구가 늘어나며 높아진 사회 이동성의 영향으로, 진지하고 어렵게 얻을 수 있는 본질보다 쉽고 가볍게 얻을 수 있는 임시방편 소비가 차츰 늘어나고 있다.

『트렌드 코리아 2016』, 353~372쪽

〰〰〰〰〰〰〰〰〰〰〰〰〰〰〰〰〰〰〰〰〰〰〰〰〰〰〰

소파 위에 늘어져 있는 한 반려견 앞에 애플의 최신 스마트폰 여러 대가 무심하게 흩어져 있다. 중국 재벌가의 아들이 자신의 반려견에게 '아이폰7플러스' 8대를 선물했다며 SNS에 인증 사진을 공개한 것이다. 이 남자는 과거에도 반려견의 앞발에 한 대당 가격이 1,000만

원이 넘는 황금색 애플워치 두 대를 채운 사진과 함께 "사람들이 뭘 그렇게 자랑하는 거지? 나보다 대단한가?"라는 멘트를 올려 화제가 되었다.[1] 허세와 사치가 과하다는 비난이 쇄도했지만 한편으로 '개만도 못한 내 인생', '하나라도 갖고 싶다'와 같은 자괴감과 부러움을 드러내는 의견도 많았다고 한다.

중국의 이야기이지만 한 가지 주목할 점이 있다. SNS가 지배하는 현대 사회에서 더 이상 재력에 대한 겸손이나 절제를 미덕으로 여기지 않는다는 것이다. 과거에는 재력을 적나라하게 드러내면 존경을 받지 못했다. 재물에 대한 집착은 명예와 함께 가기 어려운 것이었다. 그런데 언제부턴가 소위 **프티 셀럽**이라 불리는 이들이 자신의 돈과 센스와 인맥을 은근슬쩍 자랑하기 시작하더니 이제는 그것을 의도적으로 드러내는 행위가 '허세'를 넘어 '대세'가 되고 있다.

프티 셀럽 petit celeb
작은 유명인이라는 의미로서, SNS에서 유명세를 타는 일반인을 말한다.

사치나 과시가 개인의 특별한 안목으로 포장되고 진열되면서 사람들이 자신의 욕망이 아닌 타인의 욕망을 들여다보고 갈구하게 된 것이다. 2016년은 스스로를 타인과 다르다고 구별 짓기 위해 과시하는 사람들과 그들의 과시가 과장인 줄 알면서도 함께 선망하는 사람들이 뒤엉키며 거대한 허세의 경연장이 되었다. 그 와중에 '있는 척'은 하나의 능력이자 전략이 되어 가고 있다.

『트렌드 코리아 2016』에서는 '있다'와 능력을 뜻하는 영어 단어 '어빌리티ability'를 결합한 '있어빌리티'가 SNS 시대를 살아가는 새로운 역량이 되고 있다고 예고한 바 있다.[2] 단지 '척'하는 것이라 눈총을 주기보다는 자신을 그럴듯하게 포장해 브랜딩하는 연출력을 하나의 기술로 인정하는 것이다. 실속 없이 겉으로만 보여주는 허세가 아닌 또 하나의 매력으로 대접받게 된 '있어빌리티', 이에 따라 변화한 한국인의 소비행태를 되짚어보고, 소셜미디어가 시시각각 펼쳐내는 있어 보이는 세상에서 우리가 놓치고 있는 진짜 현실은 무엇인지 고민해본다.

일단은, '있어 보이게'

—

자신을 포장하고 연출하고자 하는 욕구는 자연스러운 감정이다. 자신의 존재감을 드러내고 남과 나를 다르다고 여기는 것 또한 인간의 본성이다. 그 정도가 지나치면 과유불급이지만 대개 자신을 긍정적으로 내보이려는 욕구는 삶에 대한 적극적인 동기부여가 된다. 그 어느 때보다 자기표현이 익숙한 소셜미디어 세대에게 '있어빌리티'는 사진 기반의 SNS를 발판으로 특별하게 주목받는 트렌드가 되었다. 간편한 조작만으로도 이미지의 노출, 각도 혹은 시점의 연출이 손쉬워지면서 현실은 평범하지만 사진만큼은 '있어 보이는' 표현이 가능해졌다. 이러한 분위기 속에서 '스노우'를 비롯한 셀카 꾸미기 애플리케이션들이 폭발적인 인기를 얻었다.

순간의 소비를 인증하라, 그 자체가 과시가 된다
마치 거대한 '행복 경연장'처럼 보이는 SNS 세상이지만 그 행복한 순간을 고스란히 진실로 받아들이는 사람들은 많지 않다. 시장조사 전문기업 마크로밀엠브레인의 트렌드모니터가 SNS 사용 경험이 있는 성인남녀 2,000명을 대상으로 조사한 결과에 따르면 'SNS에서 보이는 모습이 그 사람의 진짜 모습'이라고 답한 응답자는 6.4%에 그쳤다. 비록 과장이라는 사실을 인지하면서도, SNS를 통한 '있어빌리티' 추구는 이미 많은 사람들 사이에서 용인되는 트렌드로 자리 잡는 것으로 보인다. 이는 부에 대한 솔직한 욕망과 더불어 있어 보이기 위해 애쓰는 태도가 더는 부끄럽지 않게 인식되는 분위기와 맞물려 있다.

'있어빌리티'를 추구하는 가장 대표적인 방법은 소비력을 과시하는 것이다. 구매한 물품과 다녀온 장소를 드러내는 인증샷으로 재력을 과시하는데, 외제차와 명품 가방, 고급 레스토랑과 유명 휴양지 등이 단골 대상이다. 때로는 이러한 소비의 가치가 역전되어 인증 그 자체만이 목적이 되기도 한다. 심지어는 타인의 사진을 합성해 자신이 구매한 것처럼 꾸민다거나 백화점에서 고가의 물품을 구입한 뒤 사진만 찍어 SNS에 올리고는 반품하는 경우도 있다. 물론 이 경우 SNS에 올리는 구매 후기에서 반품했다는 말은 당연히 편집된다.

해외여행도 추억의 공유가 아닌 부의 과시를 위한 사진들로 선별해 SNS에 업로드한다. 여유도 부러움의 대상이 된 시대, 자유롭게 즐기는 여행의 풍경은 있어 보이는 삶의 정점을 찍는 궁극의 과시 아이템이다. 이 때문에 파리나 로마와 같은 유명 여행지에는 이미 여행 스냅 사진 전문작가들이 성업 중이다. 아예 드러내놓고 있어 보이고 싶은 욕구를 자극하는 상품도 등장했다. 이른바 '하루만 허세'

라는 여행상품도 나왔다. 획일화된 기존의 자유여행 틀에서 벗어난 이 상품은 저가 항공권과 값싼 민박 등 저렴한 구성이지만 마지막 1박만큼은 4성급 호텔에서 묵을 수 있도록 하여 '작은 허세'를 즐기게 했다. 귀국길에는 호텔 개인 전용차량 픽업 서비스로 공항까지 향할 수 있고 항공권 역시 프리미엄 이

출처: www.hanayouth.com

▲ 저가 항공권과 값싼 민박 등 저렴한 구성이지만 마지막 1박만큼은 4성급 호텔에서 즐길 수 있게 한 여행상품, '하루만 허세'

코노미 클래스로 격상된다. '실속 없이 겉만 번지르르한 기세'란 뜻의 허세라는 단어가 부정적인 이미지를 벗고 이제는 시장의 대세가 되어 상품의 타이틀까지 거머쥐고 있는 흥미로운 변화다.[3]

'있어빌리티'의 핵심은 남다른 감각과 개성

재화나 경험을 매개로 한 부의 과시뿐만이 아니다. 있어빌리티를 추구하는 소비자들은 자신의 '센스'를 연출하기도 한다. 스토리와 의미가 실린 아이템과 함께 이미지를 멋지게 업로드하면 감각 추종자들의 선망 대상이 될 수 있기 때문이다. 그저 지나치는 일상을 무심하게 찍은 듯한 SNS 사진들은 사실은 적잖은 시간과 노력이 들어간 작품이다. 마음에 드는 사진 한 장을 건지기 위해 20~30번씩 셔터를 누르는 것은 다반사다. 과일, 커피잔, 신문, 꽃, 책 등 소품 하나도 허

투루 고르지 않는다. 그렇게 매일 수십 장의 사진을 찍은 후 마음에 드는 2~3장만 선별해 SNS에 올린다. 이들은 단순히 '나 이렇게 잘 살아요'를 자랑하기보다는 자신의 남다른 취향을 드러내 평범함에서 탈피하고자 있어빌리티를 추구한다. 즉, 자신의 감각과 센스를 인정받기 위해 SNS를 이용하는 것이다.

특히 골목골목에서 찾아낸 맛있는 음식점들, 비싼 새집보다 싼 집을 고쳐 살자며 시도하는 리모델링, 차라리 내가 하고 만다는 셀프 인테리어, 쓰던 물건을 버리지 않고 되살리는 업사이클링 등, 센스 만점의 감각적 사진들이 SNS을 통해 공유되면서 관련 산업에까지 활기를 불어넣고 있다. 대표적인 사례가 뉴욕에서 건너온 '쉐이크쉑' 버거다. 비교적 고가이고 맛에 대한 호불호가 갈리는 이 햄버거를 먹어보려고 소비자들은 왜 찜통더위 속에 3~4시간씩 줄을 섰을까? 그 인기의 비결은 '맛'이 아니라 '멋'에 있었던 것이 아닐까?[4] 바로 자신의 선택 혹은 취향에 대한 과시를 최대한 '있어 보이게' 표현하고자 하는 소비자들이 몰려들었다고 해석할 수 있다.[5]

'대충 빠르게', 꿀팁으로 채우다

대세가 된 시시콜콜한 생활정보의 달인, '셀프'에 주목!

있어보이게 만들기 위해 꼭 오랜 시간을 들이거나 고가의 비용을 지불할 필요는 없다. SNS에 그렇게 보이기만 하면 된다. 다시 말해서 '대충 빠르게' 과시하는 것이 '있어빌리티'에 있어 중요한 요소라는 것이다. 정보로 무장한 '있어빌리티' 세대는 간단한 검색만으로 고효율, 저비용의 효과를 톡톡히 누린다. 바로 '꿀팁'을 이용하는 것이다. 꿀팁이란 꿀처럼 달콤한 암시, 힌트, 충고, 조언 등 '아주 유용한 정보'를 의미한다. 팁이라는 것이 거창한 것이 아니라 작고 실용적인 정보인 만큼, 옷에 떨어진 촛농 지우는 법이나 식기에 밴 김치 냄새 없애는 법과 같은 생활 속 노하우부터 셀프 앞머리 자르기, 지역별 맛집에서 먹어야 할 메뉴까지 시시콜콜한 모든 정보가 꿀팁의 대상이 된다.

이 때문에 방송계에도 꿀팁을 제공하는 프로그램들이 다양하게 편성되었다. 각종 먹방에 이어 저렴하게 집을 고치는 '꿀팁'을 선보이는 '집방'도 등장했다. JTBC의 예능 프로그램 〈헌 집 줄게 새집 다오〉는 과거와 같은 이웃돕기 차원의 훈훈한 집 리모델링 콘텐츠가 아니다. 비전문가가 직접 간단한 시공을 통해 공간을 꾸미는 가성비에 초점이 맞춰져 있다. tvN의 〈내 방의 품격〉 역시 손쉬운 집 단장 정보를 제공하는 인테리어 토크쇼다.

사생활 노출을 꺼려하던 과거와 달리 사람들이 SNS와 방송을 통해 자신의 집안 인테리어를 공유하는 문화가 확산되면서 이제는 자기만족을 넘어 타인에게 보여주기 위해 직접 전동 드릴을 잡고 타일을 교체하는 등 셀프 홈인테리어가 붐을 이루고 있다. 특히 주목할 점은 인테리어 보수의 절차가 간편해지고 다양한 꿀팁이 홍수를 이루며 남성의 전유물이라 여겨졌던 시공 분야에서 여성이 큰 손으로 부상하고 있다는 점이다. 뿐만 아니라 1인 가구도 꾸준히 증가하고 있어 향후 셀프 인테리어가 큰 시장으로 자리 잡을 것이라 전망된다.

'있어 보이는' 꿀팁 마케팅, 대충 빠르게 한 끼 편의점

꿀팁에 대한 소비자의 니즈에 대응하기 위해 기업의 마케팅 포지션도 달달해졌다. LG전자는 톡톡 튀는 꿀팁을 이용한 마케팅 이벤트로 주목을 받았다. '그램 꿀 오리엔테이션'이라는 타이틀의 해당 이벤트는 대학 새내기들이 타깃이다. 각 분야의 전문가들이 있어보이는 꿀팁을 '인강'(인터넷 강의)을 통해 전수하는 방식이다. 뷰티 파워블로거 라뮤끄의 '성형 없이 새내기 퀸카 되기', 클럽전문가 DJ 소다의 '스무 살 첫 클러빙 No 굴욕 팁', 헤어디자이너 차홍의 '번호 따고 싶은 신입생 스타일' 등 스무 살 청춘들의 관심 주제를 직관적인 제목으로 표현하여 주목을 끌었다.

대충 빠르게 한 끼를 채울 수 있는 가성비 갑의 대명사, 편의점 도시락도 이제는 있어 보여야 잘 팔린다. 값싸고 편리하게 한 끼를 때우는 이미지에서 탈피해 고급 전문점 수준의 식사를 즐길 수 있는 프리미엄 제품 출시가 잇따르고 있다. 혼밥족, 혼술족이 증가하면서 편의점 푸드를 대충이 아닌 그럴듯하게 즐기려는 소비자들이 늘어났기 때문이다.[6] 2016년 7월, 예약 주문 방식으로 판매를 시작한 GS25의 '민물장어덮밥'은 1만 원이라는 고가임에도 출시와 함께 높은 인기를 끌며 혼밥족들의 도시락 인증샷이 SNS에 유행처럼 퍼지기도 했다.[7]

향후 전망
'허세'도 특별한 기세가 있어야 '대세'

—

2016년, 있어빌리티 트렌드는 단순히 일상을 자랑하는 경향에서 한 발 더 나아간 형태로 이해할 수 있다. 자랑질이 실속 없는 '허세'가 아니라 개인의 연출력이자 빠르고 효율적으로 구상한 전략임을 인정하는 분위기가 조성되고 있기 때문이다.[8] SNS와 이미지를 매개로 하는 의사소통 방식이 지속되는 한 있어빌리티 키워드 또한 향후 지속적인 트렌드로 이어질 것으로 보인다.

이러한 흐름에 맞춰 세계 각국의 유명 미술관들이 '사진 금지'의 봉인을 풀고 있는 것이 대표적인 산업적 적용 사례다. 엄격한 내부 촬영 금지 원칙을 준수하던 포르투갈 관광 1번지 신트라의 페냐 성도 사진촬영을 허용하기 시작했고, 덴마크 국립박물관도 'No photography'의 팻말을 치웠다. 까다롭기로 유명한 프랑스 파리 박물관 협회도 아예 영향력 있는 인스타그램 사용자를 고용할 정도다. 사진 불허에서 허용으로, 허용에서 다시 장려로 정책이 변화하고 있는 것이다. 그 이유는 물론 SNS에서의 사진 공유가 늘어날수록 관람객도 함께 늘어나기 때문이다. 대림미술관은 사진 금지를 해제한 이후 인스타그램에 '#대림미술관' 사진이 18만 장에 이를 정도로 폭발적인 인기를 끌고 있다. 대림미술관 측은 인증샷을 남기면 다음번 관람에 공짜 혜택을 주는 마케팅을 펼치고 있다.[9]

하지만 이러한 인증샷 열풍의 이면에는 부작용도 작지 않다. 허세가 대세가 된 시대이지만 그 정도가 사기라 할 만큼 지나친 사례들도 많다. 2016년 7월 인스타그램 계정 '강남패치'는 성공한 사업가로 알려진 유명인들이 실상은 유흥업소 종사자들이며 부적절한 방식으로 생활하고 있다는 사실을 폭로했다.[10] 해당 게시물은 400개, 팔로워는 8만 명에 달했으며, 유사한 다른 명칭의 폭로 SNS가 생성되는 등 사회적으로 큰 반향을 일으켰지만 허위 정보가 많았다. 이처럼 온라인 공간에서 재력, 경험, 직업 등을 거짓으로 꾸며내는 현상을 'SNS 허언증'이라고 부른다.[11] 허언증은 거짓을 마치 진실인 것처럼 포장해 말하는 증상이다. '청담동 주식부자', SNS의 영웅이 희대의 사기극으로 전락한 이희진의 사기 사건이 대표적 예다.

이렇게 극단적인 경우는 아니더라도, 사실 여부를 확인하기 어려운 익명의 온라인 공간에서 '척' 하기 위해 과장이 아닌 거짓을 전시하는 이들이 늘고 있다.[12] SNS에서 파워유저가 될 수 있는 과시능력이 이슈를 낳을 수도 있지만 일부 사용자들에게 허세를 조장하고 사회적 문제로 확대될 수 있음을 유념해야 할 것이다.

있어빌리티 트렌드의 미래는 기회이자 위기가 될 수도 있다. '있어 보인다'와 실제로 '있다'는 말에는 엄연한 차이가 있기 때문이다. 팩트에 기반한 '있다'와 달리 허구의 요소가 존재하는 '있어 보인다'가 긍정적인 트렌드로 나아가기 위해서는 최소한의 품위를 지키려는 노력이 필요하다. 허세도 그것만의 특별한 기세가 있어야 대세가 될 수 있다. 허세는 흉내 낼 수 있지만 기세는 안에서 우러나오는 힘이다. 얄팍한 거짓이 아닌 기세등등한 허세가 대세가 될 수 있도록 소비자와 기업 모두 '과장'과 '차별화'에 대한 보다 진중한 고민이 필요한 때다.[13]

Rise of 'Architec-kids'

'아키텍키즈', 체계적 육아법의 등장

〜〜〜〜〜〜〜〜〜〜〜〜〜〜〜〜〜「트렌드 코리아 2016」예측 내용

최근 젊은 부모들의 치밀하고 과학적인 '체계적 육아'에 대한 열기가 심상
치 않다. 온라인 커뮤니티에서 똘똘 뭉쳐 서로 정보를 주고받으면서, 배
란기를 테스트해 '계획 임신'을 시도하고, 2주에 한 번은 산부인과에 들러
아이의 초음파 사진을 앨범으로 만들어가며 출산 준비를 하고 아이가 태
어나면 아이 전용 '국민 △△ 리스트'를 만들어 챙기고 있다. 이에 빌딩을
건축하듯 하나씩하나씩 공들여 기른 아이라는 의미로 건축의 '아키텍쳐
Architecture'와 아이의 '키즈 Kids'를 붙여 '아키텍키즈 Architec-kids'라 명명하고자
한다. 고도성장기인 1980년대에 태어나 본격적인 치맛바람, 바짓바람 속
에서 성장한 1세대가 이제 스스로 부모가 되어, 인터넷 커뮤니티와 SNS
에서 육아에 대한 정답을 찾기 시작했다. 이 체계적 육아 열풍은 현재 한
국의 육아 관련 시장의 변화는 물론이고, 이제 막 가정을 꾸리기 시작하는
30대 N세대의 가치관과 라이프스타일의 새로운 흐름을 보여준다.

「트렌드 코리아 2016」, 373~392쪽

〜〜〜〜〜〜〜〜〜〜〜〜〜〜〜〜〜〜〜〜〜〜〜〜〜〜〜〜〜

대한민국은 치열한 경쟁사회다. 전쟁에 가까운 경쟁의 가장 뜨
거운 전선戰線이 육아로 번졌다. 10대 시절의 대입전쟁, 대학시절의
취업전쟁, 취업 이후의 승진전쟁과 함께 결혼전쟁을 치렀던 80년대
생 부모들이 이제 육아를 두고 또 하나의 경쟁을 벌이고 있는 것이
다. '신인류 양육자'로 대두되고 있는 이 세대는 성장 과정 그 자체가

치열했다. 『수학의 정석』을 '최소 10번은 반복 풀이' 해야 했고, 취업의 필수 관문인 토익시험은 언어능력이 아닌 '암기와 요령'이었으며, 결혼 또한 '스드메(스튜디오 촬영·드레스·메이크업)' 공식을 따라야 했다. 대학 시절도 경제 불황이라는 불안 속에서 캠퍼스의 낭만을 즐길 새도 없이 취업 걱정에 학점관리·스펙관리에 열을 올렸다. 불황이 더욱 깊어짐에 따라 직장에서는 더욱 독하게 버텨야 했고, 비혼·만혼이 급증한 이때 '사회적 결혼적령기(20대 후반~30대 초반)'에 간신히 막차를 탔다. 정말 살아오는 내내 그 무엇도 호락호락하지 않았던 세대다. 이러한 신세대 부모의 현실과 치열한 성장 배경이 바로 '아키텍키즈'의 탄생 배경이다. 그렇다면 2016년 한 해 이들이 '건축'하고자 했던 '아키텍키즈'를 둘러싼 새로운 육아의 방향은 어떠했을까? 2016년 대한민국 육아문화와 관련 시장의 동향을 면밀하게 들여다보도록 한다.

첨단기술과 전통방식이 공존하는 애착육아

—

필수코스가 된 태교여행, 가상현실로 접하는 태아의 영상

불경기 속에서도 빠른 속도로 성장하고 있는 여행산업, 그중에서 가장 눈길을 끄는 여행상품은 베이비문babymoon으로 불리는 태교여행이다. 몇 년 전부터 상품화되기 시작한 이 '태교여행'은 이제 산모의 출산 전 필수과정으로 여겨지고 있다. 산모의 비행기 탑승에 대한 인식이 순화되면서 해외 태교여행이 크게 늘고 있는 추세다. 특히 괌(미국), 세부(필리핀), 푸켓(태국) 등 비교적 비행시간이 짧은 해외 휴양지에 대한 선호도가 높다. 태교를 위해 여행을 가는 만큼 비행기 좌석부터 호텔 선정까지 최고급에 대한 수요가 많아 같은 여행지라도 태교 여행 상품이 더 비싼 가격에 판매된다. 이렇듯 만만치 않은 비용에도 불구하고 젊은 산모들의 높은 니즈 덕분에 여행업계에서는 태교여행 상품이 새로운 수익모델로 급부상하고 있다.

여행뿐만이 아니다. 신세대 엄마들의 과학적 육아에 대한 열성은 관련 의료기기 시장의 발전을 이끌어내는 동력이 되고 있다. 국내 유일의 태아·신생아 의료기기업체 바이오기업 '비스토스'는 국내 최초로 '태아 심음 측정기'와 '태아 감시 장치'를 출시했다. 이 회사는 태아의 심장소리를 어디서든 들을 수 있는 '태아 심음 측정기', 인큐베이터, 분만 감시 장치, 신생아 황달치료 용광선조사기 등을 개발하며 제품군을 확장하고 있다.[1] 일반초음파, 정밀초음파에 이어 등장한 입체초음파 역시 3~4배 비싼 비용에도 산모들의 필수진료가 되어가고 있는 추세다. 국내 한 벤처기업은 '가상현실VR' 기술을 적용해 기존 초음파 영상 장비에 송수신기를 설치, VR 고글을 통해 태아의 영상을 볼 수 있는 초음파 진단기를 출시했다.[2]

엄마들의 첨단지식 공유를 위한 온라인 커뮤니티와 앱 케어

디지털 세대답게 육아맘들의 사랑방 '온라인 커뮤니티'도 붐볐다. 특히 지역 단위의 온라인 육아 커뮤니티가 활발하게 운영되고 있다. 주로 중소단위의 지역명으로 시작하는 '△△맘 모여라', '△△맘 오세요' 등의 온라인 육아 커뮤니티인데, 이러한 모임이 존재하지 않는

◀ 실용적인 육아 정보를 제공하며 더욱 다채로워지고 있는 엄마들을 위한 앱 케어 시장

동네가 거의 없을 정도이고 스마트폰 '앱'으로도 등장했다. 2015년에 출시된 육아 커뮤니티 앱, '코코넛베베'의 경우 최근 사우디아라비아와 중국으로부터 수억 원의 투자까지 받았다.[3]

엄마들을 위한 '앱' 시장의 선두는 단연 '앱 케어'다. 실용적인 육아 정보를 제공하는 앱 케어 시장도 더욱 다채로워지고 있다. 매년 줄이어 열리는 '베이비페어'의 상세 일정과 각종 체험 이벤트·할인 혜택 등을 제공하는 '베페BeFe', 임신·태교·육아에 이르는 정보는 물론 백색소음과 태교음악 등도 제공하는 '육아클럽', 전국 450개의 산후조리원에 대한 정보의 제공과 공유가 가능한 '꽃보다 출산', 태교·육아일기를 쓰면 이를 책자로 출판까지 해주는 '맘스다이어리', 주변의 문화센터에 대한 정보를 알려주는 '문플MUNPL+', 아이들과 함께 가면 좋은 야외활동 장소나 식당 혹은 아이들이 좋아하는 장난감에 대한 정보를 담고 있는 '리틀홈' 등 다양한 앱 케어가 등장했다.

아키텍키즈 양육을 위해 반드시 구비해야 할 제품과 육아법이 '국민'이라는 접두사를 달고 필수템으로 대접받는다는 점을 『트렌드 코

리아 2016』에서 지적한 바 있다. 지난 몇
년 사이 '프랑스 아이처럼 기르기'나 '스
칸디나비안(북유럽) 육아방식' 등의 아이
를 기르는 다양한 방식들이 주목을 받았
는데, 최근 젊은 엄마들 사이에서 '국민
육아법' 칭호에 가장 가까이 다가선 것은
'한국식 전통육아'에 기반을 둔 **애착육아**
다. 관련된 강연과 게시물이 줄을 이었고

애착육아의 필수품이라는 애착 아이템들이 속속 등장했다.

전통육아의 업그레이드! 하이테크 포대기와 닥터맘 열풍

최대한 많이 안아주고 업어주라는 애착육아의 지침에 따라 포대기
에 대한 수요가 늘어나고 있다. 전통적인 포대기와는 달리 유기농 면
사용, 인체공학적인 디자인 등 오늘날 젊은 엄마들의 선호에 맞는
'하이테크 포대기'들이 단연 인기다. 덩달아 천 기저귀에 대한 관심
도 높아졌다. 첨단디지털 시대에 아날로그적 육아방식이 화제가 된
배경에는 대한민국을 강타했던 옥시사태의 영향이 크게 작용했다.
2016년 6월, 한 온라인 쇼핑몰에 따르면 천 기저귀 매출이 2배 이
상, 가제 손수건은 69% 증가했다. 이 밖에도 애착인형, 애착이불, 애
착아기띠 등 수많은 애착아이템들이 등장해 인기를 끌었다. 이에 따
라 육아용품 판매업체들도 발 빠르게 움직였다. 한 유아용품 브랜드
는 '애착육아와 럭셔리 시크Attachment Parenting & Luxury Chic'라는 화보까
지 만들고 맞춤체형 시스템인 'CBFCustomizing Body Fitting 시스템'을 적

용한 아기띠를 출시했다. 아기의 자세교정은 물론이고 부모와의 교 감을 극대화시키는 데 효과적임을 강조한 애착육아 트렌드의 대표 적인 상품이라고 할 수 있다.[4]

아이가 아플 때는 일단 가까운 병원에 데려가 신속하게 진료를 받 아야 한다. 그런데 최근, 병원으로 향하지 않는 엄마들이 생겨나고 있다. 의사도 약도 믿을 수 없기 때문이다. 매스컴을 통해 밝혀진 잇 단 의료 과실 및 사고와 각종 약물의 부작용을 염려하며 등장한 이 들이 바로 '닥터맘'이다. 이들은 아토피, 비염, 천식, 알레르기, 복통, 설사 등의 관리가 필요한 질병들을 병원 대신 집에서 식이요법이나 천연 약재 등으로 치료하고자 한다. 닥터맘들은 의료와 약물 관련 도서들을 독파하고 스터디 모임을 만들어 서로의 지식과 정보를 검 증하고 공유한다. 서울의 한 대형 서점의 육아 섹션에는 20여 종 이 상의 영유아 질병 증상 및 치료법 관련 서적들이 나와 있다. 2016년 6월 대구 엑스포에서 열린 '우리 아이 상처 치료 방법' 강연에는 전 국 각지에서 200명의 엄마들이 몰려 닥터맘 열풍을 실감케 했다. 실 제로 일부 닥터맘들은 전국 각지를 돌며 아이의 질병과 가정 대체요 법과 관련한 육아 교실이나 강연에 열성적으로 참가한다.

이뿐만이 아니다. 2013년 말에 설립된 한 온라인 커뮤니티 '약 안 쓰고 아이 키우기'의 회원은 현재 3만 5,000명에 이른다. 질병을 앓 고 있는 아이의 증상 사진을 올리면 다른 엄마 회원들이 각자 알고 있는 효과적인 치료법을 댓글로 달아주는 등 가정치료 정보를 서로 공유하는 장이다. 이러한 대체요법도 소용이 없는 경우에는 회원들 끼리 순위를 매겨 선정한 병원과 의사를 추천해주기도 한다. 또한 스마트폰 앱을 이용해 의료 관련 정보를 얻을 수도 있는 앱 케어도 인기다. 2016년 6월, 제2회 휴먼테크놀로지 어워드에서 이용자 부문 우수상을 수상한 '열나요' 앱이 대표적이다. 한 스타트업이 개발한 이 소아체온관리 앱은 체온을 입력하면 아이의 상태와 함께 적절한 해열제의 종류와 양을 알려준다.[5]

사실 이러한 현상은 적시에 적절한 의료서비스를 받지 못해 병을 키우거나 치명적인 결과를 불러일으킬 수 있다는 점에서 우려스럽다. 더구나 사실상 치료에 대해 의사표현을 할 수 없는 어린이들의 입장에서 생각하면 무지하고 폭력적인 건강관리 방법이다. 하지만 열기는 생각보다 뜨겁다. 이 우려스러운 트렌드에 대해 정부나 의료 단체의 적극적인 우려 표명과 캠페인이 필요한 시점이라고 하겠다.

아키텍키즈가 주역이 되는 '엔젤 비즈니스'

아이들 천국 토이킹덤과 부모를 위한 키즈케어 프로그램

불황 속 호황을 누리고 있는 키즈산업, '엔젤 비즈니스'의 강세는 2016년에도 여전했다. 그중 대형 복합 쇼핑몰의 등장으로 더욱 비상한 키즈산업을 눈여겨볼 만하다. 2016년 전국 각지에서 대형 복합 쇼핑몰들이 잇달아 오픈하며 소비시장에 뜨거운 활기를 불어넣었는데, 대형몰들은 특히 가족 단위의 소비층을 집중 공략하고 있어 '엔젤 비즈니스'가 중요 카테고리가 되었다.

예컨대 스타필드 하남의 경우, 아이들을 위한 각종 시설을 갖추어

◀ 스타필드 하남의 경우, '토이킹덤'을 비롯해 아이들을 위한 각종 시설을 갖추어 가족 단위 방문객들의 좋은 반응을 얻고 있다.

가족 단위 방문객들의 좋은 반응을 얻었다. 특히 3층의 '토이킹덤'은 510평에 이르는 대규모 어린이 장난감 전문점으로 레고, 디즈니, 마블 등 국내 최대의 다양한 제품군과 10미터에 이르는 '펀fun 터널' 천장에 달려 있는 '웨키트랙' 등 초대형 놀이 시설들을 선보였다. 또한 270평 규모의 매장에는 국내외 임신·출산·육아 관련 제품들을 총망라해 합리적인 가격으로 선보이는 육아용품 전문점 '마리스 베이비 서클'을 입점시켰다.[6] 영화관 안에는 별도의 키즈관을 신설해 아이들이 영화를 보는 동안 부모들이 휴식을 취할 수 있는 공간을 따로 마련하고, 부모 휴식공간에서는 모니터를 통해 영화관 내부의 자녀들을 볼 수 있도록 했다.

현대프리미엄아웃렛 송도점은 총 28개의 유아동복 브랜드를 입점시키며 국내 아웃렛 중 최다 브랜드 입점 기록을 세웠다. 게다가 200만 원 상당의 유모차를 대여하는 서비스와 더불어 아웃렛 최초로 유모차 자동 소독기를 설치했다. 신세계사이먼 파주프리미엄아울렛에서는 부모가 쇼핑 편의를 위해 최대 3시간 동안 인솔자가 아이를 대신 돌봐주는 '키즈케어 프로그램' 서비스를 제공하고 있다. 1회 이용금액이 2만 원으로 높은 편임에도 조기예약이 마감될 정도로 인기다.[7]

자동차 업계의 엄마 마케팅, 쏟아지는 어린이 차량 안전용품

자동차 업계에서는 30~40대 엄마 운전자를 겨냥한 마케팅과 신차 출시가 줄을 이었다. 특히 엄마들이 아이들의 라이드 차량으로 선호하는 SUV 시장의 '엄마 마케팅' 경쟁이 가열되고 있다. '렉서스'는 여성들의 기호를 반영한 '터치리스 파워 백도어' 기능을 추가로 탑재한 신차를 선보였고, 르노삼성자동차의 중형 세단 'SM6'도 '드라이버 프로파일' 기능을 집중적으로 내세우며 2명 이상의 자녀를 둔 주부를 타깃팅해 본격적인 마케팅을 펼쳤다.[8]

국내 SUV 시장에서는 쌍용자동차의 소형 SUV '티볼리'가 여성 운전자들의 높은 지지를 얻고 있다. 운전하는 엄마들이 증가하면서 자연스럽게 차량 안전용품 시장에도 유아용 제품들이 쏟아져 나왔다. 그중 어린이 안전용품 디자인 회사 '키두KIDU(Kid와 You의 합성어)'의 제품, '허그돌Hug doll(껴안는 인형)'을 눈여겨볼 만하다. 이 제품은 아이가 안전벨트를 맸을 때 느끼는 거친 촉감을 해소시키고, 안거나 기댈 수도 있어 아이들의 신체적·정서적 불편함을 완화시켜 주는 등 디테일한 부분까지 세심하게 고려해 눈길을 끌고 있다.[9]

향후 전망
엄마들의 합리적 소비와 정부의 지원도 필요

─────

이러한 새로운 바람이 육아시장의 새로운 성장을 이끌고 있는 것도 사실이지만, 서두에서 지적한 바와 같이 지나친 경쟁과 잘못된 정보로 우려할 만한 부작용을 자아내고 있다. 태어날 때부터 아이의 황금인맥을 만들어주기 위해 대출금까지 받아 2주에 2,500~3,000만 원에 육박하는 강남의 최고급 산후조리원에 등록했다는 일화는 모성의 쓸쓸한 이면을 드러내기도 한다.[10] 내 아이만 중시하는 일부 매너 없는 엄마들은 '맘충'이라는 오명을 얻기도 했다.

'노키즈존No Kids Zone'(영·유아 및 어린이 출입금지) 식당과 카페가 늘어나는 것과 대비되는 현상으로, 최근에는 '웰컴키즈존Welcome Kids Zone'이 등장하기 시작했다. 특히 소득 수준이 높고 외식 문화가 발달한 강남·판교·동탄 등의 지역에 업체들이 몰렸다. 아이 한 명당 별도의 입장료를 내야 하고 음식 가격도 일반 식당에 비해 20~30% 비싸지만 평일에도 웨이팅리스트에 이름을 올려 대기해야 할 만큼 인기가 높다.[11] 이 같은 매장들이 엄마들에게는 분명 유용한 장소일 것이다. 하지만 웰컴키즈존이 오히려 노키즈존의 존재를 당연하게 만들어 사회적 분리현상을 초래하는 것은 아니냐는 우려의 목소리도 커지고 있다.

소위 '자연주의 육아법'에 경도돼 유아들의 각종 예방접종을 거부하는 부모가 생겨나는 것도 큰 사회문제가 되고 있다. 일부 부모들 사이에서는 수두手痘에 걸린 아이와 함께 놀게 해서 일부러 수두를 앓게 만드는 '수두 파티'를 벌일 정도로 극단적인 행동을 보이는 경우도 있다. 예방접종을 하는 대신 수두를 앓게 해서 자연적인 면역력을 기르겠다는 게 목적이다. 실제로 지난해 12월 호주 퀸즐랜드 주에서 수두 파티가 유행해 어린이 수두 환자가 급증하자, 호주의사협회 퀸즐랜드 주 지회는 "잘못된 정보로 아이를 괴롭히는 위험한 짓"이라고 경고했다. 수두에 걸린 어린아이는 견디기 힘든 심한 통증과 다른 합병증에 시달릴 수 있는 것은 물론이고, 잠재적으로 다른 아이들에게도 전염병을 퍼뜨릴 수 있는 행동인 것이다.[12]

이런 극단적인 움직임이 염려스럽긴 하지만, 보다 과학적이면서 합리적인 육아에 대한 욕구는 기존 육아시장의 거품을 빼는 역할을 하고 있다. 변화는 앱 시장에서도 반영되고 있다. 2016년 출시된 '그루베베'는 베이비스튜디오·돌잔치 전문 업체들의 가격을 비교하고 관련 정보를 제공하는 육아정보 큐레이션 앱으로 출시 후 일주일 만에 2만 건 이상의 다운로드를 기록했다.[13] 실제로 아기 성장앨범 패키지 상품이나 돌잔치 서비스 상품에 대한 소비자들의 불만 사례가 끊이지 않고 있는 가운데, 이러한 앱의 등장은 엄마들의 고민을 덜어주고 있다. 그밖에 육아용품 공동구매 앱 '육아천사', 중고거래까지 가능한 앱 '우리아이마켓', '맘켓' 등이 합리적 소비를 지향하는 아키텍키즈 엄마들의 스마트폰을 채우고 있다.

저출산 문제를 풀고, 젊은 부모들을 지원하기 위한 지자체의 노력도 주목할 만하다. 전라남도 광양시는 '아이 양육하기 좋은 도시 만들기' 정책에 본격적인 박차를 가했다. 시의 행정력과 재정력을 이 정책에 집중시켜 임신·출산·보육·교육 과정에 이르는 양육의 전 과정에 걸친 체계적인 서비스 정비에 돌입한다고 전했다. 계획 임신을 위한 예비부모 교육과 난임 부부를 위한 지원정책부터 태아와 산모를 위한 의료서비스 지원, 출산 후에는 산후조리와 양육비까지 지원하는 내용을 포함하고 있다.[14]

『트렌드 코리아 2016』에서는 '아키텍키즈'를 기르는 젊은 부모들의 공공정책에 대한 불신과 갈증을 지적한 바 있다. 덧붙여 정부와 지방자치단체에서 이를 해소시킬 만한 질적으로 완성도 있는 정책이 필요하다고 전망했다. 변화하는 양육에 대한 가치관과 트렌드에 조금 더 부합하는 정부와 자치단체의 정책들이 국가적으로 가장 심각한 현안인 저출산 문제를 해결하는 데 일조할 수 있기를 기대한다.

Society of the Like-minded

취향 공동체

〰〰〰〰〰〰〰〰〰〰〰〰〰〰〰「트렌드 코리아 2016」 예측 내용

대세와 고정관념을 거부하고 자신만의 취향을 추구하는 소비자들의 변화가 주목받고 있다. 취향에 따라 모이고 취향에 따라 흩어지는 소비자들에게 성별, 나이, 직업, 학력 등에 따른 시장 세분화market segmentation는 이제 무의미하다. 이제 소비자들은 자신의 취향과 관심사에 꼭 맞는 것이 아니라면 집중하지 않는다. 다수를 상대로 하는 밋밋한 제품은 곧 다수의 외면을 받을 수 있다. 시장이 작더라도 소수의 취향에서 새로운 비즈니스가 탄생할 수 있다. 생물학자 찰스 다윈은 최후까지 살아남는 종은 '크고 강한 종'이 아니라 '끊임없이 변화하는 종'임을 강조했다. 2016년 더욱더 쪼개지고 다양해지는 시장에서 살아남기 위해서는 소비자의 취향에 맞춰 끊임없이 변화해야 한다. 남과 다른 스타일을 추구하는 데 열심인 소비자들이 몰고 온 '취향의 반란'이 한층 더 명확한 콘셉트와 특화된 전략을 필요로 하는 방향으로 시장의 지도를 다시 그리고 있다.

「트렌드 코리아 2016」, 393~411쪽

〰〰〰〰〰〰〰〰〰〰〰〰〰〰〰〰〰〰〰〰〰〰〰〰〰〰〰〰〰

명절이나 특별한 행사 때에만 입던 전통 한복이 캐주얼한 패션이 되어 삭막한 도심의 풍경에 신선한 볼거리를 선사하고 있다. 10~20대 젊은 여성을 중심으로 '한복 나들이'가 신新 놀이문화로 유행하고 있는 것이다. 이들에게 한복 입기는 지켜야 할 전통이 아니다. 재미이고 '개취(개인의 취향)'다. 한복을 나들이복으로 갖춰 입고 인

증사진을 찍어 SNS에 올리는 문화가 퍼지며 그 자체가 트렌디한 놀이가 되었다.[1] 타인의 시선도 받고 온라인 커뮤니티에서 주목받길 원하는 이들이 한복이라는 특별한 패션 취향으로 자신의 아이덴티티를 부각하고 있는 것이다. 한복을 좋아한다는 뜻의 '한복러'와 같은 신조어까지 등장했고 한복 판매점과 대여점에도 때 아닌 봄바람이 불고 있다. 인스타그램에서 '#한복', '#한복스타그램' 등 해시태그로 검색하면 업로드된 최근 사진만 수만 장에 이른다. 개량 한복이라고 불리던 생활 한복이 세련된 디자인과 착용감이 편한 소재의 다양화를 꾀하며 패션 한복으로 진화한 것이다. 이 때문에 예복과 같은 필요에 의해 구매하던 한복이 이제는 젊은층을 중심으로 갖고 싶은 욕구로 인해 구매하는 옷이 되었다. 별나고 특이한 것이 흠이 아니라 정체성을 표현하는 취향이 된 시대, 취향을 내세우면 내세울수록 이상해 보이는 게 아니라 더 확실하게 자신을 어필할 수 있는 문화가 자리 잡고 있다.

마니아를 뜻하던 '오타쿠'의 우리나라 식 표현인 '(오)덕후'는 사회적 교류 없이 집에서 자신이 좋아하는 것에만 열중하는 이들을 가리키는 부정적인 표현이었다. 그런데 상황이 달라졌다. 다양한 분야에서 덕후들의 능력이 재조명되면서 이들에 대한 인식도 긍정적으로 변했다. 이 때문에 덕후에 '커밍아웃(정체성을 공개적으로 드러내는 것)'을 합친 말로 자신의 덕후 성향을 주위에 공개한다는 뜻의 '덕밍아웃'이란 신조어도 생성됐다. 유명 연예인들까지 자랑스럽게 자신의 덕력을 공개하며 덕후를 자신만의 캐릭터로 승화시키고 있어 이제 더 이상 덕후임을 밝히는 것은 흠이 아닌 매력이 되고 있다. 바야흐로 덕후가 능력이자 힘이 된 시대, 숨 가쁘게 돌아가는 일상에서 하루 중 잠깐이라도 나만을 위한 시간을 갖고 싶어 하는 현대인에게 취향이란 일종의 도피처이자 휴식이 되었다. 이 때문에 소비시장도 대세와 고정관념을 거부하고 취향을 추구하는 소비자들의 변화에 발 빠르게 대처하고 있다. 2016년, 남과 다른 스타일을 추구하는 데 열심인 소비자들이 몰고 온 취향의 반란은 어떤 모습이었을까? 감춰두었던 나만의 취향을 마음껏 뽐낸 개성 넘치는 소비 트렌드의 면면을 자세히 살펴본다.

취향, 고단한 일상의 휴식이 되다

—

힐링 포인트 '아가씨 취미'와 열정으로 진화 중인 '아저씨 취미'

바쁜 일상과 스트레스에 지친 20~30대 여성들의 취향 공동체 참여가 늘고 있다. 그중 아기자기하고 예쁜 프랑스 자수가 젊은 여성들에게 큰 인기를 누렸다. 이미 국내 유명 프랑스 자수 블로그의 경우 하루에만 수천 명의 방문객이 다녀갈 만큼 호응이 높다. 이러한 인기를 증명하듯 인터넷 쇼핑몰에서는 2016년 상반기 전년 동기 대비 자수 용품 관련 매출이 30% 이상 증가했다.[2] 바느질에 몰두하다 보면 무념무상에 빠질 수 있는 것이 프랑수 자수의 힐링 포인트다. 또한 '노력한 만큼 결과가 보인다', '나만의 작품을 완성할 수 있다'와 같은 성취감을 안기는 것도 젊은 여성들에게 인기를 끄는 요인이다. 이에 SNS에서는 '자수타그램', '자수테라피' 등 다양한 인증샷들과 함께

▲ 바쁜 일상과 스트레스에 지친 20~30대 여성들의 취향 공동체가 늘고 있는 가운데 아기자기하고 예쁜 프랑스 자수가 큰 인기를 끌었다.

출처: 헬렌의 마르세이유 http://blog.naver.com/dkdldpf08

프랑스 자수 관련 정보를 공유하려는 사람들이 모여 활발한 커뮤니티 활동을 이어가고 있다.[3] 많은 것들이 기계화되고 있는 디지털 시대에 한 땀 한 땀 정성을 들여 성취감을 얻는 취미가 고단한 현대인에게 소박하지만 따뜻한 위로와 활력이 된 것이다.

20~30대 여성뿐만이 아니다. 이제는 중년 남성의 취미 시장도 바뀌고 있다. 대게 '아저씨 취미'라고 하면 골프, 낚시, 등산 정도를 떠올린다. 그러나 요즘의 40~50대 중년 남성들은 기존의 획일적인 취미에서 벗어나 잠시 잊었던 열정을 되살리기 위해 노력한다. 일에 치여 배우고 싶었지만 못 배운 악기를 배우는 사람들부터 비행기 조종사나 드론 조종사 등 접었던 꿈을 펼치려는 이들까지 그 모습도 다양하다. 신한카드 트렌드연구소가 이들의 온라인 취미동호회 대표 3곳을 조사한 결과 2015년 상반기 대비 이용건수가 6배 증가한 것으로 나타났다. 이는 의식의 변화와 함께 가구 구성원의 축소가 불러

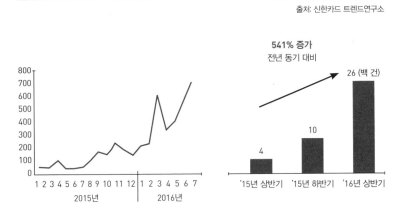

출처: 신한카드 트렌드연구소

일으킨 변화다. 과거 중년 남성은 가정을 위해 헌신하려 하지만, 바깥일에 몰두하느라고 가족들과는 점점 멀어지고 자기 자신은 생각하기 어려운, 외로운 존재였다. 하지만 탈권위주의적이고 개성을 중시하던 과거 X세대가 중년이 되면서 경제력을 바탕으로 자신의 취향에 투자하기 시작한 것이다. 또한 1인 세대가 보편화된 가구 형태가 되면서 과거에 비해 혼자만의 시간이 늘어난 것도 중년 남성들의 취미 붐 현상을 촉발했다.

취향의 궁극, 제 취향을 팝니다

취미가 밥을 먹여 주다! 덕업일치

"그 일이 밥 먹여 주냐?"라는 핀잔을 듣던 취미 활동이 정말 밥을 먹여 주는 일이 되기도 한다. 취미 활동의 궁극적인 형태로 본인의 취향을 팔아 경제적 이득을 얻는 사람들이 늘고 있는 것이다. 이른바 '덕업일치'다. 덕업일치는 덕질과 직업이 일치했다는 뜻으로 덕후 중에서도 관심사를 자신의 직업으로 삼은 사람들을 일컫는다. 예를 들면, 영상 전공자가 카페에서 아르바이트를 하다가 커피의 매력에 빠져 원래 전공을 버리고 바리스타의 길을 선택하는 형태다.

2016년에는 이들의 스토리를 엮어 『덕질로 인생역전』이라는 책이 출간되기도 했다.[4] 덕업일치의 종착지는 그 일에서 크게 성공하는 것으로, 이를 '성덕'이라고 부른다. 성덕이란 '성공한 덕후'의 줄임말로 좋아하는 일이나 취미에 몰두해 최고 전문가가 되는 꿈을 이룬 사람을 말한다. 예컨대 『붉은 10월』, 『패트리어트 게임』을 쓴 미국의 베스트셀러 작가 톰 클랜시는 군사무기 덕후였다고 한다. 심한 근시로 군인의 꿈을 포기해야 했지만, 군사 지식에 대한 '덕질'을 멈추지 않고 끝내는 글로벌 밀리언셀러가 됐다.[5]

틈새시장으로 진화한 공방과 취향을 공유하는 독립서점

우리나라에서도 이러한 경향이 공방 창업 시장에서 두드러졌다. 이미 서울 홍대, 서촌, 방배동을 중심으로 도심 속 공방거리가 활성화되고 있다. 자신이 원하는 것을 제작하고 이를 위한 기술을 배우는 공간으로, 주로 가죽공예, 베이킹, 목공 등의 취미활동이 이루어진다. 취미활동이 자연스럽게 돈벌이가 된 이들을 의미하는 **크리슈머** Creative+Consumer라는 신조어가 등장하기도 했다. 최근 크리슈머의 특징은 덕업일치뿐 아니라, O2O Online to Offline 비즈니스를 활용한다는 점이다. 인터넷의 발전으로 개인이 쉽게 유통망을 구축할 수 있는 환경이 제공되면서 온라인으로 신속하게 주문을 받고 마케팅까지 혼자 하는 것이 가능해졌다. 이 때문에 작은 규모의 공방도 '틈새시장 Niche Market'으로 진화해 소비자에게 적극적으로 어필하고 있다.[6]

이렇듯 취향으로 승부하는 이들에게 비슷한 취향을 지닌 이들은 공동체이자 비즈니스를 펼칠 수 있는 타깃이 되기도 한다. 출판 시장의 불황이 심화되면서 수많은 서점이 줄줄이 문을 닫는 추세와는 달리 '취향저격'으로 무장한 개성 있는 서점이 늘고 있는 것이 한 예다. 예를 들면, 가게 주인이 영국·스페인과 같은 출판 선진국에서 직접 꼼꼼하게 골라온 그림책을 판매하는 서점, 독립출판물과 소소한 그림 인쇄물을 제작·판매하는 서점 등이 있다. 이러한 서점을 운영하는 이들은 돈을 버는 것보다 취향을 나누는 게 즐겁다고 말한다. 실제로 이 분야에서 앞서고 있는 미국 뉴욕의 유명 독립서점 '프린티드 매터 Printed Matter'의 경우 같은 취향을 공유하는 이들의 후원금으로 운영비를 충당하는 것으로 알려져 있다.[8] 취향을 공유하며 최소한의 수익을 추구하지만 함께 즐긴다는 취미 본연의 재미도 놓치지 않고 있는 것이다.

빅데이터를 통한 취향저격, 취향 큐레이션 서비스

—

개인의 취향이 세분화되면서 이를 제대로 저격해 콘텐츠를 추천해주는 큐레이션 서비스도 확대되고 있다. 이러한 정보의 기반은 빅데이터다. 이용자에게 동일한 콘텐츠를 추천하는 서비스와 달리 비슷한 취향을 지닌 사용자들을 분석하여 취향저격 콘텐츠를 제공한다. 대표 주자는 바로 OTT(인터넷 기반 동영상) 시장을 장악한 넷플릭스Netflix다. 넷플릭스는 가입자가 원하는 콘텐츠뿐만 아니라 가입자의 취향에 가장 잘 맞는 콘텐츠를 선별해 제공한다. 비결은 전 세계 8,100만 명 가입자들의 시청 행태를 포함한 다양하고 방대한 양의 빅데이터 분석 덕분이다. 아무리 독특한 취향의 시청자라도 그에 꼭 맞는 콘텐츠를 추천해준다.[9] 국내의 영화 추천 서비스 왓챠watcha도 이와 비슷하다. 왓챠는 2억 7,000만 건에 달하는 국내 이용자들의 영화 취향 데이터베이스를 보유하고 있다. 이를 기반으로 2016년, 사용자가 자신의 취향에 맞는 영화 콘텐츠를 추천받고 감상할 수 있는 '왓챠플레이'를 선보였다.[10] 소비자들의 취향을 '개인화'와 '자동추천' 방식으로 사로잡겠다는 취향저격 전략인 셈이다.

빅데이터를 통한 큐레이션 서비스는 디지털 음원 시장에서도 치열하게 펼쳐지고 있다. 음악 스트리밍 사이트 '벅스'는 이용자들이 음원 큐레이션 서비스를 선택한 횟수가 1년 사이 6배 이상 급증했다고 밝혔다. 음원 큐레이션은 이용자가 어제 들었던 음악에서부터, 작년에 들었던 음악 그리고 선호하는 장르 등의 데이터들을 분석해 취향에 맞는 새로운 음악을 추천해주는 서비스다.[11] 지니의 경우 사용자가 평소 즐겨듣던 음악장르를 분석해 음악을 추천하고 있으며 '멜론' 또한 음악 감상 횟수를 비롯하여 감상하는 패턴, 선호 장르, 아티스트 취향 등의 빅데이터를 수집해 음원 큐레이션 서비스를 선보이고 있다.[12]

개인의 취향, 개성을 넘어 멋으로 대접받다

취향의 세분화, 오직 당신만을 위한 '원 피스 온리'

취향의 변화에 가장 민감한 패션계에서 취향의 세분화는 그 어떤 현상보다 큰 변화를 일으키고 있다. 다수가 선망하는 브랜드보다 소수의 마니아를 거느린 생소한 브랜드의 제품이 명품 시장의 새로운 풍속도가 된 것이다. 해외 유명 브랜드들의 성장세가 부진한 가운데 국내 시장에서는 알려지지 않은 초고가 브랜드들이 하나둘 한국 시장에 진입하고 있다.[13]

단 한 명의 고객을 위해 제작된다는 고객 맞춤형 '원 피스 온리one piece only' 서비스를 선보인 이탈리아 명품 지안프랑코 로티Gianfranco Lotti와 델보Delvaux의 브리앙Le Brillant, 델핀들라퐁delphinedelafon과 만수르 가브리엘Mansur Gavriel 등 국내 명품 시장의 판도 변화를 겨냥한 새로운 명품들이 잇달아 한국 소비자들을 공략하고 있다. 소비는 사회적 지위를 과시하기 위해 이루어진다고 분석한 경제학자 소스타인 베블런Thorstein Veblen은 고가 소비의 목적은 신분 상승에 대한 욕망 때문이라고 말했다.[14] 하지만 타인을 향한 과시의 형태가 재력을 자랑하기보다 취향을 뽐내는 것에 방점이 찍히며, 누구나 알아주는 명품은 더이상 매력적이지 않게 되었다. 반면에 나만을 위한, 소수만 알아볼수 있는 희귀한 명품이 새로운 과시의 대상으로 자리바꿈하고 있다.

달라진 '덕후'의 위상, '너드 패션'도 멋으로 재탄생

달라진 덕후의 위상은 패션 트렌드의 새로운 기폭제가 되기도 했다. 오타쿠와 비슷한 **너드**들의 패션이 2016년 패션계의 트렌드로 떠오른 것이다. 멋없는 패션으로 여겨지는 너드 패션은 소위 '루저'나 '괴짜'로 취급받던 이들의 전형적인 옷차림이었다.[15] 자신의 취향에만 몰두해 세상의 멋 따위는 관심에도 없는 듯한 강박적이면서도 허술한 차림의 이 너드 패션이 주목받게 된 이유는 무엇일까? 이는 산업의 변화와도 맞물려 있다. IT 업계가 21세기 산업을 이끌면서 전통적인 기업의 리더들보다 전문기술에 몰두해 좁지만 깊게 빠진 소위 너드형 리더들이 등장했다. 검은색 터틀넥과 청바지만 추구했던 스티브 잡스에 이어 매일 비슷한 후드티에 청바지를 입는 마크 저커버그의 패션은 성공한 리더의 패션을 넘어 젊은이들의 역할 모델로 자리매김했다.[16] 말끔한 슈트 차림보다 편안한 캐주얼 복장이 더 전문적이고 자유분방한 사고를 대변

너드nerd

너드는 지능이 뛰어나지만 강박관념에 사로잡혀 있거나 사회성이 떨어지는 사람을 이르는 말로, 일상적으로는 경멸적으로 사용된다. 하지만 스티브 잡스나 마크 저커버그처럼 과거라면 너드라고 조롱받았을 인물이 큰 성공을 거두기 시작하면서 이제는 자긍심을 나타내는 표현이 되기도 한다. 이들처럼 자기 분야에만 깊이 몰두해 스타일은 신경 쓰지 않는 패션 스타일을 '너드 패션'이라고 부른다.

출처: 위키백과

▲ 영화도 취향대로. 독립영화가 제2의 전성기를 맞고 있는 배경이다.

하는 분위기가 만들어진 것이다. 이에 맞춰 2016년 봄, 구찌는 너드 패션을 재해석한 컬렉션을 선보여 패션계에 큰 호응을 받았다. 명품 브랜드의 시선을 사로잡을 만큼 너드는 더 이상 존재감 낮은 비주류가 아닌 런웨이의 주인공으로 대접받으며 몸값을 높이고 있다.

취향을 드러내는 것이 하나의 멋이 되면서 극장가에서도 독특한 예술영화들이 관객들의 발길을 모으며 2016년 영화계의 메인 키워드를 장식했다. 독립영화 〈유스Youth〉는 8만 명의 관객을 모으며 손익분기점을 가뿐하게 넘었고 이어서 개봉한 동성애 코드의 영화 〈캐롤Carol〉도 19만 명의 관객을 동원하며 박스오피스 5위라는 좋은 성적을 냈다. 해외 블록버스터 무비와 국내 상업영화들이 스크린을 장악하고 있음에도, 누구나 다 보는 영화보다 특별한 분위기의 작품을 원하는 관객들의 취향이 두드러져 예술영화가 제2의 전성기를 누렸다.[17]

향후 전망
유행을 따르기보다는 나만의 아이덴티티를 살리는 것이 중요
—

개인의 취향이 다양해질수록 소비시장도 더 세분화될 것이다. 늘어나는 취향만큼 이에 대한 니즈도 새롭게 등장하기 때문이다. 소비자의 다양한 취향과 더불어 진화하는 시장 중 하나가 맥주 시장이다. 수입 주류의 시장 점유율이 높아지면서 국내 맥주 시장도 소비자의 취향을 저격할 수 있는 다양한 시도가 진행 중이다. 색다른 패키지뿐만 아니라 다양한 도수와 풍미를 주는 제품 개발에 박차를 가하고 있다.[18] 특히 2014년 주세법 개정으로 소규모 양조장에서 만든 수제 맥주의 유통이 가능해지면서 맞춤형 스타일의 수제 맥주, 즉 크래프트 비어가 인기몰이 중이다. 미국의 전문적인 수제 맥주 브랜드, 브루클린 브루어리도 국내 시장에 진출했으며 유명 레스토랑들까지 저마다 특색 있는 수제 맥주 메뉴들을 개발해 경쟁에 참여하고 있다.[19] 한발 더 나아가 자신의 취향에 따라 맥주를 직접 제조하는 사람들도 늘고 있다. 인터넷 커뮤니티 '맥주 만들기 동호회'는 서울 은평구에 위치한 '굿 비어' 공방에서 정기적인 오프라인 모임을 갖고 직접 맥주를 만들어 마신다.[20] 맥주뿐만이 아니라 막걸리나 와인 등 선호 분야가 명확한 주류 시장에서 같은 취향의 사람들이 모여 마시고 즐기며 함께 만들기까지 하는 문화가 확산되고 있다.

취향의 세분화는 편집숍에서 더 나아가 라이프스타일 스토어에서 더욱 두드러진다. 공간이야말로 개인의 취향이 가장 극대화될 수 있는 곳이기 때문이다. 특히 본인의 주거 공간이라면 더욱 심화된다. 라이프스타일 스토어는 기존 편집숍에서 영역을 확장해 취향에 따른 패션에서부터 인테리어까지 생활 트렌드 그 자체를 전시해 판매하고 있다. 젊은 고객층을 대상으로 아기자기하면서도 개성 있는 제품을 선보인 이랜드 '버터BUTTER'의 경우 2016년 9월 매출액이 전년 동기 대비 176% 증가했다고 밝혔다.[21] 신세계의 라이프스타일숍인 '자주JAJU' 또한 매출액이 2016년 상반기에 466억 원에 달하는 매출신장을 기록했다. 신발 멀티숍이던 'ABC마트'도 라이프스타일숍인 '그랜드스테이지'를 론칭하며 카테고리를 넓히고 있다.[22] 유통업체들의 불황에도 불구하고 라이프스타일숍은 높은 성장세를 보이고 있어 많은 브랜드들이 기존의 전문 매장형태에서 체험형, 전시형 공간으로 전환하고 있는 추세다. 단순히 제품을 파는 매장에서 소비자들이 즐기고 느낄 수 있는 라이프스타일을 파는 매장으로 변하고 있는 것이다.

앞으로 빅데이터의 활용이 더욱 무궁무진해질 것으로 보여 취향 공동체를 향한 시장의 러브콜도 보다 공격적으로 변할 것이다. 취향의 시대에 소비자의 성별, 나이, 경제력 등의 구분은 무력하다. 이제 기존의 대량생산되던 시장에서 벗어나 개개인의 취향에 맞춘 니치마켓을 더 정확하게 찾을 수 있게 될 것이다. 또한 취향 공동체는 수요중심시장의 **컨슈머토피아**(『트렌드 코리아 2017』 소비자가 만드는 **수요중심시장** 키워드 참조)로 진화해 본격적으로 시장이란 무대에서 스포트라이트를 받게 될 전망이다. 개성이 곧 명품이며 유행을 따르기보다는 나만의 아이덴티티를 살리는 것이 더 중요한 이 작은 거인들의 행보를 더욱 주목해야 하는 이유다.

CHICKEN RUN

CHICKEN RUN

CHICKEN RUN

CHICKEN RUN

CHICKEN RUN

B+

2

2017년
소비트렌드
전망

CHICKEN RUN

2017년의
전반적 전망

2016년은 녹록지 않았다. 먼저 '역대급'으로 불릴 만한 재난으로 나라 곳곳이 홍역을 치렀다. 기상 관측 이래 가장 높았던 8월 평균 기온의 폭염, 역대 최대 규모의 지진 그리고 많은 인명 피해를 낸 태풍 차바까지⋯⋯. 하지만 2016년 지속적으로 가라앉고 있는 경제에 비하면 자연재해는 견딜 만한 것이었는지도 모른다. 연초에는 팽창적 통화정책과 재정정책, 개별소비세 인하 등 정책당국의 경기부양책에 힘입어 미약하지만 회복세가 감지되는가 싶더니, 하반기에 접어들면서 정부의 경기부양책은 한계에 다다르고 수출도 급격히 감소했다.

2017년 역시 비관적인 요인들이 더 두드러져 보인다. 미국 대선 이후 금리인상 가능성, 유럽 경제의 불안정성 지속, 이웃나라를 황폐하게 만드는 일본의 환율정책, 중국의 부동산 및 부채문제의 버블 붕괴 가능성 등, 대외적 위기 요인이 상존하고 있는 가운데, 대내적으로도 부정청탁법의 시행, 기업구조조정 등 여러 악재들이 이어지고 있기 때문이다. 더욱이 내년은 우리나라의 15~64세 생산가능인구가 감소로 돌아서는 첫 해다. 특히 30~40대 주력 생산인구가 1% 이상 줄어들면서, 생산과 소비 활력을 약화시키는 구조적인 변화를 맞게 될 것으로 보인다. 특히 2017년에는 12월에 대선을 치르게 된다. 단지 대통령을 뽑는 이벤트에 지나지 않고, 헌법을 개정하고 기성정치의 지형이 바뀌는 등의 근본적인 변화의 가능성도 있다. 이러한 정치적 리스크들이 경제에 어떤 영향을 주게 될지가 초미의 관심사다.

물론 소비활성화를 위해 내수 파급효과가 큰 서비스산업 육성 노력을 지속하는 등 정부의 다양한 정책적 노력이 펼쳐지겠지만, 구조적 개혁이 따르지 않는 미봉적인 이벤트성 정책들이 얼마나 효과를 가질 수 있을지는 미지수다. 이전에 '코리아 블랙 프라이데이'나 '코리아 세일 페스타', '자동차 개별소비세 인하' 등 정부의 소비 진작 정책들이 반짝 효과에 그칠 뿐, 시간이 지나면 민간소비가 다시 하락세로 돌아서곤 했기 때문이다.

쉽지 않은 2017년을 맞고 있다. 대외적 불확실성과 함께 정치리스크, 안보리스크, 그리고 생산성 저하를 견뎌야 할 2017년은 어떤 형태로 전개될 것인가? 경제전반·나라살림·IT기술·사회문화적 동향을 중심으로 간략히 전망해본다.

2017 경제 전망

—

2017년 세계경제는 2016년의 3.1%보다 높은 3.4%의 성장률이 예상된다. 하지만 그 개별적인 방향은 권역별로 차이를 보인다. 미국의 경우에는 민간 소비가 살아나면서 완만한 성장세가 예상된다. 하지만 미국경제의 회복은 금리인상으로 이어지고 이는 다시 세계 투자자금의 회수로 귀결될 가능성이 높기 때문에, 마냥 반가운 소식만은 아니다. 유럽은 브렉시트, 즉 영국의 EU탈퇴 이슈와 독일 도이체방크의 천문학적 과징금 수습이 가장 큰 변수다. 난민 처리를 둘러싼 유럽연합 각국의 복잡한 속사정과 정치적 리스크가 복합적으로 맞물려 돌아가면서 기업투자 및 민간소비를 제약함에 따라 성장세가 둔화될 것으로 예측된다.

일본 역시 엔화 강세, 경기 부양 여력 제한으로 당분간 부진한 흐름을 이어나갈 것이라는 전망이 많다. 아베 정부는 지속적으로 엔화 약세를 유도하는 정책을 펴왔는데 엔화의 환율 동향이 일본과 수출 경쟁을 벌여야 하는 우리나라 수출기업들에게 큰 불확실성으로 작용할 것으로 보인다.

중국은 투자보다는 소비, 수출보다는 내수 위주의 경제 재구조화로 변화를 시도하고 있는 가운데, 경제성장률 둔화와 부동산과 부채 문제 등에 시달리며 전반적으로 불안한 모습을 보일 것이라는 전망이 많다. 신흥국은 유가하락이 진정되면서 어느 정도의 회복이 가능할 것으로 보이지만, 역시 각 나라별로 상당한 차이를 나타낼 것으로 예상된다. 참고로 국제유가는 서부텍사스 원유 기준 연간 배럴당 평균 51.8달러로, 원유 공급 과잉이 완화되면서 완만한 상승세를 지속할 것으로 전문가들은 보고 있다.

우리나라는 2016년 전반적인 수출부진 속에서도, 주택 경기 호조로 건설투자가 크게 늘어난 가운데 저유가에 따른 실질구매력 증대가 어느 정도 내수경기를 뒷받침했다. 하지만 하반기에 들어 이러한 영향력이 약해지면서 국내경제의 성장활력이 뚜렷하게 꺾이는 모습이다. 이러한 기조는 2017년에도 계속될 것으로 예상된다. 대출과 지원으로 연명하고 있는 이른바 '좀비기업'에 대한 구조조정과 대기업의 수출부진에 따른 2·3차 협력 중소기업의 매출 감소, 그리고 '부정청탁금지법'에 따른 내수 감소 등이 2017년 경기의 불확실성을 높이는 요인이다.

특히 2017년에는 세계 각국이 국수주의적 보호무역으로 회귀할 것이 우려되는 해다. 이에 따른 교역 위축은 우리 중간재 및 자본재 수출에 부정적 영향을 미칠 것으로 우려된다. 미국·유럽 등 선진국뿐만 아니라 중국과 신흥국에서도 무역제재가 확산되면서 수출기업의 어려움이 확대될 전망이다. 하지만 국제 경제의 완만한 성장이 예측되는 점에 미루어, 수출 회복에 대한 기대감을 완전히 저버리기에는 아직 이르다. 내수경기 역시 2016년보다 성장세가 높아질 것이라고 장담하기 어렵다. 2016년에는 주택부문을 중심으로 건설투자가 급증하면서 성장을 이끌어왔지만, 이러한 힘이 내년에 크게 약화될 요인이 많기 때문이다. 기존에 분양된 물량은 건설이 이루어지겠지만 공급과잉 우려로 신규분양이 줄면서 건설투자 증가세가 빠르게 낮아질 것으로 예상된다. 더욱 중요한 변수는 미국의 금리인상에 따

(전년 동기 대비)

기관 \ 경제 부문	한국은행	한국개발연구원	LG경제연구원	현대경제연구원	국회예산 정책처
경제성장률(%)	2.8	2.7	2.2	2.6	2.7
원/달러 환율(원)	-	-	1,130	-	1,155
민간 소비지출(%)	2.2	2.3	-	2.0	2.2
소비자물가(%)	1.9	1.7	1.4	1.4	1.0
실업률(%)	3.8	3.7	3.7	3.9	3.7
경상수지(억 달러)	800	1,019	892	890	890
무역수지(억 달러) 총수출(%) 총수입(%)	2.5 2.1	2.7 3.2	-	880 3.8 7.0	2.2 2.0

자료: 각 기관 자료 취합

른 국내 대출금리의 동향이다.

이러한 배경에서 국내외 경제 전문기관들은 한국의 2017년 경제 성장률을 2% 중반대로 예측하고 있다. 3년 연속 2%대의 저성장이 지속되는 답답한 흐름이 나타날 가능성을 전망하는 쪽으로 의견이 모이고 있다.[1] 실로 녹록하지 않은 2017년이다. 현실화된 장기 저성장과 인구절벽 시대에, 미봉적인 이벤트나 대중적 인기에 영합하는 정책보다는 국가의 장기적인 발전을 위한 전략이 절실하다.

2017 나라 살림

기획재정부가 발표한 2017년 예산안에 따르면 우리나라 2017년 총수입은 414조 5,000억 원으로 전년 대비 6% 증가했으며, 총지출은 400조 7,000억 원으로 전년 대비 3.7% 증가했다. 2017년 예산안의 기본방향은 ① 대내외 여건 및 경제 사회구조 변화에 적극대응 ② 일자리 창출과 경제 활력 제고 등을 위해 중점투자 ③ 지속 가능한 재정운용 기반 마련하는 것을 내세웠다.

12개 분야 가운데 보건·복지·노동 등 9개 분야 예산이 증가했다. 증가율이 전체 예산(3.7%)보다 높은 분야는 보건·복지·노동(5.3%), 일반·지방행정(7.4%), 교육(6.1%), 문화(6.9%) 등이다. 산업, 외교 및 통일보다는 복지와 경제적 안정 및 미래 먹거리 산업 육성에 집중하고 있는 점이 눈에 띈다.

2017년 가장 중점을 두고 투자할 분야 중 하나는 바로 청년의 미래를 위한 일자리 창출 분야다. 일자리 예산은 고용서비스 등 성과 높은 사업 중심으로 10.7% 확대하되, KDI 심층평가 결과를 토대로 효율화도 병행하기로 했다. 특히 게임·VR·사물인터넷 기술 개발 등 유망산업 일자리를 확대하고, 창업성공패키지와 대학창업펀드를 신규 도입하고 창업선도대학 확대를 통해 청년창업을 촉진하는 것 역시 목표로 한다.

새로운 미래성장동력 창출 분야 예산도 대폭 확대되었다. 범부처 합동 수행이 필요한 9개 R&D 프로젝트에 300억 원 이상을 투입하여 미래 국가전략 기술을 확보하는 것을 목표로 잡았다. 신성장·고부가가치 창출을 위해 지역전략 산업에 집중 투자하고, 스마트공장을 확산시키며, 고위험 신약개발 R&D 투자를 확대한다는 내용이다. 또한 연료전지 등 청정에너지 분야 지원을 강화하고 농수산업 6차

산업화 촉진을 통한 부가가치 창출에 적극 나선다.

저출산 극복·맞춤형 복지를 통해 사회구조 변화에 적극 대응하기 위한 예산도 늘어난다. 저출산 극복 지원을 위해 신혼부부·청년 맞춤형 행복주택 공급을 확대하고, 매입임대아파트도 지원한다. 난임 시술비 지원 소득상한을 폐지하고 저소득계층에 대한 지원 수준 및 횟수를 상향 조정하는 한편 맞벌이 가정을 위해 아이돌봄, 영아종일제 지원연령을 만 2세 이하로 상향하고 중소기업 직장 어린이집 설치 지원도 늘리기로 했다. 생애주기·수혜 대상별 맞춤형 복지 확대에는 무주택 서민을 위한 공공임대주택을 지속 공급하고 중산층이 장기간 안정적으로 거주 가능한 뉴스테이를 확대한다.

기획재정부 2016년 예산안 분야별 재원 배분

단위: 조 원

구분	2016년 (A)	2017년 (B)	증감 (B-A)	증감 (%)
총수입	391.2	414.5	23.3	6.0
예산	250.1	267.9	17.8	7.1
(국제수입)	222.9	241.8	18.8	8.4
기금	141.1	146.6	5.5	3.9
총지출	386.4	400.7	14.3	3.7
예산	263.9	273.4	9.4	3.6
기금	122.5	127.3	4.8	4.0

출처: 2017년 예산안

2017 IT 기술 전망

가트너 심포지움/IT엑스포에서 발표된 가트너의 2017년 전략 기술 트렌드에 따르면, 2017년 IT 기술의 키워드는 '지능형Intelligent', '디지털Digital', '그물망Mesh'이다. 가트너는 각각의 단어에 기반하여 3가지 범주로 2017년 기술 전략 트렌드를 구분했다.

가트너 2017 IT 기술 10대 트렌드

구분		10대 트렌드
지능형 (Intelligent)	1	인공 지능과 고급 머신 러닝 (Artificial Intelligence and Advanced Machine Learning)
	2	지능형 앱 (Intelligent App)
	3	지능형 사물 (Intelligent Things)
디지털 (Digital)	4	증강·가상 현실 (Augmented and Virtual Reality)
	5	디지털 트윈 (Digital Twin)
	6	블록체인과 분산 장부 (Blockchain and Distributed Ledgers)
그물망(Mesh)	7	대화형 시스템 (Conversational System)
	8	메시 앱 및 서비스 아키텍처 (MASA, Mesh App and Service Architecture)
	9	디지털 기술 플랫폼 (Digital Technology Platform)
	10	능동형 보안 아키텍처 (Adaptive Security Architecture)

출처: 가트너 발표 참조

지능형 영역에서 3가지 트렌드는 인공 지능과 고급 머신 러닝, 지능형 앱, 그리고 지능형 사물이다. 먼저 인공 지능AI과 고급 머신 러닝ML은 딥 러닝deep learning, 신경망, 자연어 처리 등 다양한 기술 및 기법 등을 말한다. 이외에도 알고리즘을 기반하지 않고 스스로 이해, 학습, 예측 및 적응하는 모든 자율 시스템이 이에 해당된다. 다음으로 가상 개인 비서와 같은 지능형 앱으로 인해 사용자들은 일상적인 업무를 이전보다 훨씬 쉽게 처리할 수 있게 된다. 지능형 사물은 응용 AI와 머신 러닝을 통해 고급 기능을 수행하고, 주변 환경이나 사람들과 보다 자연스럽게 소통하는 물리적 사물들을 말한다. 가트너는 드론, 자율 주행차, 스마트 기기와 같은 지능형 사물이 점차 확산되면서 개별 지능형 사물에서 협업 지능형 사물 모델로 전환될 것이라고 전망한다.

디지털 영역에서는 증강·가상 현실, 디지털 트윈, 블록체인과 분산 장부를 각각 2017년 기술로 전망했다. 특히 증강·가상 현실과 같은 몰입형 콘텐츠와 애플리케이션은 2021년까지 폭발적으로 성장할 것으로 예측된다. VR과 AR가 디지털 메쉬와 결합되어, 초개인화된hyper-personalized 앱이나 서비스 형태로 정보의 흐름을 조정하는 시스템들이 구축될 것으로 보인다. 동적 소프트웨어 모델인 디지털 트윈은 센서 데이터를 통해 제품의 현재 상태를 파악하고 변화에 대응하여, 상황을 개선하거나 보다 높은 가치를 창출하는 개념이다. 현실 세계에 존재하는 사물의 '디지털 쌍둥이'를 만들어 유지 및 보수를 하는 것으로 가상현실이 현실에서 그대로 구현되는 기술이다. 블록체인은 공공 거래 장부라고도 부르며 가상 화폐로 거래할 때 발생할 수 있는 해킹을 막는 기술이다. 블록체인과 분산 장부 개념은 업계의 경영 모델을 변화시킬 수 있다는 가능성을 보여준다는 점에서 주목을 받고 있다.

그물망Mesh 영역에서는 대화형 시스템, 메쉬 앱 및 서비스 아키텍처, 디지털 기술 플랫폼, 능동형 보안 아키텍처가 해당된다. 먼저 현재 스피커, 스마트폰, 태블릿, PC, 자동차 등에 탑재된 챗봇chatbot과 음성 지원 기기 수준에 있는 대화형 시스템은 디지털 메쉬를 통해 우리의 일상에서 매일 상호 작용하는 범위로 확대될 것이다. 다음으로 메쉬 앱 및 서비스 아키텍처는 웹, 앱, 데스크탑, IoT 앱을 함께 엮은 것인데, 그 어떤 채널을 통해서든 사용자가 지속적인 경험을 할 수 있게 한다. 디지털 기술 플랫폼은 디지털 비즈니스를 실현하기 위한 핵심 기술이다. 가트너는 디지털 비즈니스의 새로운 역량을 개발하기 위해 필수적인 5가지 핵심 요소로 정보 시스템, 고객 경험, 분석 및 인텔리전스, IoT, 비즈니스 생태계를 주목한다. 한편 IoT 플랫폼에서 특히 사용자를 모니터링하는 것에 대한 요구가 증대되면서, 관련 보안 기술 및 능동형 보안 아키텍처에 대한 니즈도 확대될 것이다.

2017 제도·문화·생활

2017년은 주지하는 바와 같이 19대 대통령 선거가 있는 해다. 대통령 선거를 앞두고 대한민국 운영의 큰 방향에 대한 격론이 예상된다.

특히 '1987년 체제'를 닫고 새로운 시대를 준비할 수 있는 헌법을 개정할 것인가, 또 개정한다면 어떤 방향으로 개정할 것인가에 대한 논의가 본격화될 것이다. 크고 작은 스캔들이나 정쟁政爭부터 세금 인상이나 헌법 개정에 이르기까지 폭넓은 논쟁이, 정당은 물론이고 언론·정부·사회단체·학계 등에서 격렬하게 이뤄질 것으로 예상된다.

주목할 만한 제도적 변화는 주민등록법 규정 개정이다. 주민번호 유출로 인해 생명, 신체상 위해를 입거나 입을 우려가 있다고 인정되는 경우, 재산상 중대한 피해를 입을 우려가 있다고 인정되는 국민에 대해 주민번호 변경 청구가 가능하게 된다. 이는 프라이버시 및 개인정보에 대한 안전성을 위한 진일보적인 제도라는 점에서 의미가 있다. 또한 경주 지진 이후 원전의 안전성에 대한 근심이 늘어난 가운데, 내년엔 고리원전 1호기 가동이 영구 중단된다. 정부가 고리 1호기 원전가동을 중단하는 가장 큰 이유는 역시 안전성 때문이다. 전기 수급과 관련하여 신규 원전에 대한 논란도 뜨겁게 달아오를 수 있다. 경주에서 발생한 지진 여파로 더 이상의 신규 원전 건설은 억제해야 한다는 의견이 강력하게 대두되었기 때문이다.

대중문화에서는 한류를 겨냥하여 사전제작 및 판권 예약을 미리하는 방식으로 제작되는 드라마가 더욱 많아질 것으로 보인다. 성공 여부가 불확실하지만, 중국에서 사전 심의를 받고 동시 방송을 할수 있다는 장점을 기대하기 때문이다. 일단 1월 방영 예정인 SBS〈사임당, 빛의 일기〉가 눈길을 끈다. 조선시대 사임당 신씨의 삶을 재해석해 그의 예술혼과 불멸의 사랑을 그린 드라마다. 그 외에도 판타지 청춘 사극인 KBS〈마이온니러브송〉, SBS 로맨스 드라마인〈조선

엽기연애사〉등이 모두 사전제작을 목표로 추진 중이다. 장르별로는 2015년부터 꾸준히 흥행을 이어온 판타지 요소가 내년에도 이어질 전망이다. tvN이 〈내일 그대와〉(시간여행자), 〈도깨비〉(도깨비와 저승사자가 이승을 떠나는 망자들을 배웅하는 이야기), 〈하백의 신부 2017〉(신과 인간의 사랑) 등을 준비하고 있고, SBS의 〈푸른 바다의 전설〉(어우야담의 인어 이야기를 모티브로 한 판타지 로맨스)가 방송을 기다리고 있다. 경제가 어렵고 사회는 갈등할 때, 사람들은 비현실적인 오락거리를 찾아 위안을 찾는 모양새다.

2017년에는 전반적으로 자연에서 오는 밝고 비비드vivid한 느낌을 드러내는 컬러가 유행할 것으로 전망된다. 세계적인 색채 회사인 팬톤에서 뉴욕 패션위크를 분석해 발표한 2017년 봄 트렌드 컬러를 살펴보면 아일랜드 파라다이스Island Paradise, 패일 도그우드Pale Dogwood, 헤이즐넛Hazelnut, 나이아가라Niagara 등 자연계열 색채들이 두드러졌다.

여가 분야에서는 멀리 나가지 않고도 집이나 주변에서 휴식을 취하거나 도심에서 여유로운 시간을 보내는 것과 같은 '도심형 휴양'이 계속 관심을 끌 것으로 예상된다. 아파트 단지 내 실내체육관, 산책로, 오솔길 등을 설계하거나 온 가족이 시간을 보낼 수 있는 스트리트 몰, 라이프스타일 센터형 상가도 늘어날 것으로 예상된다. 도심 속에서 특급 호텔 패키지를 이용하여 휴가를 보내는 호캉스족도 증가하는 추세다. 또한 집에서 운동하는 홈피트니스족도 늘어갈 것으로 예측된다. 홈피트니스족의 등장과 확대는 이들을 지원하는 서비스도 성장이 예상되는데, 특히 사물인터넷과 연계한 서비스에 대한 수요가 높아질 것이다. 외식산업에서는 해외 유명 맛집 브랜드들이 국내 진출을 시도하며 붐을 이룰 것으로 보인다. 사라베스·메그놀리아·셰이크쉑버거 등이 이미 입점하여 화제를 불러일으킨 가운데, 미국의 유명 햄버거 체인 브랜드 인앤아웃버거가 진출을 준비하고 있다. 이들은 단순히 인기 메뉴를 소개하는 차원을 넘어, 소비자들이 이 맛집 브랜드를 통해 국내에서도 해외 경험을 느끼게 하는 것을 하나의 전략으로 취한다. 이에 해외 경험이 많은 소비자들이 입소문을 선도할 것으로 보인다.

· · ·

2017년 나라 안팎의 상황이 만만치 않다. 서문에서 묘사한 대로 대한민국 경제의 사방이 철조망 울타리로 꽁꽁 둘러싸인 형국이다. 그 울타리를 뛰어넘어 날아오를 염원과 전략을 담은 2017년 10대 소비 트렌드 키워드 Chicken Run. 그 구체적인 내용이 무엇인지 차근차근 살펴보자.

C'mon, YOLO!

지금 이 순간, '욜로 라이프'

오늘보다 장밋빛 내일을 기대하던 고성장기가 막을 내리고, 디플레이션 시대로 이행하면서 욜로라는 신조어가 새로운 트렌드로 급부상하고 있다. '욜로YOLO'는 'You Only Live Once'라는 문장을 줄인 약자, 즉 '한 번뿐인 인생'이란 뜻이다. '카르페 디엠Carpe Diem'이 삶의 태도라면, 욜로는 소비적 라이프스타일의 구체적 실천이다. 자기지향적이고 현재지향적인 욜로 소비 스타일을 따라, 미리미리 계획하는 대신 그때그때 혜택을 부여하는 타임커머스 산업, 소셜 액티비티 플랫폼, 콘텐츠 크리에이터가 성장하고 있다. 새로운 마케팅은 삶의 가치를 되돌아보고 재정립할 수 있는 체험 중심으로 진화될 필요가 있다. 2017년 욜로는 "노세 노세 젊어서 노세"나 "사고 싶은 물건 지금 사세요"와 같은 단순히 충동적인 의미가 아니라 후회 없이 즐기고 사랑하고 배우라는 삶의 철학이자 본인의 이상향을 향한 실천을 중시하는 트렌드다. 무한 경쟁의 시대에서 미래를 향한 기대를 접은 현대인들이 부르짖는 절망의 외침인 동시에, 지금 이 순간을 사랑하려는 긍정적인 에너지를 담은 희망의 주문이기도 하다.

오늘 단 하루만 살 수 있다면, 오늘이 생의 마지막 날이라면, 그때에도 오늘과 같은 일상을 보낼까? 아마도 많은 사람들이 삶의 우선순위를 바꿀 것이다.

"욜로(YOLO, You Only Live Once)!"

욜로(YOLO)는 You Only Live Once라는 문장을 줄인 약자, 즉 '한 번뿐인 인생'이란 뜻이다. 당장 지구의 종말이 오는 것은 아니지만, 인생은 한 번뿐이니 오늘을 살자는 외침이 여기저기서 자주 들린다. 미국 대통령 버락 오바마가 2016년 2월 건강보험 개혁안인 '오바마케어'의 가입을 독려하기 위해 만든 2분짜리 영상에 이 단어가 등장한다. 정책을 알리기 위해 대통령이 스스로 셀카봉을 들고 코믹한 표정을 지으며 희희낙락하는 모습을 연출하다가 마지막에 오바마는 'Yolo Man'이라고 말하며 웃는다. 정책홍보라는 진중한 역할을 유쾌하게 풀어낸 이 영상에서 욜로는 한 번뿐인 당신의 인생에 꼭 필요한 정책이라는 의미를 전달하고 있다. 이후 미국에서 '욜로'라는 말이 다시 한 번 화제로 떠올랐다.

원래 욜로라는 용어는 미국에서 생겨난 신조어다. 주로 대화 중 주제를 전환할 때 던지는 말이었는데, 2011년 인기 래퍼 드레이크의

◀ 오바마는 '오바마케어'를 독려하기 위해 만든 영상에서 코믹한 표정으로 'Yolo Man(단 한 번 사는 인생)'을 외친다.

노래에 등장하며 "인생은 한 번뿐이니 작은 일에 연연하지 말고 후회 없이 즐기며 사랑하고 배우라"는 의미가 재조명되면서 젊은층이 즐겨 쓰는 유행어가 되었다. 우리나라에서 이 표현이 회자되기 시작한 것은 매 시즌마다 큰 인기를 끌고 있는 tvN 여행 리얼리티 프로그램 〈꽃보다 청춘〉의 아프리카 편에서였다. 아프리카 여행 중에 주인공인 청춘 4인방이 혼자 캠핑카를 끌고 여행 중인 한 금발의 여성을 만났는데, 혼자서 아프리카를 여행하다니 대단하다고 류준열이 칭찬했더니, 그 외국인 여성이 "Yolo!"라고 화답했다.

배우 류준열은 이 메시지를 소개하며 "여행을 통해 이렇게 또 하나 배우게 됐다"라며 감탄했다. 여행 중 우연히 만난 사람에게서 예상치 못한 기쁨과 깨달음을 얻어가는 청춘 여행의 묘미가 욜로라는 메시지와 만나 제대로 빛을 발했던 것이다. 이내 이 표현이 시청자들에게 잔잔한 감동을 선사하며 빠른 속도로 전파됐다.

실제로 외국여행 백패커들이 주로 모이는 게스트하우스에는 '헬로hello'나 '굿럭good luck' 대신 '욜로'라는 인사가 유행하고 있다. 백패킹 여행은 본인 몸통만 한 짐을 짊어지고, 야영을 하거나 비교적 저렴한 게스트하우스를 전전하는 고된 여행이다. 하지만 몰골은 초췌할지언정 누구보다 밝은 표정으로 떠돌이 여행을 자처한 이들이다. 슬로 트래블이 여행의 트렌드가 되면서 자연을 느끼고 몸은 고되지만 정신적 행복을 추구하는 백패커가 늘면서 한 번뿐인 인생을 강조하는 욜로 메시지가 트렌드가 되고 있다.

홀로 사막을 여행하던 여성이 건넨 욜로, 미국 대통령이 국민들에게 건넨 욜로, 그리고 지금 대한민국 소비자들에게 회자되고 있는 욜로……. 그 상황과 의도는 다르지만 '단 한 번뿐인 삶'이라는 단순하고 명쾌한 가치는 동일하다. 뫼비우스의 띠 같은 무한 경쟁이라는 녹록지 않은 현실에 갇힌 현대인에게 욜로는 지금 이 순간을 사랑하라는 긍정적인 에너지와 희망을 불어넣는 주문이 되고 있다.

욜로는 지극히 감각적이고 현재지향적인 소비로 나타난다. "현재를 즐기라"는 의미의 카르페 디엠Carpe Diem이 하나의 삶의 태도에 대한 격언이라면, 욜로는 그러한 현재 지향성의 라이프스타일 버전인 셈이다. 2017년 한국 시장에서 관찰되는 욜로는 '노세 노세 젊어서 노세'나 '사고 싶은 물건 지금 사세요'와 같은 단순히 충동적인 의미가 아니라 후회 없이 즐기고 사랑하고 배우라는 삶의 철학이자 현실을 직시하는 소비와 문화의 트렌드로 폭넓게 퍼져나가고 있다.

높은 이자와 물가상승률을 경험했던 고성장기가 막을 내리고, 저금리·저성장·저물가가 일상이 되는 디플레이션 시대의 새로운 소비풍속도, 욜로. 2017년 대한민국은 이 짧은 한 단어에 어떤 라이프스타일로 화답하게 될까? 더 효율적으로 소비하고 누리기 위해 고군분투하던 현대인들의 마음을 느리지만 강하게 움직이고 있는 이 아날로그적인 가치가 불러일으킬 변화를 하나씩 전망해본다.

충동구매가 아니라 삶을 바꾸는 경험
—

이제까지 우리는 내일만 보고 살았다. 어떤 불이익이 발생할까 봐, 더 힘들까 봐, 좋지 않은 소리를 들을까 봐, 후회할까 봐 등 사람들은 아직 일어나지 않은 일들을 미리 걱정하며 엄격한 사회적 규준에 자신을 맞추려 했다. 하지만 내일만 바라보며 살던 사람들이 바뀌고 있다. 오늘을 마지막으로 사는 영화 속 주인공처럼 순간순간에 충실한 소비를 지향하기 시작한다. 욜로는 변화보다는 안주를, 도전보다는 안정을 택하는 사람들에게 경종을 울리며 소비 습관마저 바꾸고 있다. 참는 것을 미덕으로 여기고 살던 소비자들이 순간순간을 즐기고 도전하기 위해 더 단순하고 명쾌한 가치를 쫓는 소비에 나선 것이다. 그렇다면 욜로 라이프스타일은 어떤 모습을 띠고 있을까?

전세금을 빼서 세계여행… 특별한 가치를 추구하는 욜로족

먼저 짚어야 할 점은 욜로 소비가 충동구매와는 다르다는 것이다. 첫째, 욜로 소비는 물질적인 것보다는 비물질적인 소비와 관련된다. 하고 싶은 욕구는 있었지만 '잉여'라고 느껴지던 죄책감에 과감하게 반기를 들고, 직접 해보는 것이다. 보통 여행이나 학습이 주요 콘텐츠를 이루고, 획일화된 라이프스타일을 탈피하는 움직임이 소비로 나타난다는 특징이 있다. 둘째, 욜로 소비는 충동 소비보다 목적성이 강하다. 단순히 물욕을 채우거나 스트레스를 해소하는 것이 아닌 본인의 이상향을 향한 실천이기 때문이다. 내 인생은 나의 것, 나의 인생을 돌아보며 참고 넘기던 많은 것들을 재발견하는 욜로 라이프에는 잊고 있던 꿈이 대상이 된다. 이 때문에 욜로족들은 위시리스트가 아닌 버킷리스트의 목록을 지워나간다. 셋째, 욜로 소비는 가치관과 라이프스타일의 변화를 동반한다. 성, 세대, 신분의 역할에 맞추어 정해진 라이프스타일에 순응하며 살아가던 사람들이 일탈을 감행하

▲
▲
▲

마치 오늘만 살 것처럼 순간순간에 충실한 소비를 지향하는 사람들.
욜로는 변화보다는 안주를, 도전보다는 안정을 택하는 사람들에게 경종을
울리며 소비 습관마저 바꾸고 있다. 참는 것을 미덕으로 여기고 살던 소비자들이
순간순간을 즐기고 도전하며, 단순하고 명쾌한 가치를 쫓는
소비에 나서고 있다.

고, 과감히 탈출하여 새 출발을 하기도 한다. 예컨대 충동 소비로 물건 하나 샀다고 삶이 달라지진 않지만 전세금을 빼서 세계여행을 가는 건 라이프스타일을 완전히 바꿔놓는 결과를 초래하는 것이다.

새로운 삶의 가치를 추구하는 욜로 소비의 대표유형은 단연 여행이다. 그저 로망일 뿐이던 세계일주에 뛰어드는 사람도 늘고 있다. 마음은 굴뚝같지만 구체적인 방법과 절차를 몰라 망설이는 일반인들을 대상으로 세계일주에 관한 노하우를 알려주는 학교도 생겼다. 'DS세계일주학교'는 덕성여자대학교 평생교육원이 세계를 여행하는 여행 작가들과 손잡고 세계일주라는 큰 꿈을 꾸는 이들을 겨냥해 개설한 프로그램이다. 선배 여행자의 경험과 지혜를 교훈 삼아 나만의 일주를 준비하려는 사람들에게 유용한 인큐베이터 역할을 하고 있다. 어렵게 일군 안정된 일상을 포기해야 하지만 욜로족에게는 그 또한 삶의 가치를 되새기는 멋진 경험이 된다. 마을버스로 세계일주를 떠난 여행 작가, 수능 대신 세계일주를 택한 청년, 무기항nonstop 요트 세계일주에 성공한 탐험가 등 국내에도 다양한 계층의 사람들이 세계일주의 꿈을 달성했다.

무작정 속초로, 포켓몬GO와 나만의 맞춤카드 'YOLO'오세요!

위치기반 증강현실 모바일 게임 '포켓몬GO'가 전 세계를 떠들썩하게 만들었던 2016년 여름, 한국에서는 즐길 수 없는 포켓몬GO 게임이 강원도 속초에서만 가능하다는 속보가 떴다. 그저 게임을 즐기기 위해 하던 일을 내팽개치고 무작정 속초행 버스에 오르는 이들이 많았다. 이런 욜로족을 위해 소셜 액티비티 플랫폼 '프립'은 속초로 가

는 '당일치기 포켓몬 사냥 버스'를 상품으로 내놓았고, 이 4만 원짜리 여행 상품은 개시 1시간 만에 매진되며 선풍적인 인기를 끌었다. 이처럼 새로운 사람들과 연결되어 함께 특별한 활동을 경험할 수 있는 기회를 제공하는 소셜 액티비티 서비스가 보편화되고 있다. 등산이나 캠핑과 같은 레저뿐 아니라 실내 암벽등반·서핑·패러글라이딩·카누 등 쉽게 접하기 힘든 레포츠 활동까지 쉽게 참여할 수 있게 되면서 도전과 실천에 주저하던 소비자의 몸과 마음을 일으키고 있다.

신한카드는 이러한 욜로족의 라이프스타일을 반영한 맞춤카드 브랜드 욜로YOLO를 론칭하고 첫 카드 'YOLO i(욜로 아이)'를 선보였다. "나의 맞춤카드를 원하신다면, 'YOLO' 오세요"처럼 광고 문구에도 욜로를 강조한 이 카드는 할인율과 혜택을 스스로 디자인할 수 있는 DIY카드다. 보통 카드는 기존에 혜택이 정해져 있어 고객들이 본인에 적합한 카드를 고르는 것이 일반적인 데 반해 자신이 원하는 혜택과 할인율을 구매빈도가 높은 업종별로 선택할 수 있는 고객 맞춤형 카드로 기획되었다. 카드 디자인도 기본 디자인과 신진 작가 5종의 디자인 중 고객이 선택할 수 있도록 했다.[1] 게스트 하우스 간판에서나 볼 수 있었던 욜로라는 단어가 이제는 신용카드의 타이틀이 될 만큼 현재를 즐기라는 메시지가 시장에서도 힘을 발휘하고 있다.

'미리미리' 대신 '그때그때'

마감 임박! 나만의 굿 타이밍, 타임커머스 앱

욜로족의 가장 큰 특징은 그 누구보다도 자신의 현재적인 욕구에 충실하다는 점이다. 계획적인 소비보다는 그때그때의 욕구와 관련된 소비활동을 더 선호한다. 그러다 보니 욜로족은 미리미리 계획해 두지 않아도 혜택을 누릴 수 있는 타임커머스 산업과 찰떡궁합을 이룬다. 통상적으로 미리 구매해야 저렴하다고 생각하기 십상인데 타임커머스는 반대로 마감시간이 임박할수록 가격이 싸진다.

데일리호텔, 세일투나잇, 플레이윙즈와 같이 항공권·호텔·공연 티켓 등 마감시한에 따라 가격이 저렴해지는 **타임커머스** 앱들이 인기를 끌고 있다. 온라인 쇼핑몰 G마켓의 경우 2016년 6월 한 달 땡처리 항공권 판매가 직전 해와 비교해 5배 급증했다. 2013년 처음으로 등장해 최근 큰 인기를 끌고 있는 타임커머스 호텔 앱

타임커머스 Time Commerce
유통기한이 얼마 남지 않은 상품을 시간이 임박할수록 저렴하게 판매하는 방식을 말한다. 마트 마감 직전에 진행되는 마감세일과 비슷한 마케팅 기법으로 오프라인을 넘어 온라인 앱을 통해 마감 임박 제품을 알뜰하게 소비하는 새로운 소비패턴이 생겨났다. IT기술의 발달로 생산자와 소비자를 손쉽게 이어주는 O2O Online to Offline 서비스가 활성화되면서 타임커머스 앱이 시장을 키우는 플랫폼 역할을 하고 있다.

의 거래액은 2015년 업계추정 1,000억 원을 넘어섰다.[2] 이처럼 수요와 공급을 손쉽게 이어주는 O2O서비스가 활성화되고 있기 때문에 순간의 욕구와 구미에 맞는 소비를 쫓는 욜로족을 겨냥한 즉흥적인 서비스가 더욱 다양하게 등장할 전망이다.

나이는 숫자에 불과… 제2의 인생, 순간을 즐기다

욜로 라이프가 젊은 소비자들의 전유물은 아니다. 욜로 라이프에서 나이는 숫자에 불과할 뿐이다. 이제 고령 소비자들의 가치관도 서서히 바뀌고 있다. 황혼 이혼과 황혼 재혼의 증가가 대표적이다. 늦었다고 포기하기보다는 지금이라도 인생을 리셋하고 싶은 노년층의 움직임이 두드러지고 있다. 이혼에 대한 인식이 바뀌면서 제2의 인생을 살기 위한 선택이 재혼으로 이어지는 것으로 해석되는데, 통계청이 발표한 '2016년 고령자통계'에 따르면 2015년 65세 이상 고령인구의 재혼건수는 남자 2,672건, 여자 1,069건으로 각각 전년 대비 8.3%, 18.5% 증가했다. 15년간 증가세는 무려 3배에 달한다.[3] 특히 사별 후 재혼이 아닌 이혼 후 재혼이 급증했는데 이는 짧은 순간이나마 원하는 삶을 누리겠다는 노년층의 또 다른 욜로 라이프스타일을 엿볼 수 있다.

55세 이상 시니어를 위한 세계 최대의 교육 및 여행 지원 비영리 기관인 미국의 '로드 스콜라Road Scholar'는 21세 이상의 손주와 함께 해외여행을 떠날 수 있는 프로그램을 운영한다. 이 프로그램에 참가한 할머니, 할아버지의 평균연령은 72세에 달한다. 그럼에도 지치지 않고 끄떡없이 걷고 탐방해야 하는 해외여행뿐 아니라 각 여행 테마에 맞는 예술기행 및 문화역사 교육을 이수하는 등 열정이 뜨겁다. 늦었다고 생각할 때가 가장 빠른 때라는 말이 있다. 젊은 시절 못해 본 예술기행에 도전하고, 어린 손주들의 눈높이에 맞추고 발맞춰 걸으려는 노년층의 적극적인 모습은 포기보다 도전이 더 값지다고 외치는 욜로 라이프의 긍정적인 모습 중 하나다.

놀면서 돈 벌기, 나만의 콘텐츠를 보여주는 문화의 확산

욜로 문화가 확산되면서 콘텐츠 산업에도 영향을 미친다. 1인 미디어 전성시대, 놀면서 돈 버는 법을 강구하는 콘텐츠 크리에이터들은 욜로 라이프의 선두주자다. 콘텐츠 크리에이터contents creator란 1인 미디어를 활용하여 자체적으로 하나의 콘텐츠를 기획하고 촬영 및 제작하여 아프리카TV나 유튜브 등 온라인상에서 활동하며 타인과 공유하는 사람을 일컫는다(『트렌드 코리아 2016』 **1인 미디어 전성시대** 키워드 참조).

자신이 좋아하는 것이나 하고 싶은 것을 적극적으로 행동에 옮기고 드러내면서 그것을 통해 돈을 버는 것이다. 방송 미디어를 활용하지 않고 순수 블로그만으로 콘텐츠를 제공하는 크리에이터들도 많다. 콘텐츠도 영상·글·사진 등 무궁무진하며 자신만의 형식으로 독자나 시청자에게 본인이 발굴하거나 제작한 콘텐츠에 담긴 이야기를 전달한다. 이들은 틀에 박힌 취업시장을 뒤로하고 취향이라는 자신만의 무기를 직업으로 만들어 수익을 창출한다. 이제는 완전히 궤도에 올라 새로운 직업군으로 떠오르며 다방면에서 "지금 나 하고 싶은 대로 산다"라는 가치를 전파하고 있다.

등장 배경: 저성장 시대의 카르페 디엠

모두에게 인생은 딱 한 번뿐이다. 저지르고 난 뒤에 후회하는 것과 시도조차 못하고 후회하는 것 중 어떤 것을 택할 것인가? 욜로 라이프는 포기가 당연했던 현대인에게 이제 욕망에 충실하라고 권한다. 그렇다면 하필 왜 이 시점에 욜로 트렌드가 부상하고 있는 것일까? 더 아끼고, 더 악착같이 준비해야 하는 경쟁 시대에 거침없이 내일이 없는 것처럼 욕망을 실천하라는 욜로 트렌드가 우리에게 던지는 메시지는 무엇일까?

합리적 핑곗거리, 희망고문 대신 적극적인 포기의 긍정적 발견

1990년에 개봉한 영화 〈죽은 시인의 사회〉는 한국인이 다시 보고 싶은 영화 1위에 꼽힌 명작으로 2016년 8월 **리마스터링**되어 재개봉을 하기도 했다.[4] 리마스터링이 최근 영화계의 트렌드이기는 하지만 이 영화가 이 시점에 다시 선보였다는 사실이 의미심장하다. 이 영화의 가장 큰 감동은 '카르페 디엠'이라는 메시지에 있다. 라틴어인 카르페 디엠 Carpe Diem은 '현재를 잡아라'는 뜻으로 지금 이 순간을 즐기라는 의미다. 2000년대 초중반 국내에서 크게 유행하던 소셜 네트워크 사이트 싸이월드부터 오늘날 각종 SNS에 가장 많이 등장하는 문구 중 하나다. 20여 년이 넘는 세월에도 불구하고

리마스터링remastering
마스터란 영상의 최종 수용자에게 제공하기 위한 최종 복사본을 말한다. 마스터링mastering은 이러한 마스터를 만드는 과정을 말하며 리마스터링은 새로운 마스터를 만드는 과정이다. 최근에는 아날로그 필름으로 촬영했던 영화를 디지털 포맷으로 바꾸는 디지털 리마스터링이 성행하고 있다.

꾸준히 사람들에게 영감을 주고 있다.

억압된 분위기 속에서 입시 위주의 교육에 갇혀 있던 한국 청년들은 이 순간을 즐기라는 카르페 디엠을 마치 마음의 평화를 찾기 위한 주문처럼 외쳤다. 그런데 현 시대의 상황도 별반 다르지 않다. 놀고 즐기고 먹을거리는 넘쳐나지만 박탈감과 불안감 등 내적인 갈등은 더욱 깊어졌다. 보다 거대한 사회구조적 문제, 글로벌 경기침체와 같은 장기적이고도 복합적인 문제를 안고 살아가고 있다. 어떻게 될지 모르는 막연한 미래 때문에 현재를 낭비하지 말고 순간에 충실하자는 의미의 욜로는 카르페 디엠의 소비적 라이프스타일의 구체적인 실천인 셈이다.

고단하고 팍팍한 현대인들을 유난히 자극했던 '카르페 디엠'은 고대 로마의 시인 호라티우스 시의 한 구절이다. 그 옛날 로마시대에도 현재의 중요성을 노래할 만큼 인류에게 미래는 알 수 없는 두려운 대상이었던 셈이다. 찾아오지도 않은 미래를 걱정하느라 포기한 수많은 순간들, 스스로를 설득하며 후회를 합리화했던 과거를 청산하고 이제 욜로족은 현재의 주어진 시간에 충실하기 위해 변화된 라이프스타일을 만들기 시작한다.

욜로족은 먼저 격렬히 놀고 일상에서 탈출해야 하는 이유를 찾고 있

출처: http://deadpoetssociety2016.modoo.at/

▲ 2016년 8월 리마스터링되어 재개봉된 영화 〈죽은 시인의 사회〉의 가장 큰 감동은 '카르페 디엠'이라는 메시지에 있다.

다. 이러한 현상은 한편으로는 열심히 일만 하는 것을 포기해야 하는 합리적인 핑곗거리를 찾는 것으로 해석할 수도 있다. 현실과 상황에 밀려 어쩔 수 없이 일을 포기해야만 하는 수동적 자세를 떨쳐내고 일종의 적극적인 포기를 선택하고 있다는 것이다. 한때는 잘나가는 미래를 꿈꾸며 이상도 높았던 사람들이 녹록지 않은 현실에서 절망감을 느끼고 탈출구를 찾지 못한 채, 희망고문 대신 적극적인 포기를 택하며 욜로 라이프를 만끽하려 한다. 적극적인 포기를 가장하고 있지만 포기할 수 있는 용기를 발판 삼아 도전하는 이들에게 욜로는 고단한 세상을 향한 희망의 주문이 되고 있다.

사람들을 더욱 현재에 집중하게 만드는 불확실한 미래

욜로 트렌드는 전술한 바와 같이 저성장·저물가·저금리 시대의 필연적인 결과이기도 하다. 다시 말해서 금리가 높고 물가가 빨리 오르던 고도성장기에는 현재를 희생해 돈을 모으고 집을 사두면 가격이 오르는 등 가계경제에서 '투자'가 차지하는 비중이 높았다. 하지만 이렇게 이자와 물가가 낮은 상황에서 무언가를 아끼고 희생하며 투자한다는 것이 부질없이 느껴지는 것이다. 더구나 미래는 날이 갈수록 불안해지고 있다. 공적연금이 바닥날지 모른다는 등의 뉴스나 위태로운 세계정세 등 불확실한 미래가 사람들을 더욱 현재에 집중하게 만든다. 실제로 국회예산정책처는 2016년 국내총생산GDP의 33.7%에 이르는 국민연금기금 적립금이 2030년에 GDP 대비 규모가 정점(39.6%)에 도달한 뒤 서서히 감소할 것으로 내다봤다. 또한 적립금이 GDP의 32.1%에 이르는 2042년에 국민연금기금 수지가 적자로 돌아서면서 쌓여 있던 기금 적립금이 빠르게 쪼그라들기 시작해 2058년에는 바닥을 드러낼 것으로 전망했다.[5] 몇 해째 계속되는 고갈 논란에 저출산·고령화 문제가 심화되면서 미래에 대한 우려는 불가피한 현실이 되어 가고 있다.

욜로족을 달관족의 진화한 형태로 해석할 수도 있다. 달관족(『트렌드 코리아 2016』 **대충 빠르게, 있어 보이게** 키워드 참조)은 미래에 대한 기대와 희망, 도전의식과 열정을 포기하고 지금의 생활에 안주하는 안분지족의 삶을 택한 이들이다. 일본에서 흔히 관찰되는 사토리족은 덜 벌고, 덜 일하고, 덜 써도 행복하다고 여기기 때문에 자발적 미취업자가 되어 아르바이트로 생계를 유지하며 최소의 삶에 안주한다. 여기서 이 달관이라는 표현은 득도처럼 깊은 육체적·정신적 수양 끝에 비로소 얻는 수양의 개념이 아니다. 일본이 오랜 세월 장기 디플레이션을 겪으며 이를 버티면서 탄생한 사토리 세대가 우리나라식으로 변형되어 등장한 개념이다.

욜로족들 중에는 달관족의 성향을 갖고 있는 사람들이 많다. 그러나 욜로족과 달관족은 구분되어야 한다. 경쟁과 미래에 대한 준비를 포기하고 적은 수입으로 현재의 만족을 추구하는 달관족과 달리 욜로족은 그보다 한발 더 나아간 형태로 현재의 행복을 위해서라면 무모할지라도 도전하고 실천하는 이들이다. 달관족이 포기한 세대라면 욜로족은 꿈꾸는 세대다. 욜로족도 달관족처럼 시대에 대한 반감과 자포자기의 특성을 지니고 있긴 하지만 이들이 지향하는 삶의 방식은 더 긍정적이고 적극적이다. 무엇보다 개인의 꿈마저도 대량생산되는 것처럼 엇비슷해지는 세상에서 욜로족의 행보는 달관족처럼 부정적이라기보다는, 훨씬 적극적으로 자기만의 라이프스타일을 완성해 나갈 가능성이 더 크다.

시사점
지금 이 순간을 사랑하는 긍정적인 에너지로 발현되어야 할 것
—

알뜰함이 미덕이던 전통적인 소비의 관점으로 보면, 욜로 현상은 납득하기 어려운 대담함을 보이기도 한다. 많은 현대인들은 미래를 위해 저축하고, 계획적으로 소비하며, 필요한 것과 필요하지 않은 것을 구분해서 합리적으로 소비하는 것이 정석이라고 믿어 왔기 때문이다. 하지만 가치소비가 소비트렌드의 대세로 자리 잡아가고 있고, 그 가치에 대한 관점마저도 지각변동이 일고 있다. 중요한 건 동기다. 욜로족은 즉각적인 욕구에 충실하고 하고 싶은 것은 무엇이든 해보겠다는 의지로 충만하다. 욜로는 '어떻게 살 것인가' 하는 삶에 대한 태도다.

새로운 트렌드로 부상한 '욜로' 라이프는 도전이라는 긍정적인 모티브를 품고 있다. 치열한 경쟁사회 속에서 일상을 버텨내는 동안 빛바랜 꿈과 도전이라는 단어를 끄집어내 실천하려는 의도가 배어 있다. 원하는 것을 실천에 옮길 때, 비로소 욜로라는 주문이 가치를 갖는다. 직접 해보는 것과 해보지 않고 꿈만 꾸는 것은 엄청난 차이가 있기 때문이다. 체험경제의 시대, 누구보다 적극적인 욜로족을 만족시키기 위해서는 현재지향적 경험소비를 충족시킬 수 있는 새로운 새로운 트렌드로 부상한 '욜로' 라이프는 도전이라는 긍정적인 모티브를 품고 있다. 치열한 경쟁사회 속에서 일상을 버텨내는 동안 빛바랜 꿈과 도전이라는 단어를 다시 끄집어내려는 의도가 배어 있다. 원하는 것을 실천에 옮길 때, 비로소 욜로라는 주문이 가치를 갖는다. 직접 해보는 것과 해보지 않고 꿈만 꾸는 것은 엄청난 차이가 있다. 체험경제의 시대, 누구보다 적극적인 욜로족을 만족시키기 위해서는 현재지향적 경험소비를 충족시킬 수 있는 새로운 마케팅 전략이 중요해질 것이다.

마케팅 전략이 중요해질 것이다.

욜로족을 위한 새로운 마케팅은 온라인과 오프라인이 유기적으로 연결된 O2O마케팅, 스킨십 마케팅 등 앞으로 삶의 가치를 되돌아보고 재정립할 수 있는 체험중심으로 진화될 필요가 있다. 일례로 K리그 포항 스틸러스는 프로축구 선수의 라이프스타일을 체험할 수 있는 프로그램 'You are STEELERS'를 기획했다. 축구팬 28명을 선정해 2박 3일간 선수들과 똑같은 삶을 살아보는 것이다. 그들이 묵는 숙소에서 잠을 자고 선수단과 동일한 영양 식단을 제공받는다. 재활과 웨이트트레이닝 등을 통해 운동 전후 신체를 체계적으로 관리하는 방법, 운동상해예방법, 응급처치법 등 실제 선수처럼 배울 수 있다.[6] 선수의 삶을 체험해보는 것은 일회적인 만남 이벤트를 넘어서 라이프스타일을 체험 대상으로 기획한 스킨십 마케팅이다. 다른 삶을 살아보는 것은 욜로 라이프를 즐기는 방법 중 하나이며, 새로운 삶에 대한 욜로족들의 니즈를 잘 반영한 사례라 할 수 있다.

욜로 문화에는 남의 눈치를 보지 않고 나만의 삶을 살고자 하는 사람들의 강한 의지가 반영되어 있다. '한 번뿐인 인생'이라는 모토로 하고 싶은 것을 주저하지 않고 소위 '지르는' 것인데 반대로 말하면 하기 싫은 것도 하지 않을 수 있다는 논리도 성립된다. 이렇게 하기 싫은 걸 하지 않다 보면 견뎌내는 내성이 생기지 않고, 시작을 하지 않으니 해놓은 것도 없으며, 다시 자연스럽게 하고자 하는 의지는 더 감소하는 악순환에 빠질 수 있다. 그래서 욜로 소비는 그 방향이 어느 쪽이든 예측불가능하고 극단적으로 변화할 가능성도 크다.

"이미 끝나버린 일을 후회하기보다는, 하고 싶었던 일을 하지 못한 것을 후회하라."

탈무드에 등장하는 글귀다. 욜로의 지엽적인 현상을 좇기보다 작은 일에 연연하지 말고 후회 없이 즐기고 사랑하고 배우라는 크고 깊은 뜻에 집중해야 한다. 새로운 체제의 출범을 많은 이들이 간절하게 소망하고 있는 2017년, 욜로라는 키워드가 등장하고 있는 시대적 함의를 읽어내야 한다. 무한 경쟁의 시대, 녹록지 않은 현실에 갇힌 현대인에게 욜로는 미래에 대한 기대를 접은 절망의 외침인 동시에, 지금 이 순간을 사랑하려는 긍정적인 에너지를 담은 희망의 주문이기도 하다. YOLO! 이 주문이 부디 대한민국 경제에 긍정적으로 작용할 수 있기를 기대한다.

Heading to 'B⁺ Premium'

새로운 'B⁺ 프리미엄'

가격 대비 성능이 구매의 핵심 고려요인이 된 가성비의 시대지만, 무조건 저가격이 먹히지는 않는다. 가성비를 높이는 방법에는 분모인 가격을 낮추는 방법과 분자인 성능을 높이는 방법이 있는데, 현대의 소비자는 가성비의 핵심을 저가격이 아니라 높은 가치로 인식하는 경향성을 갖는다. 그래서 가성비의 시대에 역설적이지만 프리미엄의 확보가 더욱 중요해진다. 기업 역시 공급과잉의 치열한 경쟁구도하에서 단순히 가격을 낮춰 가성비를 확보하기보다는 좀 더 프리미엄한 가치를 제공하고 제 가격을 받는 방향으로 가성비를 추구하고자 한다. '럭셔리'가 차별화된 고가의 브랜드를 통해 소비자의 지위나 취향을 과시할 수 있느냐의 문제라면, '프리미엄'은 가성비를 추구하면서도 어떻게 프리미엄한 가치를 고객에게 납득시킬 수 있을 것인가의 문제다. 럭셔리가 브랜드의 역사성과 희소성에 근거한다면, 'B⁺ 프리미엄'은 기존의 대중제품에 새로운 가치를 입혀 업그레이드할 것을 요구한다. 이제 대중제품도 자신만의 차별화된 가치 없이는 살아남기 힘든 시대가 됐다. 소비구조의 질적인 변화가 심화될 것으로 보이는 2017년, 가성비 시대에 B⁺ 프리미엄이라는 이 역설적이고도 까다로운 트렌드가 불황의 벽을 넘는 사다리 역할을 수행하게 될 것이다.

평범한 볼펜이 30만 원이 넘는 프리미엄 제품으로 변했다. 모나미는 '국민 볼펜'으로 불리는 '153 볼펜'의 발매 50주년을 기념해 2만 원짜리 프리미엄 한정판 '153 플라워 볼펜'을 내놓았는데, 출시 이후 바로 품절되어 이를 구하는 사람들이 많아지자 한 중고 사이트에서 가격이 33만 9천 원까지 치솟은 것이다.[1] 가장 서민적인 음식으로 여겨지던 어묵도 고래사어묵·삼진어묵·삼호어묵 등 프리미엄 어묵을 찾는 사람이 많아지고 있다. 냉동식품에서는 비비고 왕교자 같은 프리미엄 라인의 매출이 지속적으로 상승하는 중이며, 삼립식품은 '재미스'라는 프리미엄 잼을 선보여 호평을 받았다. 국내산 딸기의 용량을 대폭 늘리고 꿀을 첨가했으며 용기 디자인은 세계적인 디자이너 알레산드르 멘디디에게 맡겼다. 한낮 온도가 40도에 육박하는 2016년 여름, 뉴욕에서 날아온 프리미엄 버거, 셰이크쉑버거를 맛보기 위해 사람들은 폭염에도 아랑곳하지 않고 수백 미터의 긴 줄을 만들었다. 이에 맞서 대중 브랜드 롯데리아는 'AZ버거'를 내놓았는데, 버거에 들어가는 빵과 패티 등 A부터 Z까지 프리미엄화시켰다는 의미라고 한다. 편의점 도시락도 프리미엄 트렌드에 분주히 대응하고 있다. CU의 '진짜야카레밥', GS25의 '명가소갈비도시락', 세븐일레븐의 '장어덮밥' 등 편의점에서 내놓은 프리미엄 도시락은 1만 원대 고가에도 불구하고 맛·영양·식재료 측면에서 높은 점수를 받고 있다.

'가격 대비 성능'을 중시하는 이른바 가성비의 시대에, 프리미엄의 바람이 거세다. 그것도 볼펜·어묵·만두·햄버거 등과 같이 저렴하고 잘못 구매해도 위험이 별로 없는 '저관여' 상품의 영역에서 말

出처: www.shakeshack.kr

▲ 뉴욕에서 날아온 프리미엄 버거, 셰이크쉑버거를 맛보기 위해 수많은 사람들이 폭염에도 아랑곳하지 않고 수백 미터의 긴 줄을 만들었다.

이다. 이러한 프리미엄 상품의 등장은 어떻게 해석할 수 있을까? 가성비 트렌드의 예외적인 현상으로 보아야 할까? 결론부터 이야기하면 그렇지 않다. 프리미엄화는 가성비 시대의 필연적인 결과의 하나이며, 역설적이게도 지금 우리에게 가장 필요한 전략이다.

왜 그럴까? 가성비를 높이는 방법에는 두 가지가 있다. 하나는 분모인 가격을 낮추는 것이고, 다른 하나는 분자인 성능을 높이는 방법이다. 전자를 저가격화 전략이라고 본다면, 후자는 가치화 혹은 프리미엄화 전략이라고 부를 수 있다. 물론 합리적인 가격을 유지하는 것은 중요한 일이지만, 치열한 공급과잉의 경쟁시대에 그것만으로는 부족하다. 소비자들의 욕망은 저성장기라고 해서 크게 변하지 않기 때문이다. 좋은 제품을 갖고자 하는 욕망은 인간의 본질적인 특성이다. 흔히 경제적 여유가 있어야 더 비싼 제품, 더 좋은 제품을 찾는다고 예단하기 때문에 지금처럼 경제가 어려울 때는 군이 비싼 제품을 사지 않을 것이라고 생각한다. 하지만 좋은 제품을 사용하고자 하는 인간의 욕망은 경기가 좋든, 그렇지 않든 항상 내재되어 있다. 전쟁 후처럼 사회 전체가 참혹한 어려움 속에 놓여 있을 때조차도 더 나은 물건, 더 좋은 물건을 소유하고자 하는 욕망은 항상 건재했다. 다시 말해서 얻을 수 있는 가치가 탁월하다면 어느 정도의 가격은 지불할 용의가 있다는 것이다.

한국경제가 마주하고 있는 지금의 저성장 기조 역시 마찬가지다. 온갖 정보로 무장한 똑똑한 소비자들이 가성비를 따져가며 알뜰한 소비를 하고 있지만 그렇다고 해서 이들의 소비욕망이 축소된 것은 아니다. 오히려 가격보다 더 높은 가치의 제품을 구매하고자 한다는 점에서 전체적인 욕망의 크기는 과거보다 더 커졌다고 볼 수 있다. 자신에게 중요하다고 판단한 것에는 더 많은 비용을 지불하더라도 손에 넣길 원하는 소비자들이 이제 지출을 배분하는 방법을 바꿔 나가기 시작했다. 소비의 구조가 질적으로 변화하고 있다는 뜻이다.

가성비를 따져 제품을 구매한다는 것은 싼 가격의 제품만을 구매하겠다는 의미가 아니라, 내가 지불한 돈에 비해 가장 높은 가치를 제공하는 제품을 구매하겠다는 의미다. 다시 말해, 추가 비용을 지불하고서라도 그 가치 있는 제품을 구매하고야 말겠다는 것이다. 그래서 가성비의 시대에 프리미엄은 더 중요해진다.

이렇듯 프리미엄 전략이 다시 부상하고 있지만 그것을 제품에 '럭셔리한 이미지'를 더하는 것이라고 속단하면 곤란하다. 오늘날의 소비자는 대단히 낮은 브랜드 로열티를 보유한 데다가 이들이 가진 정보 역시 완전정보에 가깝다. 이들은 더 이상 실체 없는 프리미엄, 이미지 위주의 프리미엄에 대해 '진짜 프리미엄'이라고 인정하지 않기 때문이다. 새로운 시대, 새로운 프리미엄의 정의가 필요한 이유다. 이에 『트렌드 코리아 2017』에서는 이 새로운 프리미엄 전략을 'B+ 프리미엄'이라고 명명한다. 2017년은 치열한 가격경쟁 속에서 어떻게 기존의 상품에 새로운 가치를 입혀 업그레이드한 'B+ 프리미엄'을 누가 먼저 고객에게 납득시킬 수 있을 것인가가 가장 중요한 이슈로 대두될 것이다.

B+ 프리미엄이란?

저성장 시대, 새로운 가치로 등장하고 있는 'B+ 프리미엄'의 개념을 이해하기 위해서는 우선 '프리미엄'의 본래적 의미와 그것이 한국 시장에서 어떤 식으로 적용되어 왔는지 이해할 필요가 있다. 우리가 익숙하게 사용하는 프리미엄의 본래 개념에서부터 출발해보자. 프리미엄의 사전적 정의는 '액면가액이나 계약금액 이상으로 지출되는 할증금割增金'이다. 프리미엄 개념이 자주 사용되는 증권업을 예로 든다면 발행된 주가가 액면가액을 상회할 때, 그 액면가액과 시장에서의 주가 '차이'를 프리미엄이라고 부른다. 부동산 업계에서도 프리미엄이라는 단어를 자주 사용하는데, 아파트의 분양 가격보다 실제 시장에서 거래되는 시세가 더 비쌀 때, 그 차이 부분을 프리미엄이라고 말한다. 따라서 프리미엄이란 '본래의 가격에 덧붙여진 금액' 즉 '할증된 금액'이라고 이해하면 쉽다.

프리미엄 vs 럭셔리

이처럼 프리미엄이 원래 가격보다 할증된 부분을 일컫다 보니, 제조업과 같은 시장에서는 통상 '일반 제품보다 가격이 좀 더 비싼 고급제품'이란 의미로 사용된다. 문제는 할증된 가치라는 프리미엄의 본래적 의미를 잊어버린 채 '프리미엄=값비싼 제품'의 공식만을 기억하게 되면서 발생한다. 왜 비싸야 하는지에 대한 고민 없이 '이 제품은 비싸기 때문에 프리미엄이다'라는 단순한 발상이 그대로 적용되기도 한다. 이 때문에 프리미엄은 종종 프레스티지prestige, 하이엔드high-end, 플래티넘platinum과 같은 단어와 혼용되기도 하고, 사치품을 일컫는 럭셔리luxury(명품·사치품을 포괄하는 개념)와 동의어로 사용되기도 한다. 하지만 프리미엄은 이들과, 특히 럭셔리와는 구별돼야 할 개념이다.

프리미엄의 보다 명확한 정의를 이해하기 위해서 상품의 유형에 대해 먼저 이해할 필요가 있다. 시장에서 판매되는 제품은 일반적으로 시장에서 유통되는 '대량생산 제품mass'과 고급스러운 이미지에 희소성을 강조하는 '고가의 사치품luxury'으로 크게 양분된다. 대중소비자의 소득이 증가하고 취향이 높아지면서 사치품 산업은 두 방향으로 새로운 세그먼트를 창출해 시장을 확장하고자 한다. 첫 번째 방향은 사치품의 가격을 더 올리는 '상방전개 전략'인데, 이때 창출되는 세그먼트를 '위버럭셔리uberluxury'라고 부른다. 다른 방향은 반대

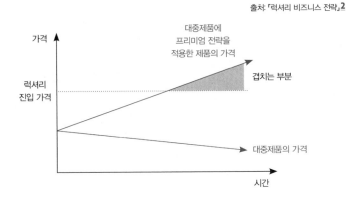

출처: 「럭셔리 비즈니스 전략」2

로 사치품의 가격을 약간 낮추고 대중성을 지향하는 '하방전개 전략'이다. 합리적인 가격을 앞세워 대중화를 선도하는 보급형 럭셔리 혹은 '매스티지masstige'가 그 예다. 돌체앤가바나에서 출시한 D&G, 알렉산더 맥퀸의 MCQ처럼, 럭셔리 브랜드들이 보유한 세컨드 브랜드가 이에 해당된다. 이러한 전략이 지속적으로 전개되면서 결국 대중제품과 럭셔리로 양분되었던 시장이, '대중제품―매스티지―럭셔리―위버럭셔리'의 4단계로 세분화된다.

반면 프리미엄은 전술한 바와 같이 기존 상품에 할증된 가치를 부여하는 것이므로 대중제품의 상위에 놓이게 된다. 앞의 설명에 등장하는 매스티지나 럭셔리(사치품)와 중첩된 세그먼트를 지향하게 되는 것이다. 그래서 사람들은 프리미엄을 럭셔리와 혼동하게 된다. 이를 그림으로 설명하자면, 대중소비제품은 대량생산에 따른 비용절감과 기술발달로 시간이 갈수록 가격이 하락하는 데 비해 프리미엄 전략을 적용한 제품은 그것과 상관없이 가격이 상승한다. 가격 상승이 지

▲

▲

▲

가치의 할증이라는 프리미엄만을 이야기한다면, 우리가 A등급이라고 표현할
수 있는 '럭셔리'에도 프리미엄 전략을 적용할 수 있고, C급이라고 할 수 있는
초저가 제품에도 여전히 프리미엄 전략은 사용할 수 있다. 이런 의미에서 'B⁺'는
평범한 대중제품(B등급)에 가치, 즉 프리미엄을 추가해 B⁺등급으로
끌어올린다는 전략이다. 결국 가성비 시대의 B⁺ **프리미엄** 트렌드는
대중제품에 **새로운 가치**를 더해 업그레이드함으로써 소비자에게 인정받은
탁월한 제품을 납득 가능한 가격에 판매해야 한다는 전략을 의미한다.

속되면 프리미엄과 럭셔리의 가격이 겹치는 부분이 발생하는데, 이 영역에서 사람들은 프리미엄과 럭셔리를 구분하지 않고 사용하게 된다는 것이다.[3] 하지만 프리미엄은 엄연히 럭셔리와 다르다.

A등급이 아닌 평범한 제품에 새로운 가치를 업그레이드

『트렌드 코리아 2017』이 제안하는 **새로운 'B+ 프리미엄'**은 할증된 가치라는 프리미엄의 본래적 의미를 차용하면서도, 확실한 개념구분을 위해 그 앞에 'B+'라는 단서를 붙였다. 만약 가치의 할증이라는 프리미엄만을 이야기한다면, 우리가 A등급이라고 표현할 수 있는 '럭셔리'에도 프리미엄 전략을 적용할 수 있고, C급이라고 할 수 있는 초저가 제품에도 여전히 프리미엄 전략은 사용할 수 있다. 이런 의미에서 'B+'는 평범한 대중제품(B등급)에 가치, 즉 프리미엄을 추가해 B+ 등급으로 끌어올린다는 전략이다. 결국 가성비 시대의 B+ 프리미엄 트렌드는 대중제품에 새로운 가치를 더해 업그레이드함으로써 소비자에게 인정받은 탁월한 제품을 납득 가능한 가격에 판매해야 한다는 전략을 의미한다.

전통과 위상보다는 합리적인 제품력에 초점

대중제품에 가치를 더하는 B+ 프리미엄 제품과 이미 비싼 가격을 바탕으로 태어난 럭셔리 제품은 모두 일반 제품보다는 더 비싸다는 공통점이 있다. 하지만 가성비 시대의 B+ 프리미엄 트렌드를 이해하기 위해서는 무엇보다 이 두 개의 개념을 명확하게 구분하는 것이 중요하다. 이 구분을 정확히 해야 B+ 프리미엄 전략을 추진하면서 태생부터 다른 럭셔리 전략을 무분별하게 추종하는 오류를 피할 수 있다.

만약 "샤넬은 왜 비싸죠?"라는 질문에 "샤넬이니까요"라고 대답한다면, 이것은 럭셔리다. 럭셔리가 비싼 데에는 합리적인 이유를 대기 어려운 경우가 많다. 럭셔리 제품이 누리는 위상은 마치 상속받은 재산처럼 주로 브랜드가 가진 역사성에 기반을 둔 경우가 많기 때문이다.[4] 유럽에서 탄생한 고가의 사치재 브랜드 대부분이 이러한 럭셔리의 범주에 들어간다. 가령 럭셔리 브랜드 '에르메스'의 시초는 브랜드 설립자로 알려져 있는 '티에리 에르메스'가 프랑스 파리의 마들렌 광장에서 마구상을 운영했던 1837년까지 거슬러 올라간다. 역사성을 강조하다 보니 "전 세계 왕실에 납품했던"이라든지 "귀족들을 중심으로 확산된" 등의 수식어가 브랜드 홍보에 늘 붙어 다닌다.

반면 프리미엄 제품은 전통이 아니라 제품력에 더 초점을 맞춘다. 럭셔리 브랜드에 비해 역사성은 짧지만 아주 사소한 지점이라도 제품의 품질을 향상시키기 위해 최선을 다한다. 다시 말해서 프리미엄이란 시간의 흐름에 따라 수동적으로 주어진 역사성에 기대는 것이 아니라 탁월한 품질에 대한 소비자의 인정과 선택에 따라 적극적으로 획득되는 가치다. 럭셔리 브랜드의 다수가 유럽 중심이라고 한다면, 프리미엄 제품에는 역사는 짧지만 기술력을 앞세우는 미국이나 일본 태생의 신생 브랜드가 다수 포함된다.

자동차를 예로 든다면 영국의 럭셔리 자동차 '롤스로이스'는 왕이나 엘리자베스 2세 여왕이 타던 호사스러운 금마차를 재현했다. 그만큼 뿌리가 중요하다는 의미다. 따라서 럭셔리에선 '아무에게나 팔지 않는 자동차' 혹은 '귀족적 지위, 호사스러운 이미지, 역사를 재현하는 순혈종'이라는 속성이 무엇보다 중요하며, 기술적 완성도는 거기에 따라오는 부차적인 문제라 할 수 있다. 반면 일본의 '렉서스'에는 천재적인 창조자도 역사적 신화도 없다. 단지 수천 명의 엔지니어들에 의해 고안된 탁월한 기술적 노력의 산물이라고 볼 수 있다. 따라서 안락한 주행, 넓은 실내, 뛰어난 연비처럼 객관적인 특징이 더 부각된다.

럭셔리와의 비교에서 살펴봤듯, 결국 B+ 프리미엄을 달성하기 위해서는 대중제품mass에 비해 소비자가 인정할 만큼 탁월한 가치가 할증되는 것이 중요하다. 제품에서는 뛰어난 성능과 결점 없는 품질을 보유해야 하고 서비스에서는 남다른 친절과 신속한 문제해결이 기본 요건이 될 것이다. 다른 사람에게 지위나 취향을 과시하기 위해서가 아니라 뛰어난 사용성 그 자체를 경험하고자 지갑을 여는 사람을 대상으로, "왜 비싼가?"란 질문에 대해 납득가능한 이유를 댈 수 있는 '실체 있는 프리미엄'이 곧 B+ 프리미엄인 것이다.

럭셔리와 B+ 프리미엄의 비교

럭셔리	B+ 프리미엄
공통점: 비싼 가격, 탁월한 디자인, 남들과 구별되는 가치	
상속받은 유산	일궈낸 자산
넘볼 수 없는 전통	탁월한 성능
우뇌지향(탐닉)	양뇌지향(기능)
장인이 만든, 수제작(주관적 품질)	기능이 탁월한(객관적 품질)
유명인이 쓰는(타인지향적)	나를 즐겁게 하는(자기지향적)
지위를 상징(상징가치)	사용상의 즐거움(제품가치)

가성비 시대에 B⁺ 프리미엄이 더욱 필요한 이유

그렇다면 2017년 한국 시장은 왜 'B⁺ 프리미엄'을 요구하는가? 이는 크게 시장의 요구와 소비자 심리 변화 측면에서 설명할 수 있다.

한 단계 높은 부가가치 전략이 필요한 우리의 경제상황

우선 한국 시장의 경제상황을 감안해야 한다. 우리 시장은 현재 저성장·저금리가 고착화한 전환형 복합불황 시대라고 규정된다. 전환형 복합불황이란 저금리에도 투자와 소비가 늘지 않고 저성장·저물가가 이어지는 시대를 말한다.[5] 이러한 저성장 기조안에서도 기업은 지속적으로 수익을 창출해야 하는 과제를 안고 있다. 무서운 속도로 쫓아오고 있는 중국 기업의 성장세도 무섭다. 가전 산업의 경우 중국의 하이얼은 미국 제너럴일렉트릭GE의 가전사업부를 인수했고 또 다른 중국 가전회사 하이센스 역시 일본 샤프Sharp의 TV브랜드를 사들여 세계 시장을 넘보고 있다. 이러한 국내외적인 위기 상황을 극복하기 위해 우리가 내밀 수 있는 승부수는 싼 가격의 제품을 더 많이 판매하는 과거의 방식이 아니다. 오히려 하나의 제품을 판매하더라도 더 높은 부가가치를 획득하는 프리미엄 전략이 이기는 게임을 위한 룰이 된다.

그런데 왜 럭셔리가 아니라 B⁺ 프리미엄인가? 이는 고가제품을 구매하는 소비자의 심리가 변화한다는 측면에서 설명할 수 있다. 사회학자 베블런은 사람들이 비싼 제품을 구매하는 이유를 과시소비로 해석했다. 고도로 조직화된 산업 사회에서 사람들은 자신의 명성을 높이기 위해 부를 과시하는데, 이를 위해 필요 이상으로 비싼 제품을 구매하거나 쓸데없는 물건을 사는 등 사치를 통해 재력을 과시한다는 것이다. 그에 따르면 불필요한 지출인 낭비야말로 자신의 명성을 드높이는 방법이다. 베블런의 '과시소비conspicuous consumption 이론'은 꽤 오랫동안 우리 사회에서 작동해왔다. 실제로 그동안 사람들은 역사라든가 한정성을 앞세운 고가의 사치품을 구매하며 자신의 사회적 지위와 취향을 과시했다. 하지만 다양한 소비경험이 학습되고 다양한 정보로 무장한 소비자들은 이제 더 이상 자신의 부를 과시할 목적으로 고가의 제품을 구매하지 않는다.

단지 과시를 위해 소비하는 시대는 THE END

단순한 고가의 사치품이 아닌 사용상의 만족감, 편의감, 기능과 활용을 획득하기 위해 높은 비용을 지불하는 실용적 소비 행태로 구매의 무게중심이 옮겨가고 있다. 그동안 과시소비의 주역이었던 부유층의 변화는 더욱 놀랍다. 머리끝부터 발끝까지 온몸을 고가 사치품으로 치장하는 것은 오히려 촌스럽고 초저가 제품과 럭셔리 제품을 적절히 혼용해 자신만의 안목을 드러내는 '자기편집적 소비'를 잘하는 것이 쿨cool하고 힙hip한 것으로 받아들여지기 시작한 것이다.

"과시적 소비의 시대는 끝났다"[6]는 월마트의 영국 대표 앤디 본드Andy Bond의 말처럼, 남들에게 잘 보이기 위해 화려하지만 불필요한 것으로 치장됐던 소비는 이제 과거의 이야기다. 명확한 실체 없이 단지 차별적인 이미지를 위해 책정되었던 높은 가격은 제품의 품질과 질, 나아가 소비자에 대한 기업의 진정성을 나타내는 지표로서 자리매김하기 시작한다. 실용적 가치 중심으로 소비자의 구매 기준이 옮겨가면서, 기업은 생존을 위해 새로운 경쟁의 룰을 진지하게 탐구해야 하는 시점에 와 있다.

부유층의 삶을 무조건적으로 선망하던 일반 대중들의 소비태도 역시 합리적으로 바뀌고 있다. 대부분의 제품에서는 가성비를 추구하면서도 새로운 프리미엄을 더한 제품에 대해서는 그에 따른 대가를 기꺼이 지불하는 '집중소비' 행태가 확산되고 있는 것이다. 가성비를 추구하는 트렌드 역시 핵심은 '낮은 가격'이 아니라 '높은 가치'에 있으므로 B+ 프리미엄이 성장하는 중요한 동력이 된다. 결국 소비자의 인정에 의해서 발현되는 B+ 프리미엄이 가문과 역사를 통해 부여받은 럭셔리의 자리를 하나씩 대체해 나가고 있는 것이다.

B+ 프리미엄 실행 전략

가치를 업그레이드하는 B+ 프리미엄 트렌드의 성공 여부는 "소비자가 할증된 가격을 인정할 수 있는가?" 하는 고객의 납득가능성에 달려 있다. 품질력·기술력·탁월함을 앞세우지 않고 비싼 가격만으로 포장된 프리미엄은 결국 소비자의 선택을 받지 못하고 시장에서 낙오되고 말 것이다. 핵심은 프리미엄한 가치를 가시화할 수 있는가의 여부다. 사례를 통해 프리미엄의 가치를 소비자에게 영리하게 전달하고 납득시킬 수 있는 방안을 하나씩 살펴보자.

실용적 가치를 눈으로 확인하게 하는 전략

기술집약적 산업에서는 혁신기술을 소비자가 눈으로 확인할 수 있는 기능으로 변형해 실용적 가치를 전달할 수 있어야 한다. 최근 생활가전 산업에서 시도하고 있는 변화가 이러한 범주에 속한다고 할 수 있다. LG전자의 트윈워시 세탁기는 세탁기 두 대를 따로 구매해도 될 만큼 비싼 가격에도 불구하고 국내뿐만 아니라 세계 시장에서 좋은 반응을 얻고 있다. 한 번에 두 개의 세탁물을 분리 혹은 동시 세탁하는 것이 가능해 시간적인 효율성과 공간적인 효율성뿐만 아니라 소비자의 노동력을 줄여주는 효율성까지 달성했기 때문이다. 초프리미엄 가치를 앞세운 'LG시그니처' 가전은 손으로 두드리면 냉장고 안이 보이는 기능 등 실용성을 가시화한 기능을 강조한다. 삼성전자의 SUHD TV 역시 3,000달러가 넘는 가격에도 불구하고 글로벌 시장에서 판매가 늘고 있다. 프리미엄 기능의 우수한 화질, 크기 등 물리적 차별점 외에도 SUHD TV의 선전 비결 중 하나는 의외로 '리모컨'이다.[7] 소비자들은 그동안 TV·셋톱박스·게임기 등을 작동시키기 위해 평균 4.5개의 리모컨을 사용해야 했는데, 해당 TV에서는 버튼이 10개에 불과한 단순한 막대 모양의 리모컨을 탑재함으로써 실용적 편리성을 높였기 때문이다.

첨단 기술을 적용해 실질적인 삶의 질을 향상시키는 제품 역시 시장에서 제값을 받을 수 있다. 코웨이의 듀얼파워 공기청정기 '아이오케어IoCare'는 사물인터넷 기술을 활용해 집 안 실내외의 공기질을 소비자에게 실시간으로 알려준다.[8] 실내 이산화탄소 농도가 일정량 이상으로 높아지면 스마트폰으로 '환기하라'는 알람을 보내주고, 실내 공기 오염도가 높아지면 '공기청정기를 가동하라'고 알려준다. 공기 오염 상태를 데이터로 분석해 필터를 바꿔주는 등 맞춤형 서비스를 제공하는 것도 차별점이다. 이러한 가시적 차별화 덕분에 일반 제품에 비해 약 15% 비싼 가격에도 불구하고 2016년 4월 기준 공기청정기 전체 판매량의 약 20%를 차지할 정도로 뜨거운 반응을 불러일으 켰다.

감각적이되 합리적인 디자인으로 승부하는 전략

디자인적 감성이 중요한 패션산업에서도, 실용적 가치를 전달하는 B⁺ 프리미엄 제품이 주목받고 있다. 한때 한국 패션 시장은 명품 열 풍으로 뜨거웠다. 수백만 원에 이르는 가방을 사기 위해 앞다투어 매장 앞에 줄을 서던 사람들의 모습이 불과 몇 년 사이 눈에 띄게 줄었다. 반면에 이제 그 자리를 실용성을 앞세운 브랜드들이 차지하고 있다. 누가 봐도 어떤 브랜드의 제품인지 알 수 있도록 브랜드 로고가 뚜렷하던 명품가방 대신 요즘 소비자들은 플라스틱 소재의 가방, 심지어 천으로 된 캔버스 가방으로 멋을 낸다.

2011년 국내 출시 이후 매년 두 배 이상씩 판매가 신장되고 있는 일본 디자이너 이세이미야케의 '바오바오백'은 대표적인 B⁺ 프리미엄 패션이다.[9] 장인이 한 땀 한 땀 공들여 만든 가죽 대신, 플라스틱 소재를 사용한 이 가방은 평소에는 종이처럼 납작하다가 물건을 넣으면 그에 맞춰 가방이 입체적으로 변한다. 쓰지 않을 땐 아무렇게나 둘둘 말아서 보관해도 전혀 망가지지 않는다. 행여 비라도 내리면 내 몸이야 홀딱 젖을 망정 명품가방은 보호하기 위해 노심초사해야 하는 고가의 럭셔리 가방과는 확연히 다르다. 가격 역시 40만~60만 원 대로 몇백만 원짜리 명품 가방과 비교하면 터무니없이 비싸지도 않다. 실용성 그 자체로 비싼 가격을 상쇄하고도 남는 것이다.

2016년 가을패션으로 주목받고 있는 '주름pleats룩'도 자세히 들여다보면 실용성을 앞세운 패션이다.[10] 보통 캐시미어나 울 같은 고급 소재를 사용한 옷은 값도 비싸지만 그만큼 관리도 까다롭다. 매번 드라이를 해야 해 유지비용도 많이 든다. 하지만 B+ 프리미엄을 지향하는 주름 패션은 비싼 가격의 옷이라고 해서 애지중지 다룰 필요가 없다. 옷 자체가 주름진 원단이라 세탁기에 빨고 탈탈 털어 말리면 드라이도, 다림질도 필요 없다. 가방에 아무렇게나 넣어도 구김 걱정이 가지 않는 막강한 실용성을 자랑한다. 이 때문에 다소 비싼 가격마저도 사용자에게 제공하는 편리함으로 충분히 상쇄된다.

원재료의 신선함의 가치를 내세우는 전략

원재료를 바탕으로 차별화를 시도하는 식품업계에서는 신선함의 가치를 가시화하는 전략으로 B+ 프리미엄을 실현할 수 있다. 가성비를 앞세운 저가 브랜드가 주도하고 있는 커피시장에서는 의외로 틈새를 겨냥한 고급화 전략이 적중한 사례가 눈길을 끈다. '차갑게 우려내어 더 신선한' 콜드브루cold brew 커피는 까다로운 제조과정만큼 금세 맛이 변하는 단점이 있다. 바로 이 점에 착안한 B+ 프리미엄 전략이 성공을 거뒀다. 신선함을 고객이 체감할 수 있는 언어로 전달하기 위해 아예 '판매 기간'을 제한하는 파격적인 선택을 했던 것이다. 한국야쿠르트는 2016년 3월 '콜드브루 by 바빈스키'를 출시하면서 생산 후 딱 2주 정도만 유통하고 전량 폐기한다는 전략을 적용했다. 신선함을 더욱 강조하기 위해 출시 초기에는 야쿠르트 아줌마를 통해서만 단독 판매한 것도 유효했다.

이처럼 고급커피시장이 반응을 보이자 스타벅스, 투썸플레이스 등 각종 커피전문점들도 콜드브루 메뉴를 경쟁적으로 출시했다. 원재료의 특별함을 강조하기 위해 아예 별도의 매장을 내는 전략도 유효하다. '스타벅스 리저브', '탐앤탐스 블랙', '엔제리너스 스페셜티', '이디야 커피랩', '투썸플레이스 로스터리' 등은 저가 커피브랜드와 차별화하기 위해 고급스러운 맛과 향을 강조한 '스페셜티 커피Specialty Coffee'만을 취급하는 별도 매장을 운영하며 B+ 프리미엄을 실현하고 있다. 냉동식품시장도 B+ 프리미엄 경쟁이 치열하다. CJ제일제당 원재료의 맛과 식감을 그대로 살린 급속 냉동 기술과 콜드체인 시스템이라는 첨단 기술력을 바탕으로 한 '고메' 시리즈가 소비자의 입맛을 사로잡으면서 프리미엄 냉동식품 시장에서 연매출 300억 원 달성을 눈앞에 두고 있다.[11] 과거 정크푸드란 취급을 받던 냉동식품이 소비자가 느낄 수 있는 기술력을 바탕으로 프리미엄 간편식으로 진화한 것이다.

차별화된 경험을 상품화하는 전략

마지막으로 차별화된 경험을 상품화하는 전략은 B+ 프리미엄의 핵심이다. 특히 매장 내에서 고객에게 가치를 제공하는 경우나 경험 자체를 판매하는 서비스업에서는 천편일률적이지 않은 특별한 경험을 제공함으로써 B+ 프리미엄을 달성할 수 있다(『트렌드코리아 2017』 **경험 is**

뭔들 키워드 참조). 예를 들어, 일본 도쿄 다이칸야마에 위치한 '츠타야서점'은 책을 파는 곳이 아니라 라이프스타일을 파는 곳으로 유명하다. 상업가가 아닌 한적한 단독주택 사이에 위치한 4천 평 규모의 이 서점은 독서뿐 아니라 쇼핑·문화·휴식·사교·여행 등의 경계를 허물어버린 공간이다. 요리책 바로 옆에는 식료품이 전시되어 있고 여행서적 옆에는 여행 상담을 받아주는 코너가 자리 잡고 있다. DVD화되지 않는 영화도 즉석에서 DVD로 만들 수 있는 서비스가 제공되고 2층에는 책을 읽으면서 식사까지 할 수 있는 럭셔리한 식당도 위치해 있다. 이러한 시도에 힘입어 츠타야의 2014년 도서 매출 규모는 1,109억 엔으로 전국 판매고 1위를 기록했으며 전체 연매출 규모는 2조 원을 웃돈다.[12]

일본의 JR규슈 열차회사는 호화침대열차 '나나츠보시'를 이용해 일본의 규슈지방을 여행하는 관광 상품으로 유명하다. 1박 2일 여행을 위해 드는 비용이 약 150만~400만 원이고, 3박 4일 일정은 약 400만~1,000만 원에 육박하기도 한다. 이처럼 비싼 가격에도 불구하고 탑승 추첨 경쟁률이 28대 1을 기록할 정도로 인기다.[13] 나나츠보시의 가격이 비싼 이유는 바로 흔치 않은 차별화된 경험을 제공하기 때문이다. 1, 2층으로 나뉜 객실의 아래층은 2인용 침실, 위층은 일본 전통 응접실로 사용되고 열차 안에는 편백나무로 만든 이른바 히노키 욕조까지 갖추고 있다. 열차 안에 고급 호텔 서비스를 그대로 옮겨온 덕분에 소비자들은 적어도 일주일 이상 소요되는 고급 크루즈 여행을 납득 가능한 비용으로 접근 가능한 시간 안에 즐기는 기분이라고 평가하고 있다.

시사점
B⁺ 프리미엄이 의미하는 것

—

"아무리 뛰어난 품질의 제품을 개발한다 해도 이를 필요로 하는 수요가 존재하지 않는다면 아무 소용없다. 소비자가 선택할 수 있는 프리미엄 제품을 제공하는 것이 중요하다."

삼성전자 영상디스플레이사업부 김현석 사장의 설명이다.[14] 자사에서 판매하는 제품이 할증된 가격을 받고 시장에서 판매되는 것은 모든 기업인의 바람일 것이다. 뛰어난 제품을 잘 만들어 생산하면 소비자들이 알아보고 사줄 것이라는 기대도 크다. 그런데 이제 시장이 바뀌고 있다. 소비자의 입맛에 맞는 제품이 아니라면 톱스타를 기용한 광고도, 최첨단의 기술력도 시장에서의 성공을 장담하기 어려운 시대인 것이다. 2017년 소비자로부터 비롯된 B⁺ 프리미엄 전략을 성공적으로 적용하기 위해서는 다음과 같은 사항이 반드시 고려되어야 한다.

B⁺ 프리미엄은 그동안 견고했던 '고급제품 vs 대중제품' 사이의 경계가 사라지는 현상이라는 점을 기억하자. 그동안 경쟁의 법칙은 고급 제품은 고급 제품끼리, 중저가 제품은 중저가 제품끼리의 경쟁이었다. 반면 B⁺ 프리미엄은 대중제품이 고급제품에 도전장을 내밀며 새로운 시장을 창출하는 전략이다. 네덜란드 암스테르담에서 시작하여 유럽 주요 도시와 뉴욕 등으로 진출한 시티즌M 호텔이 대표적인 예다. 트렌디 부티크 호텔을 표방하는 시티즌M은 중저가 호텔을 이용하는 고객들에게도 좀 더 프리미엄한 가치를 경험할 수 있는

출처: citizenm.com

▲ 객실은 고급 매트리스를 제외하고는 최대한 검소하고 편리하게 꾸몄지만 호텔 로비만은 특급 호텔
에 비길 정도로 화려하게 장식한 시티즌M 호텔

기회를 제공하고자 했다.[15] 객실은 고급 매트리스를 제외하고는 최대
한 검소하고 편리하게 꾸몄지만 호텔 로비만은 특급 호텔에 비길 정
도로 화려하게 장식했다. 방에서는 휴식만을 즐길 수 있도록 배려하
면서도 고급 호텔에 왔다는 기분은 낼 수 있도록 한 것이다. 기존의
중저가 호텔을 이용하던 사람들에게는 고급호텔을 이용하는 경험을
제공하고, 최고급 호텔을 이용하던 사람들에게는 시티즌M 호텔에서
도 동일한 경험을 발견할 수 있도록 중저가와 최고급 사이에 새로운
카테고리를 창출해 B+ 프리미엄을 달성한 좋은 예다.

기업이 가진 핵심역량을 중심으로 라인을 확장하는 전략도 중요
하다. 2016년 가습기 살균제 사태 이후 화학재료에 대한 사람들의
염려가 커지면서 몸에 닿는 샴푸·섬유유연제·세탁세제 등 생활용
품 분야에서 조금 비싸더라도 신체에 해롭지 않은 제품을 찾는 사람

들이 늘었다. 자연스럽게 천연향을 앞세운 프리미엄 제품의 매출이 상승하기 시작했다. 향수 브랜드들이 세탁용품 판매로 영역을 확장한 것이다. 메종 프란시스 커정Maison Francis Kurkdjian, 르 라보Le Labo 등의 향수 브랜드는 시그니처 향을 바탕으로 한 세탁 세제를 재빨리 출시했다. 딥디크diptyque와 조말론Jo Malone 역시 베개나 이불 같은 섬유에 뿌리는 섬유향수를 선보였다.[16] 마트에서 파는 제품의 인공적인 향과 비교해 향수 전문회사의 천연향기가 더 안전할 것이란 믿음 때문에 소비자들이 기꺼이 프리미엄의 대가를 지불한 것이다.

다양한 유통채널을 활용해 B⁺ 프리미엄을 전개하는 전략도 주목해야 한다. 지금까지 유통업계에서는 오프라인은 고가 제품을 주로 취급하고, 할인과 최저가의 이미지가 강한 온라인·홈쇼핑 등은 대중적인 제품을 취급한다는 점을 당연하게 받아들였다. 하지만 비싼 비

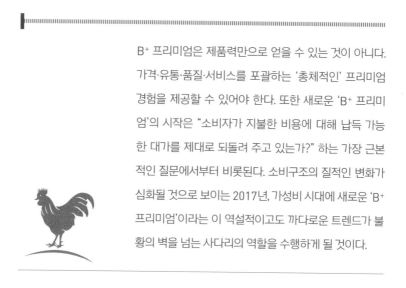

B⁺ 프리미엄은 제품력만으로 얻을 수 있는 것이 아니다. 가격·유통·품질·서비스를 포괄하는 '총체적인' 프리미엄 경험을 제공할 수 있어야 한다. 또한 새로운 'B⁺ 프리미엄'의 시작은 "소비자가 지불한 비용에 대해 납득 가능한 대가를 제대로 되돌려 주고 있는가?" 하는 가장 근본적인 질문에서부터 비롯된다. 소비구조의 질적인 변화가 심화될 것으로 보이는 2017년, 가성비 시대에 새로운 'B⁺ 프리미엄'이라는 이 역설적이고도 까다로운 트렌드가 불황의 벽을 넘는 사다리의 역할을 수행하게 될 것이다.

용을 추가로 지불하는 사람들의 목적은 '실용성'에 있기 때문에 향후 B+ 프리미엄은 꼭 오프라인만을 고집하지 않고 다양한 유통채널을 통해 전개되어 나갈 가능성이 크다. 이미 국내 홈쇼핑 시장에서는 가격 저항선을 넘는 프리미엄 상품 비중이 2013년 1.9%에서 2016년 1~5월 기준 15%로 꾸준히 증가하고 있다.[17] CJ오쇼핑은 2015년 유명 디자이너 베라 왕과 독점 라이선스 계약을 체결한 이후 언더웨어·의류잡화·침구 등으로 프리미엄 라인을 확대하고 있다. 현대홈쇼핑 역시 한섬과의 협업을 통해 전용 프리미엄 브랜드 '모덴'을 성공적으로 론칭한 바 있다.

B+ 프리미엄을 제대로 어필하기 위해서는 가격 책정에도 더욱 신중해야 한다. 메가박스는 2013년부터 매년 1월 1일, 오스트리아 빈에서 펼쳐지는 '빈 필하모니 신년음악회' 공연을 생중계한다. 티켓가격도 3만~5만 원 정도로 영화표보다는 비싸지만 음악회 티켓보다 합리적이다. 전술했듯 B+ 프리미엄은 오스트리아로 날아가 직접 공연을 보는 초호화 럭셔리가 아니다. 오히려 접근 가능한 가격이 핵심 속성이다. 초호화 럭셔리를 즐길 정도로 돈이 아주 많은 부자가 아니더라도 **소비독해력**만 있다면 누구든 B+ 프리미엄을 누릴 수 있도록 할증된 가격과 할증된 품질 사이의 적절한 균형점을 찾는 노력이 무엇보다 중요하다.

마지막으로, B+ 프리미엄은 제품력만으로 얻을 수 있는 것이 아니다. 가격·유통·품질·서비스를 포괄하는 '총체적인'

소비독해력 consumer literacy
읽고 쓰는 기본적인 능력으로 '문자해독능력'으로 해석되는 'literacy'에 '소비자'를 붙여, 소비와 관련된 정보를 습득하는 정보력, 그러한 정보를 해석하고 해독할 수 있는 문화적 수준을 의미한다.

프리미엄 경험을 제공할 수 있어야 한다. B⁺ 프리미엄 전략의 교과서라 할 수 있는 '렉서스'가 이러한 좋은 예다. 렉서스는 대중제품인 '토요타'에서 한 단계 업그레이드된 B⁺ 브랜드로 자리매김하기 위해 제품 측면에서 기능중심의 완결함을 추구하면서도 서비스 측면의 다른 요소까지 세심히 고려했다. 기존 도요타 판매점과 별도로 렉서스 전용판매점을 운영했으며, 매장 직원은 고급 호텔이나 백화점에서 교육을 받도록 해 소비자에게 일류서비스를 제공하도록 했다. 이러한 노력이 바탕이 되어 유구한 역사를 지닌 럭셔리 브랜드들과의 경쟁에서도 자리매김할 수 있었다.

B⁺ 프리미엄의 시작은 "소비자가 지불한 비용에 대해 납득 가능한 대가를 제대로 되돌려 주고 있는가?" 하는 가장 근본적인 질문에서부터 비롯되어야 한다. 소비구조의 질적인 변화가 심화될 것으로 보이는 2017년, 가성비 시대에 **새로운 'B⁺ 프리미엄'**이라는 이 역설적이고도 까다로운 트렌드가 불황의 벽을 넘는 사다리의 역할을 수행하게 될 것이다.

I Am the 'Pick-me' Generation

나는 '픽미세대'

지금 대한민국의 청춘들은 '나를 선택해 달라'는 간절함을 가슴에 품고 산다. 단군 이래 최고의 스펙을 갖췄지만 순위대로 피라미드의 자리가 주어지는 오디션 프로그램처럼 선택pick-me받기 위해 치열한 경쟁을 뚫어야 하는 고단한 세대. 『트렌드 코리아 2017』이 주목하는 '픽미세대'는 그 어떤 세대보다 디지털 환경에 익숙한 대한민국의 20대를 지칭하는 표현이다. 유년기부터 모바일을 통해 세상에 로그인한 이들은 아날로그 세대인 기성세대와 확연한 차별성을 갖는다. 사회에 대한 불신과 불안이 크지만 나름대로의 생존 방식을 선택하고 편집하며 독특한 문화를 만들어가는 주체다. 부모의 심리적 지지와 전폭적인 경제적 지원 속에서 청소년기를 보냈지만 성인이 된 이후 저성장라는 어두운 터널에서 가장 힘든 시기를 견디고 있는 세대다. 이들은 부족한 주머니 사정을 보완하기 위해 아끼고 빌리거나 때로는 가상으로 실속 소비를 하고, 오늘 하루만이라도 즐겁게 보내자는 현실지향주의자가 되기도 한다. 부모님으로부터의 독립을 유예하면서 안정지향 전략을 구사하는가 하면, 사회가 정해 놓은 시스템을 벗어나 인간적인 삶을 실천하는 용기 있는 세대이기도 하다. 소비 패러다임을 바꾸는 주역인 동시에 사회 변화의 중심 세력으로서의 가능성을 지닌 픽미세대. 이 '픽미세대'를 잡는 자가 시장에서든 선거에서든 2017년의 주인이 될 것이다.

아이돌 가수를 꿈꾸는 101명의 소녀들이 한 자리에 모였다. 이들의 총연습시간을 합하면 무려 270년 7개월, 하지만 무대 위의 시간은 단 3분뿐이다. 연습생이란 자리에서 벗어나 데뷔를 꿈꾸는 소녀들의 각오는 비장하다. 첫 번째 미션은 그동안 갈고 닦은 실력을 보여주는 것이다. 준비해온 음악의 1절이 채 다 끝나기도 전에 그 자리에서 A부터 F의 등급이 매겨진다. F등급은 노래를 부를 기회가 없다. 티셔츠 색으로 구분되는 등급과 피라미드로 나눠진 자리배치의 세계에서 소녀들의 유일하고 절실한 꿈은 탈락하지 않고 생존하는 것이다. 피라미드의 맨 꼭대기에는 앉지 못하더라도 커트라인 밖으로 밀려나 연습생 신분으로 돌아가고 싶지 않은 마음이 간절하다. 그래서 이 미션의 결과를 발표할 때 1등보다 가까스로 피라미드의 맨 아랫자리에 앉은 최하위 등수가 더 드라마틱하게 그려진다. 자리에 앉지 못하면 당연히 탈락이다. 게임은 레벨 1단계로 초기화된다.

65만 2,000명의 취업준비생들이 도서관에, 강남역 학원가에 혹은 노량진에 모인다. 시간당 6,030원의 최저임금과 대학 등록금 1,000만 원 시대. 이들에게 주어진 미션은 9단계다. 학벌과 학점은 기본이고 토익 점수에 오픽과 토익 스피킹 등 말하기도 포함된다. 폭넓은 경험을 자소서에 풀어내려면 어학연수도 다녀와야 한다. 직무 관련성이 점점 중요시되는 취업 오디션의 세계에서 자격증과 인턴 경험, 공모전 수상 경력은 결정적인 순간 나를 어필할 수 있는 '한방'이다. 여기에 봉사 활동으로 인성까지 갖춰야 피라미드의 자리를 기대해볼 수 있다. 혹시 인성에 호감형 인상까지 갖춘다면 더 안전하게 붙을지도 모르니 성형수술도 고려해본다. 하지만 게임의 법칙에 예

▲ 대한민국에 '픽미' 열풍을 일으킨 〈프로듀스 101〉. 단 3분 동안의 공연으로 탈락이 결정되는 이들의 운명은 대한민국 청춘들이 처한 현실의 축소판처럼 보인다.

외는 없어서 '귀하를 모실 수 없어 안타깝게 생각한다'는 인사담당자의 메일은 유감스럽게도 초기화를 의미한다. 레벨 1단계로 말이다.

2016년 화제를 뿌린 '걸그룹 육성 오디션 프로그램' 〈프로듀스 101〉의 연습생들의 모습은 오늘날 대한민국 청춘들이 처한 현실의 축소판처럼 보인다. 수십 명의 소녀가 가지런히 손을 모으고 허리를 굽히며 "국민 프로듀서 님, 잘 부탁드립니다!"라고 외치는 진풍경은 치열한 면접에 뛰어든 구직자들의 초조한 모습과 묘하게 겹친다. 직장인 누구나 가슴에 사표 하나쯤은 품고 산다는 관용구처럼 현재의 젊은 청춘들은 '나를 좀 선택해 달라'는 간절한 문장 하나를 가슴에 품고 산다. 단군 이래 최고의 스펙을 갖췄지만 순위대로 피라미드의 자리가 주어지는 오디션 프로그램처럼 선택pick-me받기 위해 치열한 경쟁을 뚫어야 하는 고단한 세대,『트렌드 코리아 2017』은 프로그램에서 그들이 열창했던 노래, "픽미, 픽미, 픽미업"이라는 가사가 귀에서 맴도는 노래, '픽미'에서 영감을 받아 '픽미세대'라고 명명했다.

픽미세대는 어느 세대보다 모바일 환경에 익숙한 대한민국의 1997년생부터 1985년생까지, 20대와 갓 사회생활을 시작한 30대 초반까지를 지칭하는 표현이다. 유년기부터 모바일을 통해 세상에 로그인한 이들은 아날로그인 기성세대와 확연한 차별성을 갖는다. 사회에 대한 불신이 크지만 나름대로의 생존 방식을 선택하고 편집하며 독특한 문화를 만들어가는 주체이기도 하다. 이제 새로운 가치를 장착한 채 고단한 삶의 미션을 넘나드는 이 모바일 인류의 등장 배경을 살펴보고, 합리적이고 구체적이지만 때로는 참을 수 없이 가볍고 소극적인 가치관이 어떻게 청춘들을 지배하고 있는지 따라가 본다.

등장 배경: 접속한다, 고로 존재한다

디지털 기기의 수혜를 받으며 고성장 시기에 태어나다

픽미세대를 구별 짓는 가장 큰 특징은 이들이 모바일 인터넷을 유비쿼터스(언제 어디에나 존재함)의 형태로 경험하고 자란 **디지털 네이티브**란 점이다. 스마트폰으로 친구를 사귀고 대화하고, TV를 보고, 게임을 하며 관심 있는 상품을 찾고, 물건을 구매한다. 온라인과 오프라인의 경계가 뚜렷이 구분되지 않고 일상생활에서 오히려 온라인의 비중이 더 높은 경향도 있다. 프랑스 현대 철학자 미셸 세르Michel Serre는 『엄지세대, 두 개의 뇌로 만들 미래』라는 책에서 인터넷을 자신의 뇌와 연결된 두 번째 뇌로 여기는 신인류가 탄생했음을 지적한 바 있다.[1] 바로 픽미세대가 그렇다. 이들에게 스마트폰이 미치는 영향은 실로 지대하다. 스마트폰이 곁에 없다는 것은 자신의 영혼을 두고 왔다는 것과 다르지 않다. 접속하므로 곧 존재한다는 이 픽미세대에게 스마트폰으로 대표되는 연결과 공유는 가장 중요한 등장 배경이다.

디지털 네이티브

Digital Native

2001년. 작가이자 교육학 권위자인 마크 프렌스키|Marc Prensky가 이 세대를 가리켜 처음 쓴 말이다. 태어날 때부터 디지털 기기에 둘러싸여 살아온 세대로, 디지털 언어를 자유자재로 사용할 수 있는 세대를 뜻한다.[2]

픽미세대는 어렸을 때부터 부모의 전폭적인 지지를 받아온 세대이기도 하다. 그들의 부모 세대인 베이비붐 세대가 사회에 진출하던 시기 경제성장률은 10%대의 고성장 시기였다. 97년 외환위기 이전에도 7% 이상의 경제성장을 유지하던 때였다. 그 후 2000~2007년까지만 해도 세계 평균 경제 성장률을 웃도는 5%대의 성장을 이어갔다. 비교적 고도의 경제 성장을 지나온 베이비붐 세대는 자녀의 교육은 물론 폭넓은 경험에 아낌없이 지원했던 세대이기도 하다. 조기유학이나 대치동 학원가의 이야기가 들리기 시작한 것도 이 즈음이다. 매일경제신문이 2010년 조사한 바에 의하면 19세~25세 청년 300명 중 사교육 경험 비율은 87%에 이르며, 해외방문 경험 비중은 42.3%, 어학연수 경험은 14.3%에 달했다.[3] 베이비붐 세대가 자녀들에게 강조했던 교육은 단순히 보릿고개 시절 좋은 대학에 진학해 집안을 일으키길 바랐던 것이 아니다. 이들은 자녀의 적성이나 진로에 맞는 다양한 선택지를 제시하며 개인으로서의 행복한 삶을 더 중요한 가치로 받아들일 수 있는 토대를 만들어 주었다.

무기력을 학습하며 저성장 시기 속에 어른이 되다

부모님의 칭찬과 지지에 익숙한 이들이지만 이들을 둘러싼 거시적 환경은 호락호락하지 않다. 한국이 저성장의 기조가 보이기 시작한 때는 2008년 글로벌 금융위기 이후다. 이들이 성인으로서 첫 발을 내딛기도 전에 불황이라는 그림자가 드리우기 시작한 셈이다. 성인이 되기도 전에 취업이 잘 되는 학과를 전략적으로 선택하고 대학에 입학해서도 취업이라는 강박에 사로잡혀야 하는 세대였다. 계속되는 경쟁의 악순환을 겪으며 언제 탈락할지 모른다는 초조함은 이들을 지배하는 정서 중 하나가 되었다. 실제로 청년위원회의 〈청년구직자 취업준비 실태보고서〉에 따르면 취업 준비 기간이 6개월에서 1년 미만이었다는 응답자는 30.5%, 1년 이상은 41.3%로 전체 70% 이상이 6개월 이상 취업을 준비한 것으로 나타났다. 취업준비 기간이 늘어날수록 경제적 부담은 가중된다. 대졸취업자가 스펙을 쌓는 데 필요한 돈이 등록금을 포함해 1인당 4,000만 원이 넘는다는 분석도 있다. 조선일보가 전국 20대 남녀 700명을 대상으로 실시한 조사에서는 37.4%가 현재 상환해야 할 대출금이 있다고 응답했다.[4]

불안한 취업시장은 픽미 세대를 무기력하게 만들기도 한다. 피할 수 없거나 극복할 수 없는 실패를 많이 겪게 되면 자신이 충분히 할 수 있는 일이라도 노력하지 않게 되는 무기력에 빠지게 되는데, 심리학에서는 이를 '학습된 무기력'이라고 부른다. 실패하더라도 왜 실패했는지 명확히 알면 무기력해지지 않는다. 하지만 통제할 수 없는 상황이 반복되면 무기력도 학습하게 된다는 것이다.[5] 이러한 전망의 부재는 취업을 했다고 나아지지 않는 것이 더 문제다. 고용정보원의 보

직업별 취업 준비 비용 사례

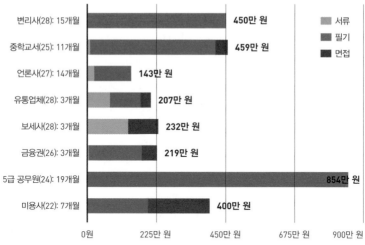

변리사(28): 15개월	**450만 원**
중학교교사(25): 11개월	**459만 원**
언론사(27): 14개월	**143만 원**
유통업체(28): 3개월	**207만 원**
보세사(28): 3개월	**232만 원**
금융권(26): 3개월	**219만 원**
5급 공무원(24): 19개월	**854만 원**
미용사(22): 7개월	**400만 원**

■ 서류
■ 필기
■ 면접

0원   225만 원   450만 원   675만 원   900만 원

출처: 한국일보[5]

대한민국 20대, 얼마나 불안한가?

미래에 대한
불안감이 있습니까

● 매우 불안하다
● 불안하다
● 불안하지 않다
○ 전혀 불안하지 않다

3
17.3
23.1
56.6
%

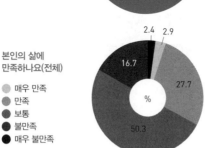

본인의 삶에
만족하나요(전체)

○ 매우 만족
● 만족
● 보통
● 불만족
● 매우 불만족

2.4 2.9
16.7
27.7
50.3
%

출처: 조선비즈[6]

고서에 따르면 20~34세 대졸자 1만 8천여 명 중 2014년 대졸 청년층의 72.1%가 첫 직장 취업에 성공했지만 300인 이상의 대기업 정규직에 취업한 사람은 10.4%에 불과했다.[7]

이처럼 픽미 세대는 고도성장기의 희망이 사라진 빈자리를 자조와 체념, 또는 현실에 대한 빠른 직시로 채우며 불만스럽지만 세상사는 이치를 자연스럽게 터득하고 있다. 알 수 없는 미래라는 불안 앞에서 좌절하기도 하지만 현실의 소소함에서 즐거움을 찾고, 적자생존과 각자도생이라는 어려운 시대의 가치관을 조롱하면서도 추구해야 할 덕목으로 받아들인다. 자신의 일상을 끊임없이 전시하면서 타인에게 인정받기를 원하지만 때로는 '관태기(『트렌드 코리아 2017』 **내멋대로 '1코노미'** 참조)'에 빠져 혼자만의 굴을 파는 두 얼굴의 세대이기도 하다.

미국에서는 2016년 대선과정에서 힐러리 클린턴 후보가 이들 세대를 가리켜 "부모 집 지하실에 거주하고, 배운 만큼 제대로 된 일자리가 없다고 생각하는 젊은이들"이라고 설명하며 '대침체기의 자식들the children of the Great Recession'이란 표현을 써 논란을 낳기도 했다. 인류 역사상 가장 현대적인 디지털 시대의 총아들이지만 '우울한 세대'라고도 불리는 20대, 대한민국의 픽미세대는 어떤 모습으로 이 불안한 시대를 돌파할 전략을 세우고 있을까? 픽미세대의 생존전략을 그들이 애용하는 해시태그(#)와 함께 살펴본다.

픽미세대 생존태그 1
실질적인 소비에 집중하는 'Small Spender'

———

#효율 #돈이없으니까 #싼거 #싸게 #실용 #아껴쓰고 #나눠쓰고 #축약

픽미세대는 이전 세대와 달리 대량소비를 하는 'Big Spender', 즉 시장의 '큰 손'이 아니다. 명품 브랜드에 대한 관심도 적고 소득이 낮아 실질적인 소비에 치중하는 경향이 크다. 꿀딜이나 핫딜은 이들이 가장 매력적으로 생각하는 키워드다. 당연히 파격세일 행사를 자주 하는 소셜커머스를 선호하는 경향이 높다. 신한카드 트렌드연구소에서 실시한 빅데이터 분석을 보면 2014년과 2016년의 회원수 비교 결과 온라인 쇼핑몰 회원수에 비해 소셜커머스 회원수 변화가 두드러지는 것을 알 수 있다. 한 소셜커머스 마케터는 '싼', '싸게'라는 단어가 다른 모든 단어를 넘어선다고 언급할 정도다.[9]

공유에 거부감이 없는 그들, 안 되면 빌려 쓴다

아껴 쓰는 것으로 충족이 안 되면 빌려 쓴다. 이런 픽미세대에게 공유서비스는 이제 일상이 되었다. 골드만삭스의 연구보고서에 따르면 좋은 차를 소비의 최우선 순위로 꼽는 **밀레니얼 세대**는 15%밖에 되지 않는다고 한다.[10] 차를 소유해야 한다는 의식이 점점 약화되고 있다는 증거다. 경기연구원에 따르면 국내 카셰어링 서비스를 주로 이용하는 사람들은 20대(39.0%)와 30대(37.8%)였다. 카셰어링 업체 쏘카의 회원수는 200만 명으로 2012년 100대였던 보유 차량을 2016년 6,000대 이상으로 늘렸다.[11] 차뿐만이 아니다. 노트북·옷·액세서리

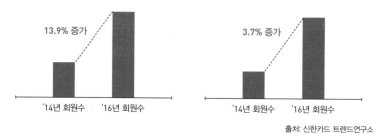

| 20대 소셜 커머스 회원수 변화(2014~2016) | 20대 온라인 쇼핑몰 회원수 변화(2014~2016) |

13.9% 증가

'14년 회원수   '16년 회원수

3.7% 증가

'14년 회원수   '16년 회원수

출처: 신한카드 트렌드연구소

등 빌려 쓰는 품목도 다양해지고 있다. 월정액을 내고 원하는 옷을 주문해서 입을 수 있는 렌털 서비스 원투웨어는 서울 지역에서만 진행하던 서비스를 전국으로 확대하면서 매출이 300% 이상 증가했다. 격식 있는 자리에 어울릴 법한 고가의 화려한 의상이 아닌 평상복을 대여할 수 있다는 점이 특징이다. 과거의 렌털 시장이 구매비용이 큰 내구재를 중심이었던 데 반해 픽미 세대가 대여하는 아이템은 평상복과 같이 작은 소비재로 확대되는 추세다. 주머니 사정이 여의치 않은 탓도 크지만 공유 자체에 대한 심리적 장벽이 높지 않은 세대적 특성으로 해석할 수 있다.

밀레니얼 세대

Millennial Generation

1980년대 초반부터 2000년대 초반 출생한 세대. 닐 하우, 윌리엄 스트라우스가 1991년 출간한 『세대들, 미국 미래의 역사』에서 처음 사용한 용어다. 밀레니얼 세대는 청소년 때부터 인터넷을 사용해 모바일, 소셜네트워크서비스SNS 등 정보기술IT에 능통하며 대학 진학률이 높다는 특징을 가진다. 2007년 글로벌 금융 위기 이후 사회에 진출해 고용 감소, 일자리 질 저하 등을 겪어 평균 소득이 낮으며 대학 학자금 부담도 안고 있다. 이 때문에 결혼을 미루고 내 집 마련에 적극적이지 않다는 특징이 있다.

축약이 습관이 된 그들, 연애도 소비도 실속을 넘어 페이크

'ㅇㄱㄹㅇ, ㅇㅈ?'

이 문장에 당황하지 않는 자, 픽미세대다. ㅇㄱㄹㅇ은 '이거리얼', ㅇㅈ은 '인정'의 줄임말로 해당 내용에 대한 놀라움을 표현하거나 인정한다는 의미다. 휴대폰이 등장한 이래 축약형 신조어가 젊은층 사이에서 널리 쓰이는 건 새롭지 않지만 최근에는 그 현상이 더 심화되고 있다. 모든 것을 효율적으로 관리해야 한다는 게임의 법칙을 체화하다 보니 의사소통을 위한 단어까지 축약하고 있는 것이다. 이 때문에 기성세대 사이에서는 이들의 언어를 따로 공부해야 한다는 말까지 나오고 있다. 맞춤법은 틀릴지 몰라도 장황하게 소통하지 않겠다는 모바일 세대 특유의 작은 룰이다.

연애도 실속모드로 한다. 아르바이트, 스펙달성을 위한 대외활동, 계절학기 등 쉴 틈 없이 채워진 일상에서 썸만 타면서 마음을 졸이기보다 이 사람이다 싶으면 쿨하게 대시할 줄 안다. 선택이 빠른 대신 포기도 빠르다. 픽미세대에게 불필요한 감정 낭비만큼 '찌질'한 것은 없다. 이 때문에 초대형 빼빼로, 곰 인형, 꽃다발처럼 비실용적인 과시형 선물보다 서로 갖고 싶은 것을 선물하고 동네의 편안한 공원, 가까운 맛집에서 데이트하는 등 소소한 소비행태를 선호한다.[12]

일상에서도 현실과 가상을 넘나드는 모바일 세대에게는 스마트폰으로 즐기는 연애도 그리 특별한 일탈이 아니다. 대학내일20대연구소는 〈2016 S/S 20's TREND REPORT〉에서 2016년 상반기 20대 트렌드 키워드 5 중 하나로 **페이크슈머**를 뽑았다. 야외에서 즐기는 비싼 캠핑 대신 4만 원짜리 인디언 텐트로 '방구석 캠핑'을 즐기고

'미소년 연애 시뮬레이션' 게임으로 가상의 데이트를 하는 식이다. 간접적인 체험이지만 구글어스Google Earth로 세계여행을 하고 페이크 타투와 페이크 염색으로 대리만족할 줄도 안다. 이러한 소비행태는 지금 당장은 누릴 수 없는 현실을 빠르게 인정하고 체념하면서도 욕망을 완전히 버리지는 않겠다는 픽미세대 나름의 합리적인 전략이다.

페이크슈머
Fakesumer
가치 있는 가짜를 소비하는 것으로, 진짜 대신 대체할 수 있는 것을 구매함으로써 만족을 느끼는 '페이크 소비'를 하는 소비자들. '페이크 소비'는 저렴한 가격에 적절한 품질'을 뜻하는 '가성비'를 추구하는 심리와 겹치는 속성이 있다.13

픽미세대 생존태그 2
지루함은 유죄, 가벼움은 무죄

—

#요즘애들 #인내심 #감성사진 #재미 #가벼움 #우리동네

역대 어느 세대보다 모바일 환경에 익숙한 세대, 이들은 물질적 풍요보다는 여행이나 취미, 음식에 관심이 많고 이를 SNS에 올려 공유하고 과시하는 것을 즐긴다. 디지털 콘텐츠에 익숙한 세대라 오랫동안 집중하는 것을 쉽게 지루해 하는 대신 짧고 파편적인 콘텐츠는 빠르게 흡수한다. 게다가 워커홀릭이었던 기성세대와 다르게 미래를 차곡차곡 준비하는 과정에서 성취를 느끼지 못하고 현재를 즐기는 것이 더 중요하다. 전술했듯이 열심히 노력해도 양질의 일자리를 얻기 어려워진 저성장 시대를 절절히 체감하고 있는 픽미 세대에게 내

일은 어떻게 될지 모르는 미지의 세계다.

유머와 위트가 핵심코드, 오늘이라도 재미있게 산다

'오늘이라도 재밌게 사는 게 남는 것'이라는 사고는 사실 철저한 손익계산의 발로이며 치열한 생존전략이다. 이 때문에 보험이나 저축보다는 오늘에 투자한다. 논리보다 감성, 텍스트보다 사진, 진지함보다 가벼운 유머에 열광하는 것은 모두 현재를 충분히 즐기겠다는 심리가 바탕에 있다. 미국·유럽의 밀레니얼 세대를 사로잡은 소셜 메신저 서비스 스냅챗은 '스펙터클'이라는 선글라스를 공개했다. 안경다리가 접히는 부분을 누르면 최대 10초간 영상을 촬영할 수 있고 무선으로 스마트폰에 영상을 전송해 친구들과 공유할 수 있다. 순간순간 눈앞에 보이는 것을 즉시 소통할 수 있도록 만든 것이다.

즉각적인 소통도 중요하지만 현재를 즐기는 만큼 순간을 남기고 싶어 하는 심리도 픽미 세대의 특징이다. 가장 빠르게 인증할 수 있는 방법은 역시 사진이다. 따라서 픽미세대는 페이스북보다 사진 중심의 인스타그램을 선호하는 경향이 있다. 사실의 재현보다 감성적 연출이 중요하기 때문에 사진 어플은 필수다. 2016년 모바일 시장조

출처 : spectacles.com

◀ 스냅챗이 제공하는 스펙터클 선글라스. 순간순간 눈앞에 보이는 것을 바로 찍어 올리기를 원하는 픽미세대를 겨냥한 제품이다.

사업체 와이즈앱 발표에 따르면 카메라 앱인 '스노우'와 '푸디Foodie'의 경우 3월부터 9월까지 사용자가 각각 302%, 771% 급증한 것으로 나타났다.[14] 픽미세대를 중심으로 이미지나 영상으로 소통하는 문화가 대세로 자리 잡고 있는 것이다. 이러한 **노티슈머**의 확산으로 제품과 서비스의 홍보방식에서 이미지 위주의 감정 소구 전략은 앞으로도 더욱 유효할 것으로 보인다.

노티슈머 Notisumer
인증을 의미하는 'Notification' 과 소비자를 말하는 'Consumer'의 합성어. 인증하기 위해 소비하는 소비자를 일컫는 말로, 상품이 가지고 있는 감성이나 분위기를 본인에게 투영하기 위해 끊임없이 SNS에 인증하고 반응을 기대하는 소비자를 말한다.[15]

진지함과 불편함은 NO, 가벼움을 미덕으로 여기다

가벼움을 미덕으로 여기는 가치는 인간관계에서도 나타난다. 친구와 일정을 맞추는 수고로움을 감수하기보다 가까이 있고 시간과 뜻이 맞는 사람들을 찾아 노는 것이다. 위치기반 서비스를 이용한 만남 앱은 이미 자리 잡은 지 오래다. 이처럼 필요에 의한 인간관계가 확산되면서 픽미세대는 동네문화를 만들어가는 주역이 되고 있다. 멀리 있는 핫플레이스나 맛집을 찾아 나서기보다 근거리나 잘 알려지지 않은 동네에서 가볍게 놀고 마시며 새로운 골목문화를 형성한다. 무엇보다 픽미세대는 뻔한 대형 상권보다 아기자기하게 즐길 수 있는 독특한 콘셉트와 테마를 중요하게 생각하기 때문에 이들의 발걸음이 모이는 곳이 곧 핫플레이스가 되고 있다.

이들은 선망하는 스타도 모바일 속에서 찾는다. 인스타그램이나 페이스북에서 활발하게 소통하고 사생활을 실시간으로 공개하는

SNS스타들이 픽미세대의 롤모델이 된다. 패션·뷰티·인테리어 등 SNS스타들은 나름의 전문 분야를 갖고 있다는 것이 특징인데, 팔로어들이 자신의 취향별로 힙스터를 팔로잉하고 그들이 올린 게시물을 보며 선망과 대리만족을 느끼는 식이다. 한마디로 SNS에서는 일반인도 스타가 될 수 있다. 단, 엣지, 느낌, 독특한 콘텐츠 등 취향저격이 핵심이다.

I Am the 'Pick-me' Generation

픽미세대 생존태그 3
위험한 모험은 NO, 소박한 안정은 OK

—

#캥거루족 #결정장애 #대신해줘 #안전지향

1인 가구가 늘고 있지만 한편으로는 부모에게서 독립하지 못하는 청춘인 캥거루족의 증가도 심상치 않다.(『트렌드 코리아 2017』 **내멋대로 1코노미 키워드 참조**) 취업포털 잡코리아가 성인남녀 3,574명을 대상으로 '캥거루족에 대한 인식과 현황'에 대해 조사한 결과 자신을 캥거루족이라고 응답한 사람이 37.5%라고 한다. 그런데 이 조사에서 주목할 점이 있다. '주거비용이나 용돈 등 경제적 지원이 필요하다'는 답변이 압도적으로 높았지만 '중요한 결정을 내릴 때 부모님의 도움을 받아야 마음이 편하기 때문'이라는 응답도 15.8%를 차지했다. 또한 '경제적으로나 정신적으로 모두 독립하지 못했다'는 답변도 14.5%에 달했다.[16] 현실적으로 취업이 어려울 뿐 아니라 취업을 위해 지불해야 하는 비용도 만만치 않다보니 부모라는 유일한 지원자를 놓을 수

▲
▲
▲

인생에서 가장 **아름다운 시기**로 꼽히는 20대, 그럼에도 선택받기 위해
고군분투해야 하는 이 세대와 기업은 어떻게 소통해야 할까? 무엇보다
이들이 바꾸어 놓을 소비 패러다임의 변화를 예의주시해야 한다. 이들은
구매행위를 소유보다는 일종의 경험으로 인식하기 때문에 더 재밌고 유쾌한
소통으로 어필하는 것이 핵심이다. 종잡을 수 없는 부동층인 **픽미세대**는
2017년 국내 대선의 향방을 가르는 캐스팅보트가 될 수도 있다. 이화여대
사태 때 대학 본관을 점거했던 학생들이 불렀던 노래는 '운동권 가요'가 아니라
걸그룹 소녀시대의 '다시 만난 세계'였다. 이 변화를 이해할 수 있어야 젊은
유권자의 표심을 얻을 수 있을 것이다.

가 없는 것이다. 무엇보다 픽미세대의 부모는 자녀의 미래를 위해 투자를 아끼지 않았던 세대다. 단순히 경제적 지원뿐 아니라 함께 진로를 고민하고 인생의 플랜을 짜주던 세대이기도 하다. 이 때문에 저널리스트 올리버 예게스는 메이비 세대maybe generation, 즉 결정장애 세대가 탄생하게 된 배경 중 하나로 헬리콥터맘이나 잔디깎기맘처럼 시시콜콜 자녀를 케어해준 극성스러운 엄마의 등장을 꼽은 바 있다.[17]

이처럼 부모의 매뉴얼에 따라 청소년기를 보낸 이들은 사회에 나와서도 엄마의 대리기능을 찾는다. 자기소개서·논문·이력서·리포트는 물론이고 사직서와 경위서까지 대필을 맡긴다. 이들을 중심으로 대필시장이 급격히 성장하면서 2015년 8월에는 자기소개서와 학술논문, 학업 계획서 등을 대신 써주는 대필 작가들이 모여 '한국대필작가협회'를 결성하기도 했다. 대필 작가들을 대변하는 이익단체가 생길 정도로 하나의 시장이 형성되고 있는 것이다.[18]

온라인상의 짤막한 텍스트에 익숙해져 맥락과 서사를 갖춘 글쓰기에 유독 서툴다는 평가도 있지만 한편으로는 자립하지 못하는 성인으로 길들여진 가정환경에도 원인이 있다는 분석이다. 부모가 교수에게 성적 이의를 제기하거나 군에서도 부대원 어머니의 전화를 받는다는 일화도 심심치 않게 들린다. 최근에는 '대2병'이라는 신조어가 탄생했는데, 학창시절에 스스로 진로 설정을 하지 못하다가 대학에 진학한 학생들이 갑자기 주어진 자율권에 자신감을 잃고 전공에 대한 회의감과 취업 걱정으로 아무것도 못하는 증상을 일컫는다.

서강대 현대정치연구소 이지호 상임연구원은 현대 사회가 젊을수록 진보적이고 나이가 들수록 보수적이라는 기존의 패턴이 사라졌다고 지적한다. 20대 후반이 30대보다 더 보수적이고 30대 후반이 20대보다 진보적인 것으로 나타났기 때문이다. 정치성향의 역전이 나타난 것이다.[19]

이는 현재의 20대가 만성적인 저성장의 경제 분위기 속에서 단 한 번도 호황기의 활력 넘치는 경제·사회적 분위기를 경험하지 못한 세대라는 것에 기인한다. 생존경쟁이 내면화되고 안보와 안전에 대한 불신, 불안의 심리가 높아지며 변화나 개혁을 바라지 않는 보수적 성향이 짙어졌다. 때문에 이들은 스티브 잡스나 마크 저커버그처럼 창업에 도전하기보다 공기업에 들어가 안정된 생활을 영위하는 것을 더 선호하는 편이다. 시장의 큰손이 되고 싶지도 않고 모험적 투자도 거부하는 이들 세대의 위험회피 심리가 향후 국내 경제에 끼칠 영향을 진지하게 고민해야 할 때다.

픽미세대 생존태그 4
기성세대가 주입한 가치관을 거부하다

—

#이직 #사축 #이민 #아웃사이더 #다양성 #관심없음

아침에 지하철 2호선을 타고 아현역에서 역삼역까지 신도림을 거쳐서 가본 적 있어? 인간성이고 존엄이고 뭐고 간에 생존의 문제 안에서는 다 장식품 같은 거라는 사실을 몸으로 알게 돼. 신도림에서 사당까지는 몸이 끼이다 못해 쇄골이 다 아플 지경이야. 사람들에 눌려서. 그렇게 2호선을 탈 때마다 생각하지. 내가 전생에 무슨 죄를 지었을까 하고 나라를 팔아먹었나? 보험 사기라도 저질렀나? 주변 사람들을 보면서도 생각해. 너희들은 무슨 죄를 지었니?

『한국이 싫어서』中 P19-20[20]

사축으로 길들여지기보다 아웃사이더의 길을 선택

취업이라는 바늘구멍을 통과한 신입사원 100명 중 27명이 3년 이내에 회사를 그만둔다고 한다. 어린 시절부터 온라인을 통해 국경을 초월한 뉴스들을 실시간 접하며 나름의 세상 보는 눈을 길러온 픽미세대에게 기성세대와 소통하는 일은 쉽지 않다. 특히 여전히 공동체 문화를 강조하는 한국의 기업문화는 개인주의 정서가 강한 젊은 세대에게 스트레스를 넘어 폭력이 되기도 한다. 2016년 방영된 SBS스페셜 〈은밀하게 과감하게-요즘 젊은 것들의 사표〉는 이러한 기업문화를 거부하고 사표를 던진 젊은이들의 이야기를 다뤄 화제가 되었다. 이 프로그램에 출연한 조기 퇴직자들은 직장을 뛰쳐나온 이유에 대해 "내 인생을 일만 하며 보내고 싶지 않다, 선배들을 보면 내 5년 후가 너무 암울하고, 10년 후는 생각조차 하기 싫다. 나도 누군가의 귀한 자식인데, 이런 대우를 받아야 하나"[21] 라고 말했다.

이제 묵묵히 열심히 일하는 것이 미덕으로 여겨지던 시대는 지났다. 일자리가 필요하지만 회사에 인생을 저당 잡히고 싶지는 않다는 게 이들의 가치관이다. 애사심이나 소속감보다는 어느 한쪽에 기울어지지 않은 균형 잡힌 생활이 더 중요하다. 심지어 아르바이트생들이 '남의 집 귀한 자식'이라는 문구가 박힌 티셔츠를 입고 일하는 음식점이 화제가 되기도 했다. 아르바이트생 중 80%가 넘는 응답자가 도를 넘은 갑질을 당한 경험이 있다[22]고 하니 '나도 귀한 자식'이라는 문구는 사람답게 일하고 싶다는, 기성세대를 향한 청춘들의 외침인 셈이다.

이러한 현상은 기업과 국가에 대한 혐오라기보다 전통적인 기관이나 조직에 대한 기대가 무너지고 있음을 의미한다. 하버드 케네디스쿨 강의교수 니코 멜레Nicco Mele가 정부·정당·대기업·대학·언론기관 등의 거대권력이 종말하고 있다고 지적한 것처럼 공유와 상호 수평적 연결에 기반한 디지털 언어를 몸으로 익힌 픽미세대는 전통적 질서와 문법을 깨고 스스로 생존전략을 탐구하는 경향을 보이기도 한다. 혼자문화도 이러한 현상을 대변하는 대표적인 예다. 실제로 정신과 전문의들은 현대의 젊은 세대가 외로움과 불안보다는 다양한 대인관계에서 야기된 스트레스로 고통받는 경우가 더 많다고 지적한다.[23] 복잡한 관계 속에 들어가기보다 자발적으로 고독을 선택한다는 말이다. 실제로 주류 세계에서 이탈하고 기존 시스템을 거부하며 스스로 아웃사이더의 길을 선택하는 젊은이들이 증가하고 있다.

자유로운 라이프스타일과 열린 태도로 다양성을 인정

기존의 가치관을 거부하고 자유로운 라이프스타일을 꿈꾸는 이들이 하나둘 모여 공동체를 이루기도 한다. 집값을 아끼기 위해 등장했던 셰어하우스가 비슷한 관심사를 가진 사람들이나 같은 직업군에 소속된 사람들이 모여 일도 하고 놀기도 하는 목적지향 주거 커뮤니티로 진화하고 있다. 일찍이 저성장기가 시작된 일본에서는 이와 같은 목적지향 커뮤니티가 활발한 편이다. 대표적으로 '토키와장 프로젝트'는 만화가 지망생들이 아르바이트를 전전하며 낭비하는 시간을 줄일 수 있도록 저렴한 가격에 공동 주거지를 제공하는 사회적 기업이다. 비슷한 예로 한국에서는 루트임팩트에서 2년 전부터 운영하고 있는 체인지메이커 커뮤니티 하우스 '디웰D-WELL'을 들 수 있다. 사회적 기업이나 소셜벤처에서 일하고 있는 디자이너, 스타트업 팀, 비영리 활동가 등이 모여 자신의 꿈을 펼치는 동시에 더 나은 세상에 대한 고민을 함께 나눈다.[24]

기성세대가 쉬쉬 하던 문화도 픽미세대에게는 대수롭지 않다. 현재를 중시하는 사고와 어릴 적부터 많은 커뮤니티에 노출되어온 탓에 다양성을 인정하는 열린 태도가 체화되어 있기 때문이다. 전통적인 가치에 대한 신뢰도 무너져 남의 시선을 의식하는 것 자체를 촌스럽다고 여긴다. 덕후 문화는 이들 사이에서 몰래하는 취미가 아니다. 또한 성 담론에도 개방적이어서 성소수자에 대한 거부감이 적고 연인 사이의 1박 2일 여행이나 동거문화에도 익숙한 편이다. 특히 모텔은 영화관처럼 일상적인 데이트 코스다. '야놀자', '여기어때'와 같은 모텔 리뷰·예약 앱을 이용해서 마일리지를 모으거나 시설이 뛰어나고 청결한 다른 지역의 모텔로 원정을 가기도 하고 이를 공개적으로 인증하는 것에도 거침없다.[25] 인종이나 성별, 나이 등의 고정관념에서 그 어느 세대보다 개방적인 픽미세대, 이들이 한국사회에 주력부대로 등장하면서 향후 국내시장에는 어떤 변화가 펼쳐질까?

시사점
세대 간 이해를 바탕으로 긍정적인 모멘텀을 만들어야 할 때

—

픽미세대는 소비시장의 큰 손은 아니지만 분명 소비문화의 중심에 있다. 다시 말해, 쓰는 돈이 많은 건 아니지만 소비의 패러다임을 바꾸는 세대라는 뜻이다. 먼저 주거 문화의 변화가 시작될 것으로 보인다. 이들은 '내집 마련'이라는 한국인 최대의 숙원 과제를 푸는 데 그다지 적극적이지 않다. 이들을 타깃으로 라이프스타일 브랜드 무인양품MUJI은 아예 집을 만들어 판다. 미리 재단해둔 재료를 사용해 현장에서 건물을 짓는 프리패브prefab, pre-fabication 방식으로 내부 구조를 자유자재로 바꿀 수 있을 뿐만 아니라 저렴하기까지 하다. 픽미세대는 비싼 값을 치르면서까지 오래 머물지도 않을 집에 투자하지 않겠다고 말하는 세대다.

이들을 중심으로 펼쳐질 정치사회적 변화의 양상도 주목해야 한다. 실제로 2014년 9월 촉발한 홍콩의 민주화 시위는 대학생의 주도로 시작되어 중고등학생과 일반인들의 광범위한 지지를 받게 되었다. 우산혁명으로 불리는 시위에서 가장 주목받은 인물인 조슈아 웡Joshua Wong은 1996년생이다. 2016년 1월에는 대만의 총통 선거에서 대만 역사상 최초의 여성 총통인 차이잉원 후보가 당선되어 화제가 된 바 있다. 야당 민주진보당(민진당) 소속으로 8년만의 정권교체였다. 주목할 점은 이 선거에서 20~29세 청년층의 74.5%가 투표에 참여한 것으로 나타났다. 전체 투표율 66.3%를 웃도는 수치로, 2012년 총통 선거의 청년 투표율(약 60%)보다 크게 높아진 수치다.[26] 한국에 픽미세대를 이해하기 위해서는 보다 세심한 관점이 필요하다. 이들은 기성세대에 비해 초라한 미래를 살게 될 것이라는 두려움을 갖고 있는 세대다. 사회에 대한 불신도 그 어느 세대보다 깊다. 지옥보다 힘들다는 현 시대를 온몸으로 견디고 있는 이들에게 걱정과 조언보다 각자의 사정과 사연을 같은 눈높이에서 바라봐주는 '이해'가 필요한 시점이다. 모바일에 집착하고 신소비계층을 형성하고 있는 이 젊은 세대의 목소리에 귀 기울이고 긍정적인 모멘텀을 함께 만드는 작업이 앞으로 우리 사회의 최대 과제가 될 것이다.

서도 청년층의 투표율은 증가하는 추세를 보이고 있다. 중앙선거관리위원회가 발표한 20대 총선 투표율 분석에 따르면 20대 전반은 45.4%에서 55.3%로, 20대 후반은 37.9%에서 49.8%로, 30대 전반은 41.8%에서 48.9%로 증가한 것으로 나타났다. 70대 투표율이 73.3%인 것에 비하면 20대의 투표율은 여전히 낮지만 증가 추세를 보이고 있어 2017년 국내 대선에서 어떤 영향을 끼치게 될지 주목할 만하다. 종잡을 수 없는 부동층 픽미세대의 마음이 선거의 향방을 가를 수도 있다. 이화여대 사태 때 대학본관을 점거했던 학생들이 불렀던 노래는 과거의 '운동권 가요'가 아니라 걸그룹 소녀시대의 '다시 만난 세계'였다. 이 변화를 이해할 수 있어야 젊은 유권자의 표심을 얻을 수 있을 것이다.

인생에서 가장 아름다운 시기라 꼽히는 20대, 그럼에도 선택받기 위해 고군분투해야 하는 이 세대와 기업은 어떻게 소통해야 할까? 무엇보다 이들이 바꾸어 놓을 소비 패러다임의 변화를 예의주시해야 한다. 예를 들어, 이들은 구매행위를 소유보다는 일종의 경험으로 인식하기 때문에 더 재밌고 유쾌한 소통으로 어필하는 것이 핵심이다(『트렌드 코리아 2017』 **경험 is 뭔들** 키워드 참조). 또한 픽미세대는 이전 세대와는 확연히 다르게 파편화·세분화되어 있다는 것이다. 개인의 역할을 중시해왔던 사회적 분위기와 스마트폰의 영향으로 집단의 동질적 특성보다 개개인의 특성이 더 두드러지는 세대다. 특히 스마트폰은 철저히 개인적인 매체로 픽미세대는 노트북은 없을지언정 스마트폰 없이는 살 수 없는 세대다. 스마트폰을 통해 개인적으로 정보를 습득하며 사고하고 소통하는 일이 생활이기 때문에 세대의 일반적 특성보다 개별적 다양성이 돋보이는 세대라고 할 수 있다.

따라서 픽미세대를 이해하기 위해서는 보다 세심한 관점이 필요하다. 이들은 기성세대에 비해 초라한 미래를 살게 될 것이라는 두려움을 갖고 있는 세대다. 사회에 대한 불신도 그 어느 세대보다 깊다. 지옥보다 힘들다는 현 시대를 온몸으로 견디고 있는 이들에게 걱정과 조언보다 각자의 사정과 사연을 같은 눈높이에서 바라봐주는 '이해'가 필요한 시점이다. 모바일에 집착하고 신소비계층을 형성하고 있는 이 젊은 세대의 목소리에 귀 기울이고 긍정적인 모멘텀을 함께 만드는 작업이 앞으로 우리 사회의 최대 과제가 될 것이다. 2017년은 젊은이들의 변화된 일상과 가치관을 나누며 시대의 우울감을 함께 극복해나갈 수 있는 원년이 되기를 기대한다.

'Calm-Tech', Felt but not Seen

보이지 않는 배려 기술, '캄테크'

공기가 언제 어디서나 사람과 함께 공존하듯이 언제 어디서나 사람을 지원하는 기기들을 통해 사람과 상호작용하는 조용한 기술. 우리는 캄테크의 배려 속에 살고 있다. 캄테크란 조용하다는 의미의 캄calm과 기술technology의 합성어로 일상 생활환경에 센서와 컴퓨터, 네트워크 장비를 보이지 않게 내장하고 이를 활용해 사람들이 인지하지 못한 상태에서 각종 편리한 서비스를 제공하는 기술을 뜻한다. 보이지 않는 배려 기술, 캄테크 트렌드는 은밀할수록 편안해지고, 개인을 배려해주는 기술에서 새로운 소비 가치가 생성되는 현상을 지칭한다. 캄테크는 평소에는 그 존재를 드러내지 않고 있다가 필요할 때 나타나 혜택을 주고 사용자에게 최소한의 주의와 관심만을 요한다. 과거 단편적인 혜택을 주던 캄테크는 점차 맥락적인 혜택을 주는 방향으로 진화한다. 기술을 넘어 소리 없이 정보를 모으고 분석하여 사용자에게 적절한 맞춤 혜택을 주는 일련의 '과정'이 캄테크인 것이다. 기술의 빠른 발전은 소비자의 니즈를 잘 해결할 것 같지만 애석하게도 기술 중심의 솔루션은 소비자의 니즈와 반대로 흘러가기 쉽다. 이상과 현실의 딜레마가 공존하는 시대, 캄테크는 기술 그 자체가 아니라 기술과 사람 사이에 인터랙션이 될 것이다. 본격적으로 시작된 인공지능의 시대, 캄테크는 기술의 본질이 '인간의 삶의 질 향상'에 있다는 당연한 사실을 깨닫게 해주고 있다. 보이지 않고 조용한 만큼 그 가능성과 파급력 또한 가늠하기 힘든 이 신기술은 얼마나 인간지향적인 형태를 구현할 수 있을까?

90년대 중반에 'MC 스퀘어'라는 상품이 있었다. 공상과학영화에서나 볼 법한 디자인으로 사람들의 이목을 끌었던 이 새로운 기기는 〈응답하라 1994〉 드라마에도 등장할 만큼 당시에는 나름 히트 상품 목록에 이름을 올렸다. 집중력을 향상시킨다는 독특한 기능으로 수험생들에게 인기를 끌었는데, 이미 90년대에 웨어러블 디바이스로서의 신고식 역할을 톡톡히 한 셈이었다. 그로부터 20년이 지난 후, 구글글래스라는 웨어러블 스마트 안경이 등장했다. 일종의 증강현실AR 기반의 웨어러블 기기로, 눈에 걸친 안경알에 디스플레이를 탑재해 사용자가 필요한 앱을 이용할 수 있는 안경이다. 그런데 과거 MC 스퀘어의 성공과 달리 구글글래스는 소비자들에게 철저히 외면당했다. 미국에서는 구글글래스 사용자가 무례하고 저속하다는 의미에서 글래스와 매우 심한 비속어인 애스홀asshole을 합성한 '글래스홀Glasshole'이라는 신조어가 등장할 정도였다. 눈으로 보이는 모든 것을 기록할 수 있다는 최신 기술이 사생활 침해 등 사회 문화적 반발에 직면한 것이다. 사실 구글글래스의 기술적 수준은 MC스퀘어에 비하면 비교가 미안할 만큼 높다. 하지만 소비자들이 그 다양한 기능에도 구글글래스를 외면했다는 사실은 시사하는 바가 작지 않다. 기술에 대한 엔지니어의 기대와 소비자의 인식 사이에 존재하는 간극이 생각보다 훨씬 크다는 것을 깨닫게 한다.

소비자는 최첨단 기술에 무조건 열광하지 않는다. 기술 그 자체가 주는 만족은 전문집단이나 일부 얼리어답터에게나 통한다. 대게의 사람들은 어떠한 기술이 자신의 생활을 실질적으로 얼마나 윤택하게 만들어주느냐에 반응한다. 핏빗fitbit 밴드처럼 작은 아이템임에도 이용자의 일상에 실질적인 편의를 제공하는 기기는 환영받지만 구글글래스와 같이 노골적이고 타인에게 불쾌감을 주는 기기는 대중의 마음을 잡을 수 없다. 따라서 기술은 숨고 혜택은 드러나야 한다. 인공지능 시대를 맞아 첨단 기술의 향연이 펼쳐지고 있지만 대중화에 성공할 수 있는 핵심전략은 숨겨진 기술, 즉 보이지 않는 조용한 기술인 '캄테크'에서 찾아야 할 것이다.

캄테크란 조용하다는 의미의 캄calm과 기술technology의 합성어로 1995년 마크 와이저Mark Weiser와 존 실리 브라운John Seely Brown이 쓴 〈디자이닝 캄 테크놀로지Designing Calm Technology〉라는 논문에서 처음 사용되었다. '일상 생활환경에 센서와 컴퓨터, 네트워크 장비를 보이지 않게 내장하고 이를 활용해 사람들이 인지하지 못한 상태에서 각종 편리한 서비스를 제공하는 기술'이라고 정의할 수 있다. 캄테크의 계보는 '언제 어디서나'라는 뜻의 **유비쿼터스 컴퓨팅**에서 시작되었다. 쉽게 말해 컴퓨터의 직접적인 조작 없이도 컴퓨터를 사용하는 혜택을 누구나 받을 수 있는 유비쿼터스 컴퓨팅처럼 특정 기술의 조작 없이도 소리 없이 기술의 혜택을 누리는 것, 이것이 조용한 기술 캄테크다.

유비쿼터스 컴퓨팅 개념이 등장한 이후 30년 가까운 시간이 흘렀다. 이제는 **딥러닝**을 활용해 스스로 학습하고 진화하는 인공지능 프로그램인 '알파고AlphaGo'와 같은 인공지능 기술이 조용한 기술의 대표주자가 되어 우리 생활 속 깊이 들어

유비쿼터스 컴퓨팅

Ubiquitous Computing

유비쿼터스 컴퓨팅이란 기본적으로 언제, 어디서나, 누구나 상호접속의 컴퓨팅이 이루어지는 것을 의미한다. 제록스Xerox사의 연구원이었던 마크 와이저Mark Weiser가 1988년 유비쿼터스 컴퓨팅이라는 개념을 처음 정립한 것으로 알려져 있다.

오는 수준으로 발전해 있다.

풍부해진 기술적 인프라를 기반으로 폭풍성장하고 있는 인공지능과 빅데이터의 시대, 그럼에도 구글글래스 사례처럼 이상과 현실의 딜레마가 공존하는 현대사회에서 조용하게 인간을 배려하는 기술인 캄테크는 단순한 기술이 아니라 기업과 소비자 모두에게 모범적인 '지침'으로 작용할 것이다. "기술은 사람을 향합니다"라는 어느 광고 카피가 그 어느 때보다도 몸에 와닿는 지금, 캄테크는 얼마나 인간지향적인 형태를 구현할 수 있을까? 『트렌드 코리아 2017』에서 제안하는 IT트렌드 보이지 않는 기술, 캄테크와 함께 나를 배려해주는 기술이 만들어가는 새로운 소비 지형을 조망해보자.

딥 러닝 Deep Learning

컴퓨터가 여러 데이터를 이용해 마치 사람처럼 스스로 학습할 수 있게 하기 위해 인공 신경망ANN, artificial neural network을 기반으로 한 기계 학습 기술을 말한다. 딥 러닝은 인간의 두뇌가 수많은 데이터 속에서 패턴을 발견한 뒤 사물을 구분하는 정보처리 방식을 모방해 컴퓨터가 사물을 분별하도록 기계를 학습시킨다. 딥 러닝 기술을 적용하면 사람이 모든 판단 기준을 정해주지 않아도 컴퓨터가 스스로 인지·추론·판단할 수 있게 된다.

출처: 한경 경제용어 사전

캄테크의 특징
보이지 않을수록 선명해지는 산업

—

캄테크는 다양한 첨단기술의 복합체이지만, 그 출발점을 이루는 것은 센서기술이다. 미래학자 제레미 리프킨은 『한계비용 제로 사회』에서 2030년이면 100조 개가 넘는 센서로부터 수집된 빅데이터를 분석하고 예측할 수 있는 알고리즘이 개발될 것이라 전망했다. 실제로 캄테크놀로지는 센서 주도형 기술들이 집중적으로 개발되면서 보다 더 빛을 발할 것이다.

스마트 밴드로 보험료 감면받고, 흡입기 빅데이터가 천식을 예방

하지만 캄테크는 단지 센서에만 의존하는 것은 아니다. 단편적인 혜택이 아니라 '맥락적인' 혜택을 주는 방향으로 진화하고 있다. 다시 말해서 캄테크란 특정기술 자체라기보다는 소리 없이 정보를 모으고 분석하여 사용자에게 적절한 맞춤혜택을 주는 일련의 '과정'이다. 이를 위해 사용자가 인지하지 않을 만큼 자연스럽게 정보를 센싱할 수 있는 매개체가 필요하다. 당연히 평소에 입거나 착용하는 일상용품이 매개체가 되었을 때 편리함도 증폭될 수 있다. 캄테크와 웨어러블 기기의 만남이 놀라운 시너지를 만들며 진일보하고 있는 이유다.

사실 현재 기술 수준을 봤을 때 웨어러블 기기로 생체신호를 받는 것은 비교적 단순한 기술이다. 문제는 그렇게 받은 개인의 데이터를 어디에 어떻게 활용할 것인지에 관한 것이다. 미국의 존 핸콕John Hancock이라는 보험회사는 스마트 밴드 핏빗fitbit과 연계해 새로운 서비스 프로그램을 만들었다. 보험에 가입한 고객들이 핏빗을 차면 그들의 운동량을 트래킹할 수 있다는 점에 착안해 가입자가 운동을 열심히 한 것이 확인되면 보험료를 최대 15%까지 감면해주는 프로그램이다. 가입고객들은 실제로 보험료 감면 혜택을 받을 수 있는 기준선인 5천 보, 1만 보, 1만 5천 보 직전에 급격하게 운동량이 늘어난 것으로 조사되었다. 이 새로운 서비스는 소비자들에게 운동 효과와 더불어 금전적 혜택까지 누릴 수 있게 한 혁신적인 사례로 알려지며 해당업체는 2016년 뉴욕증권거래소에 상장되어 10조 원에 육박하는 기업 가치를 보유하게 되었다.

국내에서도 팔찌 형태로 착용해 사용자에게 올바른 걸음걸이와 자세를 취할 수 있도록 도와주는 스마트 밴드 스타트업 직토Zicto와 교보생명라이프가 전략적 제휴를 맺고 유사한 서비스를 개발한 바 있다. 이는 고객의 운동습관을 교정해 각종 성인질환 및 자세불균형으로 인한 질병을 예방할 수 있어 결과적으로 보험사의 손실을 경감시키는 효과를 가져온다. 업종 간의 혁신적인 결합이 소비자에게 유용한 가치를 제공함과 동시에 웨어러블 디바이스의 새로운 비즈니스 모델을 제시한 예다.

작은 센서 하나만 붙였을 뿐인데 예상치 못한 경제적 파급력을 불러온 사례도 있다. 미국은 매년 천식 때문에 1인당 200만 원가량을 지출할 만큼 사회적 지출이 큰 나라다. 이 때문에 천식 관리 제품을 만드는 프로펠러 헬스Propeller Health는 배터리와 GPS 센서를 붙인 스마트 천식 흡입기를 개발했다. 흡입기 이용 패턴의 데이터를 활용해 사용자가 정확한 시간에 흡입기를 사용하는지 점검하고, 알림기능을 제공하며 GPS 센서 덕에 천식 발작 빈도가 높은 지역도 파악할 수 있다. 실제로 이 제품을 사용한 500여 명의 환자들의 위치와 사용 빈도 등이 기록된 데이터를 모아 지도에 표시했더니 천식 발생이 높은 특정 지역이 확연히 드러났다. 정부 조사단을 파견해 환경을 조사한 결과 해당 지역에 천식을 유발하는 오염 물질이 많다는 사실까지 발견했다. 이 조사 결과를 토대로 어린이들의 스쿨버스 경로를 변경

하는 등 개선작업을 거친 결과 증상이 호전되었고 관련 보건 예산도 절약할 수 있었다.[1] IoT 서비스로 구현된 캄테크의 파급력이 우리의 일상생활을 얼마나 바꾸어 놓을 수 있는지를 보여주는 사례다.

IoT로 최적화된 스마트홈과 작은 센서로 농사짓는 스마트팜

기술 간 결합을 통해 유기적인 혜택을 주는 방향으로 진화하고 있는 캄테크가 적극적으로 접목을 시도하고 있는 곳은 바로 집 안이다. 삼성전자는 2016년 업계 최초로 스마트홈 서비스가 가능한 냉장고 '패밀리 허브'를 출시했다. 24시간 전원이 들어와 있는 가전이라는 특수성에 착안해 냉장고에 스마트홈의 허브 역할을 맡긴 것이다. 첫 선을 보인 패밀리 허브는 내부 카메라를 통해 음식물의 보관 상태와 유통기한 정보를 언제든 스마트폰으로 확인할 수 있으며, 필요한 식재료를 바로 주문할 수도 있다. LG전자도 스마트홈 플랫폼 '스마트씽큐 SmartThinQ'를 선보이며 '스마트씽큐 센서'라는 새로운 제품을 출시했다. 일반 가전제품에 이 센서를 부착하면 스마트 가전으로 변신하는 신기술로 각광받고 있다.[2] 사물 인터넷IoT을 통해 집안 내 기기들이 소리 없이 신호를 주고받으며 최적화된 가정환경을 만들어주는 것이다. 사실 가정은 기술이 매우 보수적으로 적용되는 공간이다. 전술한 유비쿼터스 컴퓨팅 이후 가정생활을 스마트하게 누릴 수 있도록 하는 기술이 많이 제안됐지만 대체로 그 확산속도는 느렸다. 기술은 숨기고 혜택의 외피를 입은 캄테크 기술이 도전할 마지막 영역이 가정이라고 할 수 있다. 이 때문에 가전제품과 스마트홈 영역에서의 캄테크가 더욱 주목을 받고 있다.

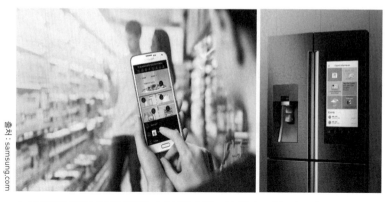

출처 : samsung.com

▲ 스마트홈의 허브로 24시간 전원이 꺼지지 않는 냉장고가 주목받고 있다. 삼성의 '패밀리 허브' 냉장고는 스마트폰 앱과 연동되어 냉장고 내부의 식품을 관리하는 것은 물론 가족 구성원들에게 보내는 메시지 보드의 역할도 한다.

장소와 사물에 센서가 내장되고 고성능의 컴퓨터 네트워크로 연결되어 사람들이 시간과 장소에 구애받지 않고 원하는 정보를 원하는 시간에 제공받는 IoT는 갈수록 사람과의 맥락을 이해하는 방향으로 발전하고 있다. 일반 사물인터넷이 센싱 정보를 단순히 알리고 제어하는 것이라면 센싱 정보를 사람처럼 감성적 경험과 서사적 이야기로 발전시키는 것, 즉 **앰비언트 인텔리전스**가 강화되고 있는 것이다.

앰비언트 인텔리전스는 현재 식물공장의 환경을 관리하는 시스템, 농작물 제어 시스템, 스마트 캠퍼스, 헬스케어 모니터링 시스템, 스마트홈, 도로 기상 정보 시스템 등 매우 다양한 분야에 접목되어 발

앰비언트 인텔리전스

Ambient Intelligence

사람의 존재를 인식하여 사용자가 원하는 때에 즉각적으로 정보를 제공해주는 네트워크다. 이 환경에서는 모든 사물의 상태 정보 등이 실시간으로 서로 공유되며, 모든 장소와 사물들이 센서를 내장하고 있어 사람과 유사하게 스스로 의사결정과 같은 지능적인 활동을 한다.

전하고 있다. IoT 디바이스 개발업체 퓨처텍은 양평의 딸기 하우스를 대상으로 온도와 습도를 체크해 모바일로 주인에게 정보를 제공하는 스마트 농업을 성공적으로 시작했다. 온도에 민감한 작물인 딸기 농장에 간단한 센서 하나만으로 원격조정을 가능하게 만들어 번번이 농장을 드나들지 않고도 모바일로 온도 조절과 조명 제어, 물주기 등의 관리를 수월하게 할 수 있다.[3] 작물 재배의 효율성이 품질 향상으로 이어질 것이라는 기대가 높아 다른 스마트팜으로도 확장될 전망이다. 디지털의 진화가 가장 아날로그적인 농업 분야와 만나 첨단 영농 시대를 열고 있는 것이다.

캄테크 전략
내가 작동하고 있음을 남에게 알리지 마라
—

공기가 언제 어디서나 사람과 함께 공존하듯이 언제 어디서나 사람과 상호작용하는 조용한 기술, 우리는 캄테크의 배려 속에 살고 있다. 자칫 '전자동' 기술과 착각할 수 있는 캄테크는 평소에는 그 존재를 드러내지 않고 있다가 필요할 때 나타나 혜택을 주는 기술이라는 점, 즉 필요한 시점과 지원의 수위가 조절된다는 면에서 전자동보다 훨씬 지능적이다. 이러한 캄테크의 원칙은 사용자에게 가장 적은 주의와 관심만을 끌어야 한다는 것이다. 이제 소비자 중심의 기술인 캄테크의 진화 방향을 세 가지의 가치로 분류해 살펴본다.

캄테크의 추구 가치 1: 무자각

캄테크가 추구하는 첫 번째 가치는 무자각 無自覺이다. 사용자의 무의식적 행동과 습관을 기반으로 부지불식간에 혜택을 누릴 수 있게 하는 제품이나 서비스가 이에 해당한다. 장애인이나 노인 등 약자를 위한 유니버설 디자인의 경우 무자각을 추구하는 캄테크 기술이 특히 큰 역할을 하고 있다. 이 업체에서 최근 시각 장애인을 위해 개발된 호루스 테크놀로지Horus Technology는 기술 자체가 아닌 인간을 위한 기술 연구가 이루어낸 결과라 할 수 있다. 작은 박스 형태의 본체 안에는 배터리와 그래픽 처리 프로세서GPU가 내장되어 있다. 이 기기를 벨트에 연결하거나 바지 주머니에 넣고 헤드셋을 연결하면 탑재된 2개의 카메라가 주위 환경을 살펴본 뒤 이에 대한 정보를 GPU로 보낸다. 실시간으로 해당 정보를 분석한 후 시각정보를 음성메시지로 변환해 시각장애인에게 전달하는 방식이다. 전방에 장애물이 있는지 여부부터 사물과 사람을 분간하고 글자도 읽을 수 있도록 설계되었다. 시각 장애가 있더라도 이 기기를 활용하면 상품정보 라벨을 읽거나 독서도 할 수 있고 길거리에서 친구를 알아볼 수도 있다.

가전제품에도 하나둘씩 캄테크가 적용되면서 소리 없는 스마트

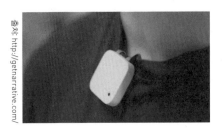

◀ 나의 일상을 30초 단위로 기록하는 초소형 웨어러블 카메라, '내러티브 클립 2', 내가 굳이 손대지 않아도 저절로 알아서 일상을 기록해주는 무자각 캄테크 기기로 주목받고 있다.

홈 시스템에 바짝 다가서고 있다. 2015년 출시된 LG전자의 에어컨은 인체감지 카메라가 장착되어 주변 사람의 수나 위치, 활동량을 감지한 후 정보를 분석해 냉방이 필요한 곳에 알맞은 냉기를 자동으로 가해준다. 이 밖에도 자신의 삶을 한 순간도 빠짐없이 기록하고 싶어 하는 사람을 위해 라이프로그를 실현시켜 주는 카메라 역시 무자각한 상황에서 끊임없이 구동되는 기기다. 스웨덴의 스타트업 메멘토는 30초마다 자동으로 사진을 찍는 스탬프 크기의 카메라를 개발했다. 타인의 사생활 침해 문제와 사진이 저장된 클라우드가 해킹될 경우 개인정보 유출의 우려 때문에 상용화가 미루어지고 있지만 그럼에도 이 카메라는 전 세계 기업들과 개인 사용자들로부터 2,000개가 넘는 제품을 주문받았다. 이처럼 인간의 행동을 조용히 들여다보고 분석해 일상의 편의를 도와주는 무자각형 캄테크 기기들은 앞으로 더 많은 분야에서 활용될 전망이다.

캄테크의 추구 가치 2: 확장성

캄테크의 두 번째 추구가치는 현실과 가상이 자연스럽게 어우러지거나 또 다른 방향으로 확장시키는 것이다. 스마트폰은 언제 어디서나 정보를 검색하고 즐길 수 있는 유비쿼터스 인터넷의 시대를 만들었고, 온라인 게임과 다양한 분야가 결합하면서 현실세계와 가상세계의 구분마저 희미해졌다. 캄테크놀로지가 발전하면 발전할수록 가상공간은 최대한 현실을 닮아가고, 리얼리티를 위해 기술이 적용되기 때문에 현실과 가상의 경계점은 큰 의미가 없게 될 것이다. 우리가 인지하지 못할 정도로 자연스럽게 가상과 현실을 중첩하고 양쪽을 오가는 기술이 증강현실AR의 핵심이기 때문이다. 2016년 이슈를 몰고 온 증강현실 게임 '포켓몬GO'에서는 현실의 모든 장소가 게임의 배경이 되었다. 그야말로 가상의 확장, 현실과의 결합이다.

가상현실은 게임에만 적용되는 것이 아니다. 이미 의료·교육·세일즈에까지 조용히 생활 속으로 들어와 빠르게 혁신을 불러일으키고 있다. 2016년 4월에는 의료용품 기업 메디컬 리얼리티스Medical Realities가 개발한 앱으로 로열런던병원Royal London NHS Hospital의 외과 의사가 70대 암 환자의 장 수술을 집도하는 과정이 전 세계에 생중계된 바 있다. 매우 시범적인 케이스지만 실제로 UCLA에선 상당히 높은 기술을 요하는 민감한 수술의 경우 외과 의사들이 집도 전 서지컬 시어터Surgical Theater 가상현실VR기술과 오큘러스 리프트 헤드셋을 이용해 가상 수술을 진행하고 있다. 이 회사는 더 진보된 기술을 활용해 해상도와 반응 속도를 높이고 있어, 의사들은 수술 전에 환자의

▲ 차로를 달리는 것만으로 전기차의 충전이 이루어지는 무선충전차로의 개념도. 영국 정부가 추진 중인 이 에너지 생산도로는 도로 위에 캄테크가 접목된 사례다.

신체구조를 마치 '공중에 떠 있도록 하여' 보이지 않는 부분까지 면밀히 살펴볼 수 있게 되었다.

　도로 위에도 캄테크가 접목되고 있다. 에너지 생산도로가 대표적이다. 자동차가 도로를 달릴 때 표면에 가해지는 힘(압력)을 전기로 바꿔주는 압전도로는 도로에서 만든 전기로 가로등을 켜고 휴게소나 가정집에서도 쓸 수 있는 전기를 생산한다. 무선충전차로 역시 캄테크의 확장으로 누릴 수 있는 새로운 가치다. 도로에 충전 장치가 있다면 시동을 켜고 달리면서 충전하는 것도 가능할 것이다. 물론 도로 밑에 충전 설비를 갖추는 데 막대한 비용이 들기 때문에 영국 정부의 경우 도로 전체를 충전 가능한 상태로 만드는 것까지는 아니지만 중간 중간 충전 포인트를 두는 방식으로 무선 충전차로를 개발하고 있다. 아직은 이러한 기술들이 상용화 단계에 있는 것은 아니지만 캄테크의 확장이 불러일으킬 일상의 새로운 풍경을 예고하고 있다.

캄테크의 추구 가치 3: 융합 서비스

마지막으로 캄테크 기술을 연동해 제3의 서비스와 융합한 가치를 창출할 수도 있다. 코웨이는 사물인터넷 기능을 적용해 이용자들이 각자 자신의 물 음용 습관을 관리할 수 있는 스마트 정수기를 출시했다. 최대 3명까지의 물 음용량 정보를 기억해 개인별 습관을 관리할 수 있고 '고장 진단 안심 케어 시스템'을 적용해 정수기의 정상 작동 여부 및 이상이 감지되면 콜센터로 바로 연결이 가능하다. 김치냉장고 최초로 와이파이를 탑재해 외부에서 냉장실 별 모바일 컨트롤이 가능하도록 한 대유 위니아의 김치냉장고 딤채 '마망'은 근접센서도 탑재되어 있어 냉장고에 다가서면 은은한 라이트가 작동된다. 사람이 다가왔다는 것을 인지하고 반응하는 이 불빛은 실제로 한밤중에 조도는 낮지만 유용한 조명의 역할을 한다. 삼성의 스마트 냉장고 패밀리 허브 역시 사람이 다가서면 웰커밍 멘트로 반긴다. 이른 아침 처음으로 다가선 사람에게는 그날의 날짜와 날씨 정보 등을 브리핑해주는데, 현재는 간단한 웰커밍 멘트와 가장 단순한 정보만을 전달하지만 추후 인체인식 기술 등으로 계정화 기능이 탑재되면 사용자별로 필요한 정보를 다르게 안내할 수 있을 것으로 기대된다. 다시 말해 냉장고가 개인 비서의 역할을 하는 고도의 서비스로 발전할 가능성이 높다.

시사점
캄테크, 기술과 사람 사이의 접착제이자 윤활유
—

캄테크가 기술주도적 소비재이긴 하지만 시장에서 성공을 거두기 위해서는 기술 자체의 수준이 얼마나 높은가보다는 그 기술이 가져올 생활의 변화를 대중에게 인지시키는 과정이 중요하다. 새로운 첨단기술이 적용될수록 더욱 그렇다. 소비자들의 니즈는 복잡해지고 기술은 그보다 더 빠른 속도로 발달하고 있다. 기술의 빠른 발전은 니즈를 더 잘 해결해줄 것 같지만 애석하게도 오히려 기술 중심의 솔루션은 소비자들의 니즈와 반대로 흘러가기 쉽다. 소비자는 생각보다 보수적이고 명분 없이 무턱대고 신기술을 받아들이지 않기 때

기술의 빠른 발전은 **소비자의 니즈**를 더 잘 해결해줄 것 같지만 애석하게도 오히려 기술 중심의 솔루션은 이와 반대로 흘러가기 쉽다. 소비자는 생각보다 보수적이고 명분 없이 무턱대고 신기술을 받아들이지 않기 때문이다. AI의 공포가 휩쓸고 갔듯이 현대인은 첨단 사회를 기대하면서도 기술과 기계가 지배하는 세상에 강한 저항감을 갖고 있다. 이 때문에 **캄테크**의 핵심은 기술 그 자체가 아니라 **기술과 사람 사이의 인터랙션**이 되어야 한다.

▼

▼

▼

사물 인터넷을 통해 집안 내 기기들이 소리 없이 신호를 주고받으며 최적화된 가정환경을 만들어주는 스마트홈이 뜨고 있다. 사실 가정은 기술이 매우 보수적으로 적용되는 공간이다. 유비쿼터스 컴퓨팅 이후 가정 생활을 스마트하게 누릴 수 있도록 해주는 기술이 많이 제안됐지만 대체로 그 확산 속도는 느렸다. 기술은 숨기고 혜택의 외피를 입은 캄테크 기술이 도전할 마지막 영역이 가정이라고 할 수 있다. 그래서 가전제품과 스마트홈 영역에서의 캄테크가 더욱 주목을 받고 있다.

문이다. AI의 공포가 휩쓸고 갔듯이 현대인은 첨단 사회를 기대하면서도 기술과 기계가 지배하는 세상에 강한 저항감을 갖고 있다. 이 때문에 캄테크의 핵심은 기술 그 자체가 아니라 기술과 사람 사이의 인터랙션이 되어야 한다.

이미 소비자 중심의 보이지 않는 배려 기술로 캄테크는 인공지능과 연계되어 확장되고 있다. 페이스북은 딥 러닝을 통한 얼굴인식 프로그램 딥 페이스를 비롯해 인공지능과 관련된 다양한 연구를 진행하고 있다. 마이크로소프트사도 음성 인식을 활용한 지능형 비서 '코나타Cotana'와 스카이프에서 활용 가능한 동시통역 기술을 선보였다. 일본의 소프트뱅크는 매장 운영을 위해 네슬레 커피숍과 무인핸드폰 매장에 인공지능 로봇 '페퍼'를 배치하였고, 2016년 3월 말에는 1주일간 페퍼로만 운영되는 소프트뱅크숍을 시연하기도 했다. 또한 항공기, 제조업 등에서 사업 경험이 많은 GE는 인공지능 역량을 빠르게 확보하며 각 산업별 인공지능 플랫폼을 구축해 4차 산업 혁명을 주도하기 위한 포석을 다지고 있다.

이와 같이 전 세계적으로 글로벌 주요 IT 기업들은 자사 비즈니스 경쟁력 확대와 신사업 추진을 위해 공격적인 M&A 전략을 추진하는 등 인공지능 시장 선점을 위해 경쟁하고 있다. 독일의 경우 새로운 제조업 생태계로 인더스트리 4.0을 선포하고 이를 위해 '하이테크 2020' 전략을 발표했다. 일본에도 4차 산업혁명이 급부상하고 있다. 초고속 정보통신망, 인터넷과 PC의 보급, 전자정부, 휴대폰 등 개별적인 기술 영역에서는 한국이 전통적으로 강세를 보여 왔다. 하지만 이런 개별적 기술을 통합한 IT서비스와 소프트웨어는 수준이 상당히 떨어지고, 다시 이런 기술을 응용하는 캄테크를 바탕으로 한 4차 산업혁명에 대한 준비는 대단히 미흡한 실정이다. 서문에서 언급한 바와 같이 우리나라는 주요국 중 최하위 수준인 것이다. IT강국의 전통을 살려 서비스 산업과 제조업과의 적극적인 전략적 협력을 통한 캄테크의 시너지를 만들어 내는 노력이 절실한 때다.

새로운 성장 동력으로 떠오르며 인공지능 분야에 다양한 지원과 투자가 모일 것으로 기대되는 2017년, 우리나라는 다른 무엇보다 센서주도형 기술이 집중적으로 개발될 것으로 예측되고 있다. 이 때문에 실시간 수집된 데이터의 처리와 분석이 센싱보다 더 중대한 사안으로 부상할 것이다. 센서주도형 기술이 소비자기술로 안착하기 위해서는 센서, 서비스 모델, 관제센터 운영, 데이터 분석 기술 등이 종합적이고 유기적으로 맞물려 개발되어야 할 것이다.

특히 스마트 밴드와 같은 웨어러블 기기의 경우 이미 헬스케어나 건강보조 기구로의 개발이 활발하게 진행 중이다. 그동안 웨어러블 디바이스는 이용 대상이 한정적이라는 지적을 받아 왔다. 하지만 앞으로 소비자들의 새로운 수요를 발견할수록 캄테크를 활용한 웨어러블 디바이스의 발전은 급물살을 탈 것이다. 특히 웨어러블은 사용자 개개인의 아이덴티티를 살릴 수 있도록 다품종 소량생산하는 것이 시장에 적합하다. 따라서 대량생산하는 거대 IT기업보다 스타트업이나 중소기업들에게 좋은 시장이 될 수 있다. 또한 대기업에게는 스마트폰 이후의 차세대 시장으로 대안이 될 수 있을 것이다. 있는 듯 없는 듯 최대한 자연스럽게 생활 속으로 녹아들기 위한 웨어러블 시장의 게임은 벌써 시작됐다.

이 트렌드의 영문 키워드인 'Calm-Tech', Felt but not Seen처럼 기술은 느껴져야지, 보여서는 안 된다. 캄테크는 인공지능의 시대를 맞이하는 현 시점에서 기술의 본질이 '인간의 삶의 질 향상'에 있다는 점을 다시금 주지시켜 준다. 소비자 중심의 기술 캄테크, 보이지 않고 조용한 만큼 그 가능성과 파급력 또한 쉬이 가늠하기 어렵지만 안정적인 하드웨어와 통신망을 선점한 우리나라에게는 무한한 기회다. 대량소비의 시대가 지나간 자리를 똑똑하게 매워줄 새로운 시장으로 부각되고 있는 캄테크, 너무나 인간적인 이 배려의 기술이 어떻게 현대인의 풍경을 바꿔나갈지 귀추가 주목된다.

Key to Success: Sales

영업의 시대가 온다

빅데이터, 인공지능, O2O, 생체인식, 가상현실 등을 활용한 첨단 마케팅의 시대에 영업, 그중에서도 가장 원초적인 인적 영업의 중요성이 갈수록 중요해지고 있다. 구매채널이 혁명적으로 다양해지고 상품정보가 손 안에서 넘쳐나게 됐지만, 불황은 계속되고 유통채널의 경쟁은 날로 치열해지고 있다. 소비자의 지갑 열기가 훨씬 더 어려워지고 있는 시점에서, '진실의 순간'은 오직 사람이 만들어낼 수 있다. 그것이 전통적 영업방식을 그대로 유지해도 된다는 의미는 아니다. 인정과 막무가내식 설득에 호소하는 주먹구구식 관계의 영업이 아니라, 다양한 매체·접점·채널의 과학적 분석을 통한 영업의 과학화가 기업의 핵심역량으로 대두하고 있다. 『트렌드 코리아 2017』에서 주목하는 **영업의 시대가 온다** 키워드는 영업이 과학기술과 만나 소비자에게 작은 체험을 제공하고, 다양한 유통채널과 결합한 다중유통채널로 변신하며, 소비자가 언제든 의지할 수 있는 종합컨설턴트로서 변신을 꾀할 것을 제안한다. 이를 위해 영업의 개념을 마케팅과 배송에까지 확대해야 함은 물론, 영업교육과 실무를 연결하고, 성과를 결과만이 아닌 과정으로 평가하는 과학적 성과측정 시스템이 구축되어야 한다. 빛나는 전략과 마케팅도 성과가 없다면 휴지조각에 불과한데, 기업을 존속시켜 주는 그 성과를 유일하게 영업만이 만들어낼 수 있다. 명심하라. 모든 사업이, 그리고 모든 인생이 영업이다.

"**세계** 최고의 기술이니까 팔리고, 세계 최고의 품질이니까 팔리던 시대는 갔다. 저성장기에는 경쟁사보다 더 빨리 고객들을 찾아가고, 더 적극적으로 고객을 설득하는 영업이 있어야 제품이 팔린다."

'일본전산'의 나가모리 시게노부 사장은 전 세계에 불어 닥친 저성장 기조를 돌파하기 위한 핵심 경쟁력을 기술도, 마케팅도 아닌 '영업력'에서 찾았다.[1] 일본전산은 1973년, 단 세 명의 직원으로 출발해 현재는 계열사 140개, 직원 13만 명을 거느린 일본 대표 기업으로 정밀 모터 부문 세계시장 점유율 1위를 지키고 있는 기업이다. 인수한 부실기업들을 1년 안에 흑자로 돌려놓으며 부활의 신이라고까지 불리는 이 기업은 무엇보다 영업을 가장 중요시하는 기업으로도 유명하다. 개발·기술력·성장력 등이 중요하지 않다는 것이 아니라 회사의 제품을 팔기 위해 가장 앞장서는 것이 영업이라고 믿는 것이다. 시게노부 사장은 일본전산에서 영업은 기관차의 맨 앞이라고 정의하면서 영업은 상품을 판매하는 것뿐만 아니라 품질·비용·납품기한 등의 책임을 지는 자리라고 강조한다.[2]

사실 그동안 많은 전문가들은 비즈니스 생태계가 진화하는 과정에서 제품과 고객 사이 '중간 역할'을 하던 영업의 역할이 종말을 고할 것이라 예측했다. 영업이 사라질 것이라 주장하는 이들의 근거는 꽤 그럴듯하다. 구매자의 정보력이 향상되기 때문에 과거 정보 불균형으로 인한 발생했던 영업인들의 협상력이 더 이상 작동하지 않는다는 것이다. 구매의 투명성이 강화되면 소비자는 물건을 파는 사람과의 관계 중심이 아닌 제품의 실제 가치를 바탕으로 구매의사결정을 내린다. 유통채널이 다양해지면서 '꼭 거기서' 구매할 필요도 없다. 매장, 온라인쇼핑몰, 홈쇼핑, 직접거래 등 수많은 대체재가 존재한다. 2020년이면 거래의 85%가 면대면 접촉 없이 이루어지리라는 분석도 있다. 그런데 2017년, 왜 하필이면 영업이 트렌드인가?

아이러니하게도, 2017년 한국 소비시장에서 영업이 중요해지는 이유는 '영업의 종말'을 주장하는 이들이 내놓는 근거와 일치한다. 유통채널이 다변화되고 채널 간 경쟁이 심해질수록 기업이 해결해야 할 최우선 과제는 바로 "어떻게 소비자와 접촉할 것인가" 하는 문제이기 때문이다. 온라인으로 모바일로 기업을 직접 대면하지 않는 현대 소비자의 구매특성을 고려해볼 때 기업이 고객과 만날 수 있는 유일한 창구가 곧 영업으로 수렴하고 있다. '고도화된 영업'만이 가격에 극도로 민감하게 반응하며 수많은 정보로 무장한 한국 소비자의 지갑을 열 수 있다는 뜻이다.

영업이 중요하다고 해서 과거의 영업 방식을 고수하라는 의미로 이해해서는 곤란하다. 미래의 변화가 반영된, 스마트하고 과학화된 영업이라야 2017년 소비시장에서 혁신적인 성과를 이뤄낼 수 있을 것이다. 『트렌드 코리아 2017』의 **영업의 시대가 온다** 키워드는 이 '영업의 변신'에 주목한다. 기업 활동 중 유일하게 수익을 창출하는 분야임에도 불구하고 화려하게 빛나지 않아서 혹은 비과학적이라고 해서 그저 미운오리새끼 취급을 받던 영업, 하지만 저성장기의 경영전략은 자연스럽게 제품 중심에서 영업 실행력을 높이는 방안으로 무게중심이 쏠리기 시작할 것이다. 기업의 성장을 주도하는 우아한 백조로 거듭나게 될 영업의 변신, 그 변화의 과정을 하나씩 짚어보자.

영업의 정의

—

영업營業이란 단어는 누구나 쉽게 그 뜻을 이해할 수 있을 정도로 쉽지만, 사람마다 다른 정의를 가지고 있을 만큼 넓고 포괄적으로 사용된다. 영업의 사전적 정의를 살펴보면, '주관적으로는 상인이 계속적으로 같은 종류의 영리행위를 반복하는 일, 객관적으로는 일정한 영리목적에 제공된 재산의 총체 또는 총괄적인 재산적 조직체'라고 설명되어 있다. 영어로는 세일즈sale라고 하는데, 이는 위의 정의 중 주관적 정의, 즉 판매라는 측면에 더 초점을 둔 것이라 할 수 있다. 한편 기업에서는 '세일즈부서'라는 단어 대신 '영업부서'란 단어를 더 많이 사용한다. 이는 객관적 정의 측면에서 영업을 기업을 이끌어가는 경영활동 전반으로 확대해서 해석한 것이라 할 수 있다.

이러한 영업은 다시 몇 가지로 분류되는데 우선 '누구를 상대로 하는가'에 따라 기업과 기업 사이의 거래를 의미하는 'B2Bbusiness to business 영업', 기업과 소비자 사이의 거래를 의미하는 'B2Cbusiness to consumer 영업'으로 크게 나뉜다. B2C 영업은 소비자가 판매자를 직접 찾아가는 매장 영업과 판매자가 소비자를 찾아가는 방문 영업으로 구분된다. 이 중 방문 영업은 기업이 총판, 도매상 등 다른 유통업체를 통하지 않고 고객에게 직접 판매하는 직접 판매, 수익 세분화가 어디서 발생하느냐에 따라 회원제 판매 등으로 더 세분화되기도 하고 고객과 직접 얼굴을 마주하느냐에 따라 '대면 영업과 비대면 영업'으로 나뉘기도 한다.

『트렌드 코리아 2017』의 **영업의 시대가 온다**에서 주목하는 영업의 변화는 기업과 소비자의 관계인 B2C 영업, 그중에서도 고객과 직접 얼굴을 마주했을 때 발생하는 대면 영업에 초점을 맞춘다. 영업 중에서도 가장 원초적이고 기본적인 영업, '면대면 인적 영업'이 왜 중요한지 살펴보고, 향후 영업이 지향해야 할 방향성과 전략에 대해 차례로 살펴본다.

영업에 주목해야 하는 이유

—

여전히 대다수를 차지하는 직종은 다름 아닌 '영업'

지금으로부터 정확히 100년 전인 1916년. 미국 『뉴욕타임스』에 "영업사원은 필요 없는 직종일까?"란 헤드라인의 기사가 실렸다. 기사의 요지는 "영업사원이 사람들에게 제품을 권유하는 것보다 대중 광고를 통해 제품을 알리는 게 더 효율적이다"란 내용이다.[3] 100년이 훌쩍 지난 현대 사회에서 영업은 어떻게 되었을까? 2016년 3월 발표된 미국 노동부의 발표에 따르면 현재 미국에서 가장 많은 사람들이 근무하고 있는 직종은 다름 아닌 영업사원이었다. 미국 대졸 학생들의 절반 이상이 그들의 전공과 상관없이 영업직군에서 일하고 있는 셈이다. 기업 역시 영업직군의 인력을 채용하는 데 더 많은 투자를 하고 있다. 미국의 노동시장 분석기관인 버닝글래스Burning Glass에 따르면 기업은 영업직군을 뽑기 위해 평균 41일을 투입하는 반면, 다른 직군을 뽑는 데는 33일밖에 사용하지 않는다.[4]

하지만 현실은 어떠한가? 여전히 취업 희망자들은 영업이라면 무조건 기피하고 기획이나 마케팅 부서를 지원 1순위 직무로 꼽고 있다. 기업의 영업사원 채용이나 교육훈련을 위한 시스템도 과학화와는 거리가 멀다. 국내 대학에서도 영업을 정규 교과목으로 가르치고 있는 곳은 거의 없다. 제대로 된 연구는 물론 교육과정도 없다 보니 영업직에 대한 부정적 인식도 강한 편이다. 알파고가 세상을 떠들썩하게 할 때, 인공지능이 지배하는 미래에 사라질 직업으로 가장 먼저 지목된 것도 다름 아닌 영업이었다. 모두가 영업의 미래를 부정하고 있지만 역설적이게도 이러한 시대적 변화가 바로 '영업의 시대'가 도래할 것임을 알리는 근거가 된다.

공급 과잉의 시대, 결국 '대면 서비스'가 답

영업이 중요해지는 첫째 이유는, 한국 경제가 바야흐로 저성장기로 접어들었기 때문이다. 흔히 "물건을 만드는 것보다 파는 것이 더 어려워졌을 때 마케팅이 등장했다"고 하지만 고도화된 마케팅에 더 이상 설득되지 않는 소비자에게 물건을 팔기 위해서는 다시 한 번 기업의 본연의 업이라 할 수 있는 '고객과 기업을 연결하는 영업'에 방점을 두어야 한다. 기획부서와 마케팅부서, 기술부서 등 다른 부서에 이리저리 치이는 영업이지만 회사의 활동 중 유일하게 매출을 내는 부서가 바로 영업이다. 굳이 설명하자면 다른 부서는 미래를 위해 현재 돈을 쓰지만, 영업은 언제나 그렇듯 기업에게 돈을 벌어다 준다. 서울대 김현철 교수에 따르면, 저성장기에 기업들은 보통 경비를 줄이는 데 관심을 기울이기 마련이지만 근본적으로 고민해야 할 것은 '줄어드는 매출을 어떻게 유지할 것인가' 하는 전략이다.[5] 그래야만 외부 변화와 상관없이 내부에서 받는 타격을 줄일 수 있다. 공급 과잉의 시대, 살아남기 위해서는 꾸준한 실적만이 해답이고, 그 실적을 만드는 유일한 곳이 영업부서다.

영업이 중요해지는 또 다른 이유로는, 생산 과정이 지능화되고 고도화될수록 브랜드의 부가가치를 높이는 것은 결국 '대면 서비스'란 점을 꼽을 수 있다. 산업화의 핵심 단어는 대량이다. 모든 제품이 대량으로 생산됐고 이렇게 생산된 제품은 필연적으로 대량유통 단계를 거쳐 소비자에게 도달했다. 만약 이런 대량유통 단계가 없었다면 기업과 소비자의 만남은 모두 1대 1로 형성되어야 했을 것이다. 대량유통을 지원하기 위해 대중매체를 통한 매스마케팅도 발달했다. 그런데 이 '대량생산, 대량소비'의 명제가 변화를 맞이하고 있다. 특히 제조업과 정보통신기술ICT이 융합되는 4차 산업혁명의 시대에는 '모든 품질이 평균점'으로 회귀하는 대량생산된 제품만으로는 더 이상 경쟁력을 갖기 어려워진다. 따라서 여기에 사람과 사람이 만나는 대면 서비스라는 부가가치가 추가되어야만 비로소 제품 간 차별화가 발생할 수 있다.

아디다스는 2016년 9월, 독일 안스바흐에 단 10명만으로 연간 50만 켤레의 운동화를 생산하는 신발공장 '스피드팩토리'를 열었다.[6] 기존 600명의 직공이 필요했던 작업환경과 달리, 이 공장에서는 지능화된 기계가 사람의 작업을 대신한다. 지금까지 맞춤형 신발을 제작하는 데 최소한 6주가 걸렸다면 이 공장에선 단 5시간 내에 제품을 만들 수 있다. 유행 속도도 빠르다. 이전에는 디자이너의 작품이 시장에 깔리는 데 약 1년 6개월이 걸렸는데 이제는 열흘이면 충

▲
▲
▲

생산과정이 지능화되고 고도화될수록 브랜드의 부가가치를 높이는
것은 결국 '대면 서비스'다. 인터넷의 등장과 전자상거래의 발전으로
영업부서가 사라지거나 축소될 것으로 예측되었으나 아이러니하게도 세계적인
전자상거래 업체인 그루폰의 전체 인력 가운데 50%가 영업직이며 구글의
경우도 마찬가지다. 페이스북의 매출을 올리는 사람들 역시, '좋아요' 클릭을
광고업자와 연결하는 영업사원들이다.

분하다. 이러한 시대에 더 이상 제품력만으로 브랜드를 차별화하기란 하늘의 별 따기만큼 어려워진다. 결국 소비자가 브랜드의 차별화를 느끼는 포인트는 '제품'에서 '인적 서비스'로 넘어간다. 대면 영업만이 대량생산된 제품의 한계를 극복해 그것이 마치 나를 위해 맞춤형으로 개발된 것으로 느끼도록 지원하는 장치가 된다.

최첨단 시대에도 '진실의 순간'은 영업맨의 것

일각에서는 빅데이터 기반의 추천 서비스, 인공지능 서비스와 결합된 O2Oonline to offline, 노동을 대체하는 로봇기술 등이 범람하는 시대에 영업이란 직종이 아예 사라질 것이라 염려하기도 한다. 하지만 프랭크 세스페데스Frank Cespedes 하버드대 MBA 교수는 『영업 혁신』이란 저서에서 정보화 시대를 맞아 영업 직군이 사라질 것이란 사람들의 우려를 일축하고 있다.[7] 그에 따르면 1930년 사회적 네트워크라 불린 전화가 미국 전역으로 전파되자 온갖 매체에서 '이제 영업사원은 죽었다'고 보도했으나, 그런 일은 일어나지 않았다는 것이다. 1960년 전국적 고속도로망이 갖추어졌을 때에도 전문가들은 이제 사람들이 가장 좋은 가격에 제품을 구매하기 위해 먼 거리를 운전해서 갈 것이기 때문에 영업 기능 자체가 사라질 것이라고 했지만 역시 그런 일은 없었다. 21세기 인터넷이 등장하면서 전자상거래로 인해 영업부서가 사라지거나 규모가 축소될 것이라 예측했지만, 그런 일은 일어나지 않았다. 아이러니하게도 2012년 기준 그루폰 인력의 45% 이상, 구글의 50% 이상은 영업사원이다. 페이스북의 매출을 벌어다 주는 사람 역시 '좋아요' 클릭을 광고업자와 연결하는 영업사원들이다.

이처럼 기술 혁신이 발생할 때마다 사회 일각에서는 혁신이 곧 사람들의 일자리를 빼앗는다는 **러다이트 운동**의 망령이 반복되었다. 하지만 이러한 변화는 영업의 생김새를 바꾸고 있는 것이지 영업 그 자체를 대체하는 것이 아니다. 예를 들어, 자동차를 구매하는 경우를 살펴보자. 온라인에 각종 정보가 범람하지만 고가의 자동차를 온전히 온라인에서 구매하기엔 위험부담이 크다. 따라서 온라인에서 정보를 얻기 위해 사용하는 시간이 증가할 뿐, 구매 자체는 오프라인에서 발생한다. 가령 미국 차량 구매자들은 11시간을 온라인에서 검색하고 3.5시간은 딜러숍에서 차량을 둘러본다고 한다.[8] 이러한 소비자의 행동은 영업맨의 역할을 변화시킨다. 과거처럼 자동차의 장단점을 읊을 필요는 전혀 없다. 하지만 고객들이 요구하는 정보를 인터넷보다 더 체계화되고 세분화시켜 제공할 수 있어야 한다. 이 차를 구매했을 때 당신의 삶이 어떤 형태로 더 윤택해질 수 있는지 생생한 전망을 제시해야 한다는 말이다. 아무리 온라인 정보탐색을 많이 했다 하더라도 구매의 화룡점정, **진실의 순간**을 차지하는 사람은 결국 영업맨이다.

러다이트 운동

luddite movement

1811~1817년 영국의 산업화 과정에서 등장한 기계 파괴 운동을 말한다. 산업혁명 과정에서 임금이 하락하고 고용이 감소하자 노동자들은 기계가 사람의 일자리를 빼앗는다고 여겼다. 이에 스스로 기계를 부수고 공장 소유주의 집에 불을 지르는 등 폭동을 일으켰다. 지도자인 네드 러드Ned Ludd의 이름을 따 러다이트 운동이라고 부른다.

진실의 순간moment of truth

고객이 회사나 제품에 대해 이미지를 결정하게 되는 15초 내외의 짧은 순간을 일컫는 마케팅 용어. 종업원과 접촉하거나 광고를 볼 때 등 고객이 어떤 특정 시점에 갖게 되는 느낌이 기업의 이미지나 생존을 결정짓는다는 뜻으로 스웨덴 경제학자 리처드 노먼Richard Norman이 최초로 사용했다.

무한확장 중인 영업의 변신

막대한 마케팅 비용을 투자해 판매를 촉진하는 것은 시장이 지속적으로 성장하던 시기의 방식이다. 저성장 시장으로 치닫고 있는 지금은 저비용 구조의 영업 채널을 구축하는 것이 더 유용하다. 오프라인 매장이 전문점·할인점·마트·아웃렛·백화점 등으로 세분화되고 각종 홈쇼핑, 온라인·모바일 쇼핑몰이 난립하는 옴니채널의 시대에, 이제 소비자는 구태여 특정 매장만을 고집할 필요가 없다. 거꾸로 이야기하면 결국 미래의 영업은 소비자에게 '왜 우리를 선택해야 하는가'를 정확하게 전달할 수 있는 능력에 달렸다. 단지 팔고 치우는 '매출 올리기형' 영업이 아니라 소비자에게 지속적인 솔루션을 제공하는 '관계 만들기형' 영업으로 변신이 필요한 시기다. 그렇다면 앞으로 영업은 어떤 모습으로 변화해야 할까?

영업의 미래 1: 영업 + 과학기술 = 스마트 영업

가장 초보적인 변화로 앞으로는 영업이 과학기술을 만나 소비자에게 새로운 경험을 제공할 것이다. 과학기술이라고 해서 빅데이터나 인공지능처럼 거창할 필요는 없다. 작지만 익숙한 기술을 덧입혀 소비자에게 작은 즐거움을 제공하는 전략이면 된다. 한국 야쿠르트는 프랑스 국민 치즈로 불리는 '끼리'를 오프라인 매장에 납품하지 않고 대면 영업을 하는 야쿠르트 아줌마를 통해서만 단독 유통했다. '방금 짠 우유처럼 신선하다'는 소구 포인트를 제대로 전달하기 위해 고객과 가장 빠른 시간에 만날 수 있도록 제품과 방문영업을 결합시키는 전략을 선택한 것이다.[9] 흥미로운 점은 예전처럼 매일 동일한 시간에 배달시켜 먹는 형태가 아니라 마치 가게를 찾아가듯 소비자가 야쿠르트 아줌마를 찾아서 구매하는 형태로 바뀌고 있다는 점이다. 그리고 그 근간에는 '아줌마를 찾아주는 앱'까지 있다. 앱에 접속하면 현재 위치에서 가까이 있는 '야쿠르트 여사님'들께 바로 전화를 걸어 원하는 제품과 배송 시간 등 일정을 맞춰 쉽게 구매할 수 있다.

3월 출시한 콜드브루의 인기가 높아지면서 야쿠르트 아줌마를 찾는 앱의 다운로드 횟수가 하루 평균 4배나 높아졌는데, 한국야쿠르트가 콜드브루를 시중 슈퍼마켓이나 편의점, 마트에서는 안 팔고 오직 야쿠르트 아줌마를 통해서만 팔았기 때문이다. 소비자들은 이런 새로운 유통채널을 오히려 신선하게 받아들였고 야쿠르트 판매원들을 일부러 찾아다니는 수고를 아끼지 않았다. 모바일 앱을 통해 위치를 확인하고 구입하는 일련의 행위를 재미로 받아들이면서 SNS에

出处: yakult365.com

미션 클리어!
한국야쿠르트 앱으로 야쿠르트아줌마 찾아 제품구매하기!

◀ 모바일 앱으로 내 주변 가까이에 있는 야쿠르트 아줌마를 찾아 1:1 상담 채팅과 제품 주문이 가능하다. 신기술과 오프라인 판매원들과의 만남이 새로운 시장을 만든 사례다.

글을 올리는 사람들도 많았다.

글로벌 기업으로 거듭난 아모레퍼시픽도 최근 방문판매조직에 첨단기술을 더하는 전략을 구사한다. 1964년에 시작돼 3만 6,000여 명이 영업 중인 '아모레 카운슬러'는, 2015년 기준 아모레퍼시픽 매출 4조 6,245억 원 중 14.1%를 담당하고 있다.[10] 2000년대 들어 유통채널의 다양화와 인터넷의 등장으로 아모레 카운슬러의 위상이 흔들리자 2003년 업계 최초로 PDA(휴대정보단말기)를 도입해 실시간 데이터 분석 서비스도 제공했다. 스마트폰이 대중화되자 전용 앱을 개발해 고객 분석과 피부 검사·각종 정보 조회·인터넷 주문까지 가능하도록 영업의 기술적 진화를 선도하고 있다.

영업의 미래 2: 영업 + 유통채널 = 다중채널 영업

영업의 변신, 그 두 번째 모습은 영업이 독자적인 방향으로 가기보다는 다른 유통채널과 결합되어 '다중채널'의 모습을 띄는 형태일 것이다. 예전에는 정보탐색-구매-사용으로 이어지는 전반적 소비과정에서 주도권을 차지했던 사람은 공급자였다. 정보를 얻을 수 있는 통로도 오직 판매자였다. 하지만 이제 다르다. 풍부해진 정보 덕분에 고객들은 더 많은 선택권을 갖게 되었고 유통채널이 다변화되면서 기업이 제공하는 제품과 서비스에 대해 지불하는 가격 역시 개인마다 차이가 발생한다. 이에 공급자 주도형 계약 관계가 소비자 주도형으로 바뀌고 있다. 온라인으로 정보를 검색하고 구매하는 사람들이 늘어나면서 오프라인 대면 영업이 담당하는 역할 역시 바뀌는 것이다. 이에 미래의 대면영업은 '온라인판매+매장판매+방문판매'를 접목한 '다중채널관리' 형태로 확장될 가능성이 크다.

오프라인 영업의 강점을 온라인에 결합시켜 고객에게 최선의 대안으로 제시하는 '옴니채널' 현상도 이를 가속화한다. 롯데닷컴이 2016년 대대적으로 선보인 '스마트픽'은 온라인으로 물건을 결제하고 매장에서 물건을 수령하는 옴니채널 전략이다. 택배를 기다리는 번거로움 없이 필요한 제품을 바로 구매할 수 있다는 장점도 있지만 특히 고객들이 만족하는 점은 온라인 구매의 약점이었던 '대면상담 부재'가 해소된 데 있다. 온라인으로 구매하면 아무래도 제품에 대한 자세한 상담이나 사용방법 등에 대한 구체적인 문의가 쉽지 않다. 소비자가 오프라인에서 직접 매장 직원을 만날 수 있게 된다면 오프라인 영업에서만 얻을 수 있는 이점까지 가져갈 수 있는 것이다.

매장이 아예 없는 모바일 서비스에서도 오프라인 영업의 역할이 새롭게 부상하고 있다. SK플래닛은 2016년 9월 '프로젝트 앤'이라는 패션스트리밍 서비스를 론칭했다.[11] 한 달에 약 8만 원을 지불하면 유명 디자이너 브랜드 100여 개 중 신상 옷을 대략 4벌 정도 빌려 입을 수 있는 서비스다. 입고 반납할 때에는 세탁도 필요 없고, 입어본 옷 중 마음에 드는 옷은 약 50% 할인된 가격으로 구매할 수도 있다. 이렇듯 전형적인 플랫폼 기반 서비스에서도 대면 서비스가 활용된다. 바로 전문가가 직접 방문해 이용자의 체형과 피부 톤 등을 측정하고 적합한 스타일의 옷을 제안해주는 방식이다.

영업의 미래 3: 영업 + 컨설팅 = 종합컨설턴트 세일즈맨

미래의 영업이 담당해야 하는 역할은 바로 소비자의 '종합컨설턴트'

로서의 역할이 될 것이다. 페어차일드코리아의 대표이사인 김귀남 사장은 앞으로 세일즈맨의 역할이 '바잉 컨설턴트Buying Consultant'로 변할 것이라 예측한 바 있다.[12] 컨설턴트의 역할은 고객의 문제점을 파악하고 문제의 해결 방안을 제시하는 것이다. 마찬가지로 컨설팅으로서 영업의 역할도 구매자가 직면한 문제점을 파악하고 자사의 제품과 서비스를 바탕으로 최적의 솔루션을 제공하는 것이다. 만약 자사 내에 솔루션이 없다면 솔루션 개발을 회사에 제안할 수도 있어야 한다. 따라서 회사의 강약점은 물론 시장에서 발생하는 소비자의 니즈, 나아가 잠재 니즈까지 전체적으로 파악하고 있어야 한다.

일본의 소규모 유통업체 '야오코 마트'는 불황기에도 지속적 성장을 한 기업으로 유명하다. 이 마트의 성공 비밀은 바로 판매 사원에게 있었다. 마트에서는 인근에 사는 지역 주부를 직원으로 고용해 매장에서 판매 중인 제품을 가지고 집에서 바로 해먹을 수 있는 '오늘의 저녁' 메뉴를 요리하도록 했다. 이러한 요리 서포트 서비스를 통해 판매사원들이 자신만의 레시피를 고객에게 직접 제안하도록 했고, 매장을 방문한 소비자 역시 같은 동네 주민인 판매원의 제안에 훨씬 높은 신뢰를 보였다.

맞춤형으로 솔루션을 제공하는 전략은 대면 영업을 통해서만 제공된다. 침구전문기업 이브자리는 수면체험매장 '슬립앤슬립'을 운영하고 있다. 매장에는 수면전문가로 통하는 '슬립 코디네이터'가 상시 배치되어 방문한 고객의 체형 분석, 수면패턴상담 등을 진행한다. 개인의 수면 습관에 적합한 베개, 타퍼 등을 제안하기도 하고, 구매한 제품의 이상 유무와 교체 시기 등을 알려주는 사후 서비스를 제공하기도 한다.[13] 코웨이는 총 512개의 센서가 내장된 전문 체형·체압 분석 장비를 대동해 직접 소비자의 집에 방문한다. 고객의 수면습관·체형·체압 분석을 기반으로 가장 적합한 매트리스를 추천하는 '오토매칭 서비스'를 제공해 기존 렌털 서비스의 단점을 보완한 맞춤 케어렌털 서비스를 제공하고 있다. 주먹구구식의 영업이 아니라 소비자의 구매, 사용, 나아가 사후 관리까지를 총체적으로 파악하는 과학적 영업으로 영업의 체질이 변하고 있는 것이다.

성공적 영업시스템 구축을 위한 전략

구매 후 변화된 소비자의 삶까지, 영업의 개념을 확장하라

2017년 영업의 시대를 제대로 대비하기 위해 갖추어야 할 전략에 대해 구체적으로 살펴보자. 첫째, 영업의 개념을 더 확장하라. 전술했듯 영업은 더 이상 발품을 팔아 물건을 사고파는 문제에 국한되지 않는다. 소비자가 구매의 필요를 느끼는 순간부터 시작되어 제품·서비스를 구매한 후 변화한 소비자의 삶까지를 포괄하는 개념으로 확장되어야 한다. 이처럼 영업의 개념을 확대할 수 있다면 그동안 고려하지 못했던 영역까지도 영업의 범위에 포괄될 수 있다. 고객과 직접 얼굴을 맞댈 수 있는 서비스를 다양하게 확장한다면 마케팅과 배송까지도 영업의 정의 안으로 들어온다.

가로수길에 위치한 스킨푸드는 복합 마케팅 공간이다. 3층 옥상에는 천연 식재료를 재배하는 미니 정원이 있고 2층 카페테리아에선

▲ 영업은 물건을 사고파는 것에 국한되지 않고, 소비자가 구매의 필요를 느끼는 순간부터 구매 후 변화한 삶까지 포괄하는 개념이다. 배달맨이 기업의 가장 중요한 영업맨이 될 수도 있는 것이다.

옥상에서 직접 재배한 식재료로 간단히 만든 샌드위치와 커피를 마실 수 있다. 1층에서는 제품을 직접 체험해볼 수 있는 매장으로 구성돼 있다.[14] 이처럼 최근 기업들이 매장을 각종 체험 공간으로 꾸미는 이유는 소비자가 가능한 매장 안에 오래 머물며 제품을 구매하길 바라기 때문이다. 공간 마케팅이 곧 새로운 영업 방식으로 들어오는 것이다(『트렌드 코리아 2017』 경험 is 뭔들 키워드 참조). 소셜커머스 업체 쿠팡의 로켓 배송을 책임지는 '쿠팡맨'은 단순한 택배 배달 업자가 아니다. 당일배송이라는 신뢰의 가치를 고객에게 전달하는 기업의 유일무이한 영업맨이다.

영업이 전문성을 갖도록 지원하라

영업사원의 자질과 관련해 "우수한 영업사원은 에스키모에게 얼음을 팔고, 아프리카인에게 전기장판을 팔 수 있어야 한다"는 말을 한 번쯤 들어봤을 것이다. 물론 그 이면에는 진정한 영업인이라면, 어떤 상황에서든 제품을 팔 수 있어야 한다는 의미가 담겨 있다. 이에 대해 영업의 대가이자 『장사의 시대』의 저자인 필립 델브스 브러턴Philip Delves Broughton은 "에스키모인에게 얼음을 팔 수 있는가" 따위의 질문은 영업인에 대한 모욕이라고 단언한다.[15] "소비자에게 꼭 필요한 물건을 판매해 소비자를 더 행복하게 만들자"는 영업의 기본 이념을 무시한 것이기 때문이다. 영업인이라면 소비자가 당장 필요하지 않은 상품이라도 팔아야 한다는 식의 고정관념이 영업의 본질을 매도하는 것이라 비판한 것이다.[16]

영업인이 가져야 할 전문성은 '잘 설명하는 능력', '화려한 언변' 혹은 더 나아가 '많이 판매하는 능력'을 키우는 것이 아니다. 영업사원이 길러야 할 전문성은 소비자의 욕구를 정확하게 파악하고 이를 해결해주는 능력이다. 이를 달성하기 위해서는 단지 매출을 올리기 위해 각종 설득 전략을 세우는 '관리의 영업'이 아니라, 근본적으로 영업을 담당하는 사람들이 소비자의 변화와 시장의 변화를 제대로 파악하고 읽을 수 있도록 도와주는 '교육의 영업'이 필요하다. 하버드대의 프랭크 세스페데스Frank Cespedes 교수 역시 미국 대학교육에서 영업교육의 부재를 심각한 문제로 지적한 바 있다. 영업 직무를 담당하게 될 많은 학생들은 전혀 준비되지 않은 상태로 실무에 뛰어들어 당황하게 된다. 실전에서 배우는 지식은 소중하지만 체계적이지 않다. 교육과 현업의 괴리가 발생하는 것이다. 따라서 우수한 영업사원 확보는 기업의 경쟁력 강화를 위한 가장 기본적인 요소가 될 것이 분명하다. 학계는 경쟁력 있는 영업인력 자원을 양성하기 위해 노력해야 하고 기업도 과학적인 방법을 동원해 영업사원의 자질을 높이기 위한 전략을 다시 짜야 할 것이다.

영업자가 최고 전문가라는 자세로 임하라

영업을 담당하는 사람은 그 분야에서 최고 전문가라는 자세로 임해야 한다. 영업은 발품을 파는 만큼 수익이 따르는 일이다. 시대가 바뀌어서 온라인에만 의존하는 마케팅이 많이 늘었지만 사람과 사람이 만나는 영업의 본질은 바뀌지 않는다. 결국 계약은 만남을 통해 성사되기 때문이다. 소비자가 어떤 문제에 직면했을 때 가장 먼저 떠올리는 사람이 만약 영업 담당자라면, 그 사람을 그 분야의 최고 전문가라고 해도 좋다.

세계적인 베스트셀러 작가이자 영업·동기 부여 컨설턴트 밥 버그Bob Burg 대표는 "영업의 핵심은 누군가가 원하고 필요로 하며 열망하는 것을 찾아주고 이를 얻을 수 있도록 돕는 것"이라고 설명했다. 소비자가 진정 무엇을 원하는지 마음으로 이해하는 작업은 기계가 대체할 수 없는 일이다. 이러한 공감은 사람과 사람 사이에서만 이뤄진다.[17] 영업이라는 역할의 본질을 최우선으로 인지하고 전문성을 높이려는 영업맨 스스로의 체질개선이 필요한 시점이다.

영업을 주관적 측면까지 평가하라

지금까지 서술한 성공적인 영업의 조건을 현실화하기 위해서는 영업을 평가하는 방법에 대한 고민이 필연적으로 선행되어야 한다. 영업은 흔히 '결과'로 측정된다. '오늘 하루 얼마나 많이 판매했나', '전년 동기 대비 얼마나 판매율이 올랐나'처럼 객관적 수치로서 확인되

영업인이 가져야 할 전문성은 '잘 설명하는 능력', '화려한 언변' 혹은 더 나아가 ' 많이 판매하는 능력'을 키우는 것이 아니다. 영업사원이 길러야 할 전문성은 소비자의 욕구를 정확하게 파악하고 이를 해결해주는 능력이다. 이를 달성하기 위해서는 단지 매출을 올리기 위해 각종 설득 전략을 세우는 '관리의 영업 ' 이 아니라 , 근본적으로 영업을 담당하는 사람들이 소비자의 변화와 시장의 변화를 제대로 파악하고 읽을 수 있도록 도와주는 '교육의 영업'이 필요하다 . 영업의 대부인 프랭크 세스페데스 하버드대 교수 역시 미국 대학교육에서 영업교육의 부재를 심각한 문제로 지적한 바 있다.

는 것이다. 물론 이러한 영업적 성과는 중요하다. 하지만 숫자만 강조되다 보면 결국 모든 영업은 지금까지 그랬던 것처럼 영업인들이 각개전투하는 방식에만 의존하게 된다. 영업인의 전문화, 교육, 소비자와의 관계 달성은 뜬구름 잡는 목표처럼 공중을 떠다니게 된다. 따라서 객관적 수치가 반영하지 못하는 주관적 측면까지 영업의 성과로 측정하려는 노력이 필수다. 가령, 다른 동료들과 정보를 교환한 활동에 대한 평가, 후배들을 코칭한 노력에 대한 평가, 소비자와 접촉하기 위해 공들인 노력에 대한 평가, 새로운 영업방식을 고민한 것에 대한 평가들이 어우러져야 객관적 실적도 함께 향상될 수 있다. 실제로 외국의 한 제약회사는 영업사원 본인과 후배의 성과를 연동시키는 보상 시스템을 도입하자, 약 2년 만에 영업성과가 낮았던 직원들의 성과가 평균 30% 개선됐다고 한다.[18] 빅데이터와 인공지능을 동원한 첨단 마케팅의 시대에 영업의 성과를 측정하는 방법도 그만큼 영리해져야 할 것이다. 단순히 말을 잘하는 영업이 아니라 컨설턴트로서 고객의 행복과 만족을 높이는 방향을 제시해주는 영업을 실천하는 것, 저성장기 기업의 경쟁력 강화를 위한 방법은 거창한 전략이 아니라 의외로 우리가 놓치고 있던 '사람을 위한 사람의 영역'인 바로 그 영업에 있다.

시사점
모든 인생은 영업이다

―

무인자동차나 드론배달처럼 첨단 기술이 급속도로 발달하고 있음에도 불구하고 소비자는 물건을 사고파는 과정에서만큼은 여전히 인간적이고 따뜻한 서비스를 기대한다. 마트에서 계산을 담당하는 직원을 없앤 셀프 계산대가 성공하지 못한 이유도 바로 이 때문이다. 미국 의약품 유통기업인 CVS는 2015년 일부 매장에서 셀프 계산대를 없앴다.[19] 국내에선 홈플러스가 2005년 최초로 셀프 계산대를 도입했지만 경쟁사인 이마트와 롯데마트에선 득得보다는 실失이 많다는 판단 아래 이에 대한 투자를 접었다. 기계의 오류라든가, 작동법의 미숙 등 여러 이유가 있었지만 보다 근본적으로는 고객들에게 친근감과 신뢰감을 주지 못했다는 데 그 원인이 있었다. 각종 무인기술이 발달하고 있는 시대지만 온라인 쇼핑과 달리 오프라인 매장에서는 여전히 기계보다는 사람이 제공하는 서비스가 소비자에게 더 높은 만족을 주는 것이다.

물론 영업 분야가 장밋빛 전망만 있는 것은 아니다. 인공지능을 바탕으로 한 추천 서비스와 얼굴을 굳이 마주하지 않아도 되는 온라인 기반 서비스가 빠른 속도로 발전할수록 영업의 양극화도 심화될 가능성이 크다. 인적 자원에 근간한 면대면 영업 서비스가 '프리미엄 컨시어지 서비스'로 거듭나 오직 부富를 많이 소유한 사람들에게만 한정되고, 일반 대중들은 저가로 공급되는 빅데이터 기반의 차가운 서비스만 제공받게 될 우려도 분명 존재한다. 무엇보다 영업을 대하는 일반 사람들의 선입견도 걸림돌이다. 우리 사회에서는 "너 지금 나한테 영업하냐?"라는 말이 "너 어떻게든 내 돈 빼가려는 거지?"와 같은 의미로 쓰일 만큼 속된 장사법이나 다단계 마케팅의 상징처럼 여겨졌다. 하지만 이미 많은 사람들이 영업을 주업으로 삼고 있고 무엇보다 영업은 우리의 일상생활과 밀접하게 관련되어 있다. 또한 기업의 다양한 경영활동 중 개인이 노력한 만큼 보상받을 수 있는 정정당당한 영역이기도 하다. 어쩌면 자신의 고객풀을 가꾸고 관리하면서 수확을 올리는 영업이야말로 상대를 속이는 '트릭'이 통하지 않는 스포츠맨 정신이 살아 있는 유일한 영역일지도 모른다.

우리 사회가 2017년 경제적 파고를 건널 수 있도록 돕는 가장 든든한 디딤돌은 다름 아닌 영업이 될 것이란 사실을 기억하라. 우리의 인생은 모두 영업이다.

Era of 'Aloners'

내멋대로 '1코노미'

타인의 인정을 받으려 부단히 노력해온 현대인들이 이제는 당당히 타인과의 관계를 최소화하고 나 자신의 행복과 안위를 추구하겠다고 나서고 있다. 이러한 '자발적인 고립'을 통해 무엇이든 '혼자 하기'를 선호하는 이들을 겨냥한 상품과 서비스들이 잇달아 큰 인기를 얻고 있다. 침체된 시장에 새로운 활로로 부상한 이러한 현상을 『트렌드 코리아 2017』에서는 '1인'과 '이코노미Economy'라는 단어를 조합해 '1코노미'라고 명명하고, 그 안에서 자발적으로 혼자인 삶을 즐기는 사람들을 '얼로너aloner'라고 부르고자 한다. 얼로너들은 기성세대에 비해 취미나 여가생활 등 자신이 원하는 가치에 과감히 지갑을 열며 파워 컨슈머의 자리를 차지하고 있다. 1코노미의 확산은 비단 1인 가구에만 해당하는 트렌드가 아니다. 가족 공동문화의 산실이었던 거실이 공동화하고, 캥거루족·비혼족·딩펫족이 등장하는 등, 공동체 문화를 대체하는 개인주의 시대의 문을 열며 대한민국 전반에 걸쳐 소비 패턴의 변화를 불러일으키고 있다. 1코노미 트렌드에서 주목하는 얼로너들은 한 손에는 젓가락을 들고 혼자 밥을 먹고 있지만 다른 한 손으로는 쉴 새 없이 스마트폰을 터치하며 SNS를 통해 타인과 소통하는 이율배반적인 모습을 드러내기도 한다. 서로의 필요와 목적을 위해서만 모이며 각자의 신상에 단단히 '철벽'을 치고 '느슨한 모임'을 선호하는 얼로너들. 철저히 혼자만을 위하면서도 때로는 사람들과 어울리고 싶은 이들이 바로 2017년 한국 시장을 바꿀 '1코노미'의 주역들이다.

'투게더'라는 이름의 아이스크림이 있다. "온 가족이 함께~ 투게더~ 투게더~" 하는 CM송으로 친근한 이 제품은 20원짜리 '아이스케키'를 주로 먹던 1974년 무려 500원의 가격으로 발매돼 가정용 고급 아이스크림의 효시가 된 제품이다.[1] 이후 40년이 넘도록 빙그레의 대표상품 자리를 차지했던 투게더는 큰 통을 냉장고에 넣어두고 온 가족이 함께 먹는 가정용 아이스크림의 스테디셀러가 됐다. 그 투게더가 2016년 6월, 1인용 프리미엄 제품을 출시했다. 1인 가구의 증가에 따른 당연한 신상품 발매지만, '함께'라는 의미인 '투게더together'가 1인용이라니! 그 이름이 무색해질 만큼 세월의 변화가 무쌍함을 느끼게 한다.

1인용 투게더는 1인 시장의 성장을 상징적으로 보여준다. 불황에도 불구하고 봇물처럼 쏟아지는 1인용 상품들이 소비시장을 견인하고 있다. 기존 시장이 정체된 상황에서 '1인용 상품·서비스'가 시장의 새로운 활로로 급부상하고 있는 것이다. 변화의 기폭제가 된 배경은 바로 1인 가구의 급증이다. 2016년 9월 통계청이 발표한 '2015 인구주택총조사(전수 부문)' 결과에 따르면, 대한민국의 1인 가구 비율이 27.2%로 역대 최대치를 기록하며 대한민국에서 가장 대표적인 가구형태가 됐다.[2] 물론 1인 가구의 증가에 따른 1인 시장의 확장이 어제 오늘의 일은 아니다. 이러한 변화의 물결은 자연스럽게 소비행태의 모습도 바꾸고 있다.

이에 『트렌드 코리아 2017』에서는 한 사람, 즉 '1인'과 '이코노미Economy(경제)'라는 단어를 조합해 이를 '1코노미'라고 명명하고, 그 안에서 자발적으로 혼자인 삶을 즐기는 사람들을 '얼로너aloner'라고 부르고자 한다. 1코노미는 후술하는 바와 같이 산업의 지형도를 바꾸고 있고, 얼로너들은 기성세대에 비해 취미나 여가생활 등 자신이 원하는 가치에 과감히 지갑을 여는 성향이 두드러지기 때문에 파워 컨슈머의 자리를 차지하고 있다. 이러한 소비측면의 변화를 1차적 변화라고 할 수 있는데, 1코노미의 여파는 소비생활에만 그치지 않는다. 얼로너들은 가족관계, 결혼관, 인간관계 등 기존 산업사회의 가치관과 대비되는 새로운 가치관으로 새로운 라이프스타일을 영위하는 2차적 변화를 낳고 있다. 낯가림과 사회부적응의 대명사로 꼽혔던 혼자 문화가 자연스러운 사회 현상으로 자리 잡으며 현대인의 관계설정이 바뀌고 있는 것이다. 나아가 1코노미의 변화는 혼자 생활하는 얼로너에게만 적용되는 것이 아니다. 2인 이상의 다인 가구로 살면서도 생활과 생각은 1인 가구와 다름없이 영위하는 3차적 변화를 낳고 있다. 이러한 3단계의 변화는 의미심장하다. 1코노미의 등장이 '1인 가구의 증가와 그 변화'라는 산업의 '양적 변화'가 아니라 대한민국 사회 전체의 소비와 사고방식이 '질적으로' 변화한다는 것을 의미하기 때문이다.

이제 1코노미하에서 얼로너들의 소비와 인간관계에 대한 변화의 양상을 1·2·3차적 변화에 초점을 맞춰 면밀히 살펴보고 이 같은 현상이 뿌리내리게 된 원인과 배경을 분석한 후, 이에 따른 산업적·정책적 대응과 시사점을 분석해본다.

1차적 변화: 1코노미 소비

과거 '나 혼자'는 궁상의 표본과도 같았다. 그런데 이제 나 혼자 하는 일들이 이 시대의 새로운 라이프스타일로 자리 잡고 있다. 더 이상 타인의 애정과 관심 따위는 안중에도 없다며 혼자서도 제법 잘 사는 얼로너들. 얼로너의 소비생활에도 단계가 있다. 혼자 밥 먹고 혼자 술 마시는 것은 기본이고, 노는 것도 혼자 하겠다는 1인 취미에 빠져들다가, 종국에는 '덕후'의 경지에까지 이른다.

얼로너 1단계: 혼밥, 혼술은 기본

이제 갓 '얼로너'의 세계에 발을 들인 이들이 가장 먼저 극복해야 하는 것은 '혼밥(혼자 밥 먹기)'이다. 이 '혼밥'에도 단계가 있으니 바로 '혼밥 레벨'이다. 5단계, 8단계를 거쳐 최근 9단계까지 등장했다. 편의점 식사인 1단계로 시작해 최고난이도 9단계는 술집에서 혼자 술 마시기다. 이렇게 단계를 매기는 과정이 이제는 놀이가 되어 20~30대 젊은이들 사이에서 인기를 끌고 있다. 각 레벨의 혼밥, 혼술을 수행하며 촬영한 사진·동영상을 SNS에 올려 인증하는 것이다.

혼밥을 즐기는 얼로너들이 가장 쉽게 접할 수 있는 한 끼는 단연 편의점 도시락이다. 저렴한 가격 대비 맛도 좋아 각 편의점에서 새로운 도시락이 출시될 때마다 각종 SNS와 블로그에 수많은 리뷰들이 쏟아진다. 명절에도 고향에 가지 않는 사람들이 늘어나면서 이들을 겨냥해 한정 출시된 명절 도시락은 그야말로 불티나게 팔렸다. 실제로 명절 기간 중 도시락 매출은 해마다 약 30~40% 신장세를 나타

레벨 1	편의점에서 라면, 도시락 혼자 먹기
레벨 2	선불식당, 푸드코트에서 혼자 먹기
레벨 3	분식집에서 혼자 먹기
레벨 4	맥도날드, 롯데리아 등 패스트푸드점에서 혼자 먹기
레벨 5	중국집, 냉면집, 프랜차이즈 식당에서 혼자 먹기
레벨 6	일식점, 전문 요리집 등에서 혼자 먹기
레벨 7	피자, 스파게티 전문점, 패밀리 레스토랑에서 혼자 먹기
레벨 8	찜닭, 닭갈비, 고깃집에서 혼자 먹기
레벨 9	술집에서 혼자 마시기

E

Era of 'Aloners'

내고 있어 중요한 틈새시장으로 대접받고 있다.[3] 사정이 이렇다 보니, 가장 대표적인 주식인 쌀 소비의 모습도 바뀌고 있다. 대형마트를 기준으로 쌀 매출이 지난해보다 18% 감소하는 가운데, 20kg 대용량 포장은 1%가 감소한 반면, 5kg 소포장은 11%, 즉석밥은 16.2%가 증가하고 있다.[4]

혼밥하기에 제격인 1인 식당의 인기 또한 만만치가 않다. 1인석마다 칸막이가 있어 혼자 먹는 것이 민망하지 않도록 배려한 '일본식 라멘 식당'이 등장했을 때만 해도 식당에서의 혼밥은 민망하고 창피한 일이었다. 하지만 요즘은 식당에서의 혼밥이 곧 스웨그swag(멋지다는 의미의 힙합 용어)인 시대, 다양한 메뉴의 '1인 식당'이 점점 늘어나고 있다. 특히, 1인용 화로에서 고기를 구워먹을 수 있는 1인 고기집이나 1인용 냄비가 제공되는 1인 샤브샤브집은 혼밥을 하기 적절한 식당으로 인기를 얻고 있다.

tvN 드라마 〈혼술남녀〉는 혼밥 레벨의 최고난이도인 '술집에서 혼자 술 마시기'의 진수를 보여주었다. 제목 그대로 혼자 술 마시는 사람들에 관한 이야기를 담고 있는 이 드라마 속 주인공들은 폭탄주로 대변되던 회식 문화를 과감히 거부하고 오롯이 혼자 술을 즐긴다. 우리나라의 음주 문화라는 것이 술 자체의 맛을 즐기기보다는 회식을 즐기는 공동체적 의미가 더 컸지만 혼술족들은 술 그 자체를 음미한다. 이 때문에 해외 맥주의 인기가 점점 높아지고 있으며 아예 집 안을 술집처럼 꾸미는 홈바 인테리어도 유행하고 있다.

얼로너 2단계: 당당한 혼영, 혼놀

'얼로너'의 본격적인 행보는 이제 취미와 여가생활을 혼자 즐기는 것으로 이어진다. 이 역시 철저히 1인 중심이다. 집에서는 주로 독서·TV시청·게임 등이 여가생활의 대상이 된다. 쾌적한 환경에서 움직임을 최소화하면서 정적인 취미생활을 즐기는 이러한 라이프스타일은 최근 '스테이케이션staycation'이라 불리며 호응받고 있다. 이들은 시리즈 책을 쌓아놓고 완독을 하거나 좋아하는 드라마를 다운받아 1회부터 마지막회까지 정주행하기도 한다. 각종 게임은 물론 프라모델이나 블록형 완구 조립을 즐기고 네일아트나 스킨케어 등 '홈 뷰티케어'에도 열심이다. 그렇다고 이들이 집에서만 취미생활을 즐기는 것은 아니다. 혼자 자전거타기, 등산하기, 필라테스·요가 등의 운동을 즐기며 여가에 대한 금전적 투자도 아끼지 않는다(『트렌드 코리아 2017』 회고편 '플랜 Z', 나만의 구명보트 전략 참조).

특히 '혼영', 즉 '혼자 영화보기'는 이제 얼로너들의 보편적인 여가 문화로 정착해 가고 있다. CGV 리서치 센터의 조사에 따르면 2013년 전체 관객 중 7.2%에 불과했던 혼영족 비율이 2014년 8.3%, 2015년 9.8%로 성장세를 보이더니 2016년 상반기에는 11.7%를 차지한 것으로 나타났다. 또한 이들 관람객 중 20~30대 젊은 세대가 전체의 약 70%에 달했다. 이들이 혼영을 하는 가장 큰 이유는 '몰입감 있는 관람을 위해(49%)'서이며, '약속 잡는 과정이 귀찮고 복잡해서(48.2%)', '혼자 보고 싶은 영화가 있어서(38.8%)', '원하는 시간에 같이 볼 사람이 없어서(38.8%)'라는 의견이 뒤를 이었다.[5] 함께 영화를 보기 위해 서로의 취향과 시간을 협상하느라 애를 쓰느니, 나 혼자 편하게 내가 보고 싶은 영화를 보는 것이 훨씬 편하다는 것이다.

'혼행', 즉 '혼자 하는 여행' 또한 얼로너들이 애정하는 여가생활로

▲ '혼행(혼자 하는 여행)'이 얼로너들의 여가생활로 급부상하면서 '혼캠(혼자 캠핑하기)'이 뜨고 있다.

급부상하고 있다. 2016년 7월 온라인 종합쇼핑몰 G9가 실시한 설문조사에 따르며 조사대상자 966명 중 절반이 넘는 58%가 '나홀로 해외여행'을 가본 적 있다고 응답했다. 이들이 해외로 혼행을 떠나는 이유로 20~30대는 '혼자만의 시간을 갖고 싶어서(47%)', 40대 이상은 '편해서(42%)'를 1위로 꼽았다. 이들은 일본·중국(36%), 유럽(36%)을 해외 혼행지로 가장 선호했고, 패키지 투어(8%) 보다는 자유여행(84%) 방식에 대한 압도적인 선호도를 드러냈다.[6] 제주도·통영·속초·안동 등의 국내 여행지들 또한 혼행하기에 좋은 것으로 알려지며 인기를 얻고 있다.

식생활과 여가생활은 물론 혼자서도 진심으로 흥겹게 놀 수 있을 정도가 되면 이제 어느 정도 프로 얼로너의 반열에 진입했다고 봐도 무방하다. 가장 대표적인 '혼놀(혼자놀기)'은 혼자 노래방에 가서 '혼곡曲'을 하는 것이다. 이들은 혼자 무아지경에 빠져들어 신나게 가무를 즐기고 혼자 감상에 젖어 구슬픈 가락을 뽑내기도 한다. 그 누구도 신경 쓰지 않고 부르고 싶은 노래를 실컷 부르며 '이 순간만큼은 내가 가수'다. 혼놀은 노래방을 넘어 이제는 클럽과 뮤직페스티벌까지 그 영역을 점차 넓혀가고 있다. 특히 최근 급증하고 있는 각종 뮤직페스티벌들을 향한 얼로너들의 발길이 늘고 있다.

이렇게 뭐든 혼자 하다 보니 이들은 자연스럽게 각자의 관심 분야에서 최상의 집중력과 몰입을 발휘하게 된다. 1인 취미 생활의 부상은 이들이 자신의 취미에 더욱더 심취하게 만들었음은 물론 취미·취향의 세분화라는 최근의 트렌드를 몰고 왔다. 그래서 등장한 이들이 바로 '프로 얼로너', 이들은 1코노미 현상이 맺은 '열매'나 다름없다.

얼로너 3단계: 나 홀로 덕질

혼자 하는 취미생활은 소위 '덕질'로 연결되기 십상이다. 『트렌드 코리아 2017』 회고편 **취향 공동체**에서 살펴본 바와 같이 특정한 취미를 전문적으로 영위하는 '덕후'들이 늘고 있다. 아프리카 TV의 BJ '대도서관'의 경우 게임 덕력 덕분에 부와 유명세를 얻어 큰 성공을 이룬 경우로 손꼽힌다. 이처럼 자신의 '덕질'을 '업業'으로 삼는 것을 '덕업일치'라 하며 사람들은 이들을 '성덕', 즉 '성공한 덕후'라 부른다. 남이 시키는 일이 아닌 자신이 미치도록 좋아하는 일을 하며 이것을 업으로 삼는 것이 오늘날 현대인들의 진정한 로망으로 떠오르고 있다.

이러한 경향이 때마침 '스페셜리스트'에 대한 갈망이 높아진 시대의 흐름과 만나며 신선한 파급력을 전하고 있다. CJ 그룹의 경우 신입공채 지원자들에게 각자의 '인생 덕질 분야 3가지'를 자기소개서에 적을 것을 요구하기도 했다. 덕질이 스펙으로 인정받는 시대가 온 것이다. 각종 매체는 물론 온라인 커뮤니티, SNS상에서 드러나는 그들의 덕력은 오늘날 수많은 정보 속 허위·과장 정보를 걸러내고 가치를 정해주는 순기능의 역할을 담당하고 있다.[7] 또한 유명인들의 덕질·덕력이 대중들에게 노출되면서 그들이 '인플루엔서Influencer'로서의 역할을 담당하고 있다. 가수 이승환은 피규어 덕후, 배우 심형탁은 도라에몽 덕후, 가수 김희철과 데프콘은 일본 애니메이션 덕후임이 밝혀지면서 오히려 더 큰 인기를 얻기도 했다. 연예인들의 공개적인 덕질 자랑은 덕후에 대한 사회적 인식을 개선하고 덕질이 하나의 건전한 취미 활동으로 자리 잡는 데 일조했다.

2차적 변화: 1코노미 인간관계

앞서 설명한 혼자 사는 이들의 편의를 위해 등장한 '1인용 상품과 서비스'들은 1코노미의 시작에 불과하다. 소비생활뿐만 아니라 인간관계 자체를 줄여가며 나홀로의 삶을 영위하겠다는 얼로너가 급속도로 늘고 있다. 어쩔 수 없이 군중 속에 있다 하더라도 정녕 혼자이고 싶은 사람들, 즉 타인과의 관계를 멀리 하고 스스로 '자발적인 고립'을 선택한 이들이다. 혹 미움을 받아야 한다면야 까짓것 받고 말겠다며 '쿨내' 풍기는 이들이 바로 이 1코노미의 진정한 주역들이다.

이들이 등장하게 된 주요 원인으로 우선, 사회적 배경의 영향이 크다. 현대인은 경쟁 없는 환경에서 살아본 경험이 거의 전무할 정도로 치열하게 살아간다. 이제는 SNS상에서도 '좋아요'나 '팔로워' 수치로 경쟁하기에 이르렀다. 반드시 이겨야 한다는 강박으로 인해 피로감과 우울함이 점차 고조되면서 급기야 이 모든 것들로부터 벗어나고 싶다는 강렬한 욕구를 갖게 된 것이다.

'관계 맺음'에 '권태로움'을 느끼는 관태기에 빠진 그들

자신의 일상을 발목 잡고 있는 스트레스들을 정리하고 싶은 현대인들은 마침내 '사람들'을 정리하기 시작했다. 이른바 **관태기**라는 새로운 사회적 증상이 심화된 것이다. 관태기는 말 그대로 타인과의 '관계 맺음'에 '권태로움'을 느낀다는 의미다. 이는 집단주의와 인맥중심이 만연했던 우리 사회의

> **관태기**
> 타인과의 '관계 맺음'에 '권태로움'을 느낀다는 의미. SNS상에 자주 등장하는 신조어

반작용이라 볼 수 있다. 실제로 인맥이라는 것이 순수한 인간적 관심을 바탕에 두지 않고 대개 각자 어떠한 이익을 위한 '목적지향적 관계'임을 부정할 수 없다. 소셜네트워크서비스의 발달로 오프라인으로까지 관계 맺음의 영역이 무한 확장됨에 따라 회의감과 염증을 느껴 관태기를 호소하는 사람들이 늘고 있다.

2016년 5월, 중앙일보 조사연구팀은 국내 성인 남녀 1,000명을 대상으로 인맥과 관련된 설문조사를 실시했다. 응답자의 89.8%가 인맥 관리가 중요하다고 답했지만 그중 70.3%는 인맥 관리가 피곤하다고 응답했다. 또한 이들의 휴대전화에는 평균 221.6개의 전화번호가 저장되어 있음에도 정작 주로 연락을 주고받는 사람은 15.5%(34.5명)에 불과했다. 카카오톡과 같은 모바일 메신저의 경우, 저장된 친구의 수는 평균 194.3명이었고, 이중 응답자들이 실제로 채팅을 하는 친구의 수는 평균 23.6명에 그쳤다.[8] 의미 없이 쌓이기만 하는 대인관계에 염증을 느낀 이들이 과감히 주변 사람들을 정리하며 자발적인 1인 활동에 뛰어들고 있는 것이다.

나만의 행복이 최우선, 혼자가 제일 편한 그들

얼로너들이 관태기에 빠지는 현상은 그들의 성장 배경에서도 그 원인을 찾아볼 수 있다. 현재 사회에서 활발한 경제활동을 하고 있는 20~40대가 나고 자란 가정은 대부분 핵가족 형태였다. 이들의 형제는 보통 한두 명인 경우가 많고 외자녀인 경우도 적지 않다. 가정에서부터 많은 사람들과 부딪히며 성장한 경험이 없기 때문에 사회에서 다양한 인맥을 형성하고 유지하는 일에 유독 취약하기도 하다. 또한 이들은 현재 자신들이 속해 있는 회사나 조직에 별다른 애착도 없다. 자의로든 타의로든 언젠가는 조직을 떠나야 한다는 사실을 늘 염두에 두고 있기 때문이다. 따라서 직장 내 동료·선후배와의 관계 형성에 큰 노력을 기울일 필요성도 못 느낀다. 이렇듯 축소된 가구 형태, 경기 불황, SNS의 확산 등 사회·경제적인 흐름이 사람들로 하여금 타인으로부터 벗어나 그저 혼자이고 싶도록 만든 것이다. 오직 나만의 행복을 최우선으로 여기고 혼자 있는 것이 가장 편하며 무엇이든 혼자 하는 것을 선호하도록 말이다.

따로 또 같이: '홀로'를 타인과 '공유'하는 역설

한 손에는 젓가락을 들고 혼밥, 한 손에는 스마트폰으로 SNS 소통

얼로너들은 관태기에 빠지면서도 타인과의 교류를 완전히 차단하는 것은 아니다. 오히려 적극적으로 공유한다. 혼밥이나 혼술을 하는 얼로너들이 음식과 술을 앞에 두고 제일 먼저 하는 일은 사진을 찍는 것이다. 혼영을 가서도 영화티켓의 사진을 찍는다. 혼행을 떠나서는 홀로 잠자리에 든 침대 위 자신의 모습을 찍는다. 그리고 SNS에 올린다. 물론, '혼O' 혹은 '나 홀로'라는 해시태그를 빼먹을 리 없다. 스스로 기특하고 뿌듯한 이 장면을 자랑하고도 싶고, 실시간으로 올라오는 댓글들을 보면 마치 그들과 함께 하고 있는 것 같기 때문이다. 혼자이기를 원했지만 함께 공유하기를 원하는 심리, 이는 자발적인 고립을 선택하긴 했지만 뒤따르는 외로움이나 소외감을 견딜 수 없기 때문이다. 그래서 선택한 이들의 전략은 '따로 또 같이'다. 한 손에는 젓가락을 들고 혼자 밥을 먹고 있지만 다른 한 손으로는 쉴 새 없이 스마트폰을 터치하며 SNS를 통해 소통하는 이율배반적인 모습, '1코노미'가 주목하는 이 시대 얼로너들의 패러독스다.

이들의 이러한 역설적인 모습들은 각종 온라인 커뮤니티나 SNS는 물론이고, 현실에서도 쉽게 찾아볼 수 있다. 1인용 좌석이 선호되던 식당과 카페에서는 공유식탁(커뮤널테이블)이라 불리는 커다란 테이블이 인기를 끌고 있다. 취미도 관심사도 다른 낯선 사람들이 한 테이블에 모여 앉아 따로 또 같이 밥을 먹거나 차를 마시고 책을 읽거나 노트북 자판을 두드리는 것이다. 주로 독립적인 공간을 선호하던 나홀로족 1세대와 달리 요즘의 얼로너들은 개방적인 공간을 더 선호하기도 한다. 타인의 시선을 아예 신경 쓰지 않기 때문에 굳이 답답하거나 좁은 1인용 좌석에 앉을 이유가 없기 때문이다. 이러한 트렌드를 간파한 기업들도 점차 매장 내 공유식탁을 늘리고 있다. 주요 외식 브랜드들이 신규 매장을 오픈할 때 소형 테이블을 줄이고 매장 중앙에 대형 테이블을 배치하는 등 트렌드에 발맞추고 있다.

생판 남과의 저녁식사, 소셜다이닝의 진화

아예 다 같이 모여 즐기자는 얼로너들의 움직임도 분주하다. '혼밥 동호회·혼술 동호회' 등 '소셜다이닝Social Dining(낯선 사람들과 함께 식사하기)'의 진화가 대표적이다. 혼자 먹고 마시는 것에 지치고 외로운 사람들이 삼삼오오 모여 식생활의 새로운 활기를 얻고 있는 것이다. 이러한 소셜다이닝을 콘셉트로 TV 예능 프로그램도 등장했다. 2016년

1인 가구의 비율이 27.2%로 집계되며 역대 최고치를 기록했다.
이제 대한민국에서 가장 대표적인 가구 형태가 될 것이다. '1코노미'가
산업의 지형도를 바꾸고 있고 이 새로운 경제현상의 주인공인 '얼로너'는 단연
파워컨슈머들이다. 이들은 기존 산업사회의 가치관과 대비되는 새로운
가치관으로 새로운 라이프스타일을 영위하는 2차적 변화를 낳고 있다.
이는 더 나아가 대한민국 사회 전체의 소비와 사고방식이
'질적으로' 변화함을 의미한다.

▼
▼
▼

9월, tvN에서는 〈혼밥할 땐, 8시에 만나〉라는 프로그램을 편성했다. 저녁 8시, 각각 다른 장소에서 혼밥을 하는 3명의 셀럽들을 온라인으로 초대해 이야기를 나누는 원격 토크쇼다.

그런데 왜 이들은 가족·친구 등 가까운 지인들과 모이지 않고 생판 모르는 남과 식탁에 마주앉는 것일까? 이유는 단순하다. 그게 편하기 때문이다. 남의 눈치는 보고 싶지 않고 나의 만족이 우선인 이들에게 가까운 사람들과의 식사는 오히려 그들에 대한 배려와 관심이 요구되는, 한마디로 피곤한 일인 것이다. 메뉴 선정에서부터 결제까지 서로 아웅다웅할 일도 없다. 소셜다이닝에서는 공지를 통해 오늘의 메뉴가 선정되고, 그에 따라 사람들이 모인다. 즉, 관심의 대상이 같은 사람들이 오직 그것을 위해 모인다는 점이 이 시대 얼로너들의 '따로 또 같이' 전략인 것이다.

필요와 목적만을 위한 이러한 '느슨한 모임'은 취미·여가 활동에서 더욱 두드러지고 있다. 독서·영화·공연 등 보편적인 취미활동부터 글쓰기·뜨개질·성인용 완구 조립 등 각양각색의 모임들이 느슨하지만 활발하게 운영되고 있다. 이들은 공통의 관심사 혹은 공통의 목적을 위해 모여 이에 관한 공감대를 형성하고 정보를 나눌 뿐, 서로의 신상에 대해서는 전혀 궁금해 하지 않는다. 알려고도 하지 않고 묻지도 않는다. 혹 상대방의 신상을 묻거나 자신의 신상을 드러내면 오히려 따가운 눈총을 받는다. SNS로 연락을 주고받을 뿐 그 흔한 '전번교환(서로 전화번호 주고받음)'조차 드문 일이다. 모임의 가입과 탈퇴 또한 자유로운 편이다. 새로운 회원이 들어오는 일도 기존의 회원이 나가는 일도 이들에게는 대수로운 일이 아니며 뒤풀이와 같은 사적

◀ 혼밥을 온라인으로 공유하는 콘셉트로 TV 예능 프로그램이 등장할 만큼 '얼로너'들은 새로운 문화를 형성하고 있다.

인 교류를 위한 모임도 일체 갖지 않는다는 것이 특징이다.

　이러한 소모임이 인기를 끌면서 공통의 관심사 혹은 친목을 위한 모임을 개설해 오프라인에서의 만남을 이끌어주는 스마트폰 앱 서비스 '소모임'의 경우 2016년 9월 기준, 9만 건의 다운로드 수를 기록했다. 한 온라인 커뮤니티에는 이러한 '느슨한 모임'이 서울지역에서만 약 200여 개 정도 존재하고 있다. 각자 신상에 대해 '철벽'을 치지만 그렇다고 이들이 친하지 않은 것은 아니다. 공통의 관심 분야 외에는 서로에 대해 잘 모르기 때문에 오히려 가식 없이 솔직한 속내를 터놓을 수 있다는 것이다. 그래서 낯선 타인과의 모임에서 비로소 자유와 편안함을 느낀다고 한다. 서로 간섭할 필요도 없고 상대에게 감정노동을 할 필요도 없기 때문이다.[9] 이 때문에 얼로너들을 바라보는 시선도 매우 복합적이다. 자발적인 선택으로 혼자임을 즐기는 사람들을 긍정적으로 평가하려는 시선과 소통이 단절된 현대사회의 부정적인 징후를 읽어내려는 태도가 공존한다.

3차적 변화: 1코노미 가치관의 확산

—

내멋대로 즐기는 당당한 마이웨이 vs 이율배반적인 소통의 단절

1인 가구뿐 아니라 현대 사회의 구성원 대부분이 자발적 고립 현상의 단면들을 가지고 있다. 사람은 누구나 혼자이고 싶은 욕망을 지녔기 때문이다. 요즘 집안 거실의 모습을 떠올려보기만 해도 단박에 알 수 있다. 분명 한 지붕 아래 살고 있지만 온 가족이 거실이라는 공동 공간에 모여 앉는 풍경은 생각보다 드물다. 텔레비전을 앞에 두고 서로 드라마를 보겠다, 뉴스를 보겠다 실랑이하며 리모컨 쟁탈전을 벌이는 일도 이제는 사라져 간다. 각자의 스마트폰으로 원하는 프로그램은 무엇이든 볼 수 있기 때문이다. 군이 TV로 봐야 한다면 나중에 '다시보기 VOD'로 시청하면 그만이다. 집 안에서도 각자의 방으로 쏙 들어가기 바쁘다. 이럴 때 손에 쥔 스마트폰은 유용한 나만의 탈출구와도 같다. 이 때문에 아예 거실을 없애고 그 공간을 서재 등의 특정 기능 공간으로 변형시키는 인테리어도 인기를 얻고 있다. 공동체 문화가 사라진 가정에서 일명 '거실의 죽음'이 찾아온 것이다. 오늘날 사람들이 인정하는 나의 공간은 이전의 'my home(집)'에서 'my room(방)'으로, 이제는 'my phone(스마트폰)'으로 그 영역이 현저히 좁아지고 있다. 이러한 보편적인 자발적 고립 양상이 비단 1인 가구에서뿐만 아니라 다인 가구 구성원, 다시 말해서 사회 전체로 확산되고 있다.

소위 보편적이라는 사회적 기준에 얽매여 타인의 인정을 받으려 부단히 노력해온 현 시대의 사람들에게 당당히 'my way'를 '내멋대로' 즐기라는 명제는 행복한 일탈이 될 수도 있지만 삶의 딜레마가 되기도 한다. 『미움받을 용기』라는 책이 최장기 베스트셀러 자리를 차지했던 것도 이러한 시대적 정서 때문일 것이다. 사랑받는 것에 집착하지 말고 미움받는 것에 의연해지라는 따끔한 충고가 '나'라는 존재에 대한 깊은 성찰로 이어지며 현대인에게 일종의 처방전이 되었던 것이다.

이러한 변화의 흐름에 따라 기꺼이 미움받을 용기를 장전하고 있는 사람들이 많아지고 있다. 이들에게 용기란 타인의 눈치도 보지 않고 기대나 인정 따위도 바라지 않으며 오롯이 '나' 하나만을 위한 '진정한 내 인생'을 살겠다는 결연한 의지다. 이들의 가장 큰 특징은 타인과의 관계를 위한 관심과 노력을 최소화한다는 점이다. 더불어 살아가기보다는 이따금씩 필요에 의해 어울릴 뿐이다. 이들은 나만의 행복을 최우선으로 여기기 때문에 '인적 관계'를 위한 정신적 소모를 원치 않는다. 그렇다고 해서 마냥 이기적이라 볼 수는 없다. '나의 행복이 최선'이라는 것이지, 결코 '나의 행복이 남의 행복보다 우선'이라는 것은 아니다. 이들은 다른 사람들이 그들 각자만의 행복을 좇는 것 또한 당연하다고 여겨 타인의 마이웨이 행보를 적극 지지한다.

이처럼 1인 가구가 늘면서 등장한 나홀로족의 문화가 공동체 문화를 대체하기 시작하면서 사회·경제·문화 전반에 걸쳐 다인 가구의 가족생활을 하는 사람들에게까지 가치관의 변화가 심화되고 있다. 나 혼자 더 잘하는 모습이 일종의 선망의 대상이 되거나 판타지로 다가오기도 하지만 소통의 단절이라는 이율배반적인 정서도 함께 따라오고 있다.

저성장 시대의 아이러니, 캥거루족의 얼로너 라이프스타일

현대인의 개인중심적 성향은 삶의 특정한 단계에서 더욱 또렷한 존재감을 드러내기도 한다. 오늘날 소위 'OO족'이라는 꼬리표를 달고 사회 곳곳에서 다양한 형태로 등장하고 있는 이들은 1코노미 현상의 줄기를 담당한다. 대표적으로 '캥거루족'이 그렇다. 2016년 5월, 서울연구원에서 발표한 〈한눈에 보는 서울〉(2014년 기준)에 따르면 서울의 미혼 청장년층(25~34세) 57.8%가 가족과 함께 거주하는 3인 이상의 가구 형태를 이루고 있는 것으로 나타났다. 서울에 거주하는 미혼 성인(25~34세) 10명 중 6명이 여전히 부모로부터 거주 및 경제적인 독립을 하지 못한 캥거루족인 것이다. 4인 가구 중 1가구가 '1인 가구' 시대에 흥미로운 아이러니다(『트렌드 코리아 2017』 **나는 '픽미세대'** 키워드 참조).

이들은 취업준비 기간은 물론이고 취업한 이후에도 부모의 집에 얹혀살며 경제적인 지원을 받는다. 자신이 원하는 학업을 지속하느라 오랜 기간 부모의 품을 떠나지 못하기도 하고, 독립을 했다가 다시 부모의 집으로 되돌아가는 경우도 적지 않다. 주거비와 집안일 등으로부터 해방된 삶을 도저히 포기할 수가 없기 때문이다. 캥거루족은 이로부터 얻은 경제적·시간적 여유를 주로 자기 계발이나 개인 취미 생활에 투자한다.[10] 비록 몸은 다인 가구 가정에 살고 있지만, 라이프스타일은 얼로너로 사는 이중성을 보이는 것이다.

그런데 부모의 잔소리보다 내 한 몸 여유로운 것에 더 큰 만족감을 느끼는 이들에게 독립보다 더 어려운 일이 있다. 바로 결혼이다. 2016년 8월부터 방영되기 시작한 SBS의 〈다시 쓰는 육아일기! 미운 우리 새끼〉는 독신 미혼남들의 일상을 그들의 어머니들과 함께 관

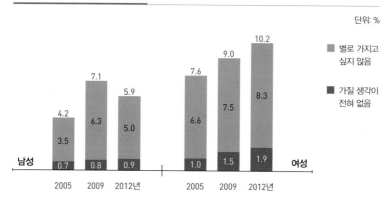

단위: %

- 별로 가지고 싶지 않음
- 가질 생각이 전혀 없음

남성 / 여성

2005 | 2009 | 2012년 | 2005 | 2009 | 2012년

출처:http://news.donga.com/3/all/20160118/75967811/1)

찰하는 리얼리티 프로그램이다. 혼자 사는 아들을 지켜보는 어머니의 한탄과는 달리 이들의 실상은 외로움과 거리가 멀어 보인다. 피규어 수집, 클럽 다니기, 게임, 나홀로 음주 등 각자가 좋아하는 일상을 마음껏 누리는 이들은 이제 '비혼의 아이콘'으로 떠올랐다. 비혼이란 말 그대로 '결혼하지 않음', 즉 '스스로 결혼을 선택하지 않음'을 의미한다. 아직 결혼하지 않은 상태인 미혼이라는 단어가 '앞으로 결혼을 해야 함'을 내포하고 있는 것과 확연히 다른 개념이다. 비혼족은 결혼제도가 인생의 필수과정이 아닌 선택사항이라고 주장한다. 결혼이라는 제도에 얽매이지 않고 자유롭게 연애만 하기를 원하는 이들은 '나도 나의 행복이 우선, 너도 너의 행복이 우선'이다.

애초에 비혼이 아닌 결혼을 선택한 이들 중에서도 개인주의적 성향이 두드러지고 있다. 90년대 맞벌이를 하며 충분한 소득을 벌어들이면서도 자녀를 갖지 않는 '딩크(DINK, Double Income No Kids)족'이 처음 등장했을 때만 해도 사회적 이슈가 될 정도로 논란이 일었다. 하지만 시대가 변하며 무자녀 가구를 선호하는 딩크족이 갈수록 증가하고, 그 양상은 더욱 극단적으로 진화하고 있다. 혼자 벌더라도 아이는 낳지 않겠다는 '싱크족SINK, Single Income No Kids'까지 등장해 무자녀 가구의 증가세가 저출산 문제의 핵심이 되고 있다. 자녀 양육으로 인해 현재의 개인 중심적인 생활양식을 포기할 수 없는 것이 이들의 속내다.[11] 자녀를 두지 않으면서 고가의 수입차를 2~3년 주기로 바꾸는 '딩크라이더DINK Rider', 아이 대신 반려동물을 기르는 '딩펫(DINK와 pet의 합성어)족' 등의 등장은 딩크족의 다양한 진화 양상이다.

1코노미에 대한 산업적 대응

모바일을 중심으로 한 채널 유통의 변화

'거실의 죽음'은 사회적으로는 안타까운 현실이지만, 산업에서는 변화에 기민하게 대처하고 있다. 여럿이 모여서도 자기 스마트폰만 들여다보느라 바쁜 요즘 사람들을 위해 모바일콘텐츠는 더욱 다양하게 세분화되며 유통 구조 또한 지속적으로 발달하고 있다. 이러한 추세는 2016년 추석 명절에 벌어진 모바일콘텐츠 시장의 경쟁구도를 통해서 확인할 수 있다. 명절에도 고향에 내려가지 않고 연휴를 홀로 보내는 이들, 또는 가족들과 있지만 함께 텔레비전을 시청하기보다는 각자 스마트폰으로 영화·TV 프로그램을 보는 이들이 증가하면서 이들을 겨냥한 각 업체들의 할인·무료 이벤트 행사가 쏟아졌다.

KT는 자사의 '올레tv 모바일'을 통해 VOD할인 이벤트를 실시했고, SK브로드밴드의 모바일 동영상 플랫폼 '옥수수'에서는 추석특집 무료 영화 서비스와 가족 영화 30% 할인 행사를 펼쳤다. CJ헬로비전의 모바일앱 '헬로tv앱'에서 '한가위 특집관'을 마련, 최신영화와 명화들을 TV와 모바일로 이어서 볼 수 있는 서비스를 제공하기도 했다.[12] 1인 가구 못지않게 나홀로 시청자들이 늘고 있어서 모바일을 중심으로 한 채널 유통의 변화는 더욱 가속될 전망이다.

얼로너의 라이프스타일을 반영한 상품의 등장

얼로너들의 취미·여가 생활이야말로 1코노미 시장이 가장 주목하고 있는 분야다. 특히, 혼영(혼자 영화보기) 문화가 가장 빠르게 확산되고 있는 가운데 이에 따른 극장가의 대응 전략 또한 발 빠르게 이루어지고 있다. 메가박스 코엑스점은 6개관의 5열 전체를 '싱글석'으로 만들었다. 좌우 옆 좌석 사이에 테이블을 설치해 관객 홀로 온전히 영화에 집중할 수 있도록 했으며 이미 마니아층이 있을 정도로 좋은 호응을 얻고 있다. 얼로너들은 영화에 대한 몰입도나 재관람율이 높아 꼼꼼한 후기를 남기는 등 홍보 역할을 톡톡히 해내며 영화시장의 '빅 마우스Big mouth'로 떠올랐다.[13] 게다가 이들은 상영관이 현저히 적은 예술 영화에 비교적 높은 선호도를 보이기도 한다. 문화생활에 적극적인 이들의 파급력을 이용하기 위한 관련 업체들의 다양한 이벤트나 홍보 프로그램들이 뒤따른다면 큰 효과를 거둘 수 있을 것이다.

'혼행(혼자 여행하기)'을 겨냥한 여행상품들이 잇달아 등장하고 있는 가운데 이들을 위한 스마트폰 앱이 혼행족의 든든한 여행길잡이가

1인용 좌석이 선호되던 식당과 카페에서는 공유식탁(커
뮤널테이블)이라 불리는 커다란 테이블이 인기를 끌고 있
다. 취미도 관심사도 다른 낯선 사람들이 한 테이블에 모
여 앉아 따로 또 같이 밥을 먹거나 차를 마시고 책을 읽거
나 노트북 자판을 두드리는 것이다. 주로 독립적인 공간
을 선호하던 나홀로족 1세대와 달리 요즘의 얼로너들은
개방적인 공간을 더 선호하기도 한다. 타인의 시선을 아
예 신경 쓰지 않기 때문에 굳이 답답하거나 좁은 1인용
좌석에 앉을 이유가 없기 때문이다.

되어주고 있다. 최근 리뉴얼을 한 대표적인 여행 앱 '스카이스캐너'
는 항공권·호텔·렌터카 가격을 한 번에 비교해주는 서비스와 더불
어 고객 취향과 특성에 맞는 여행 코디 서비스까지 제공하고 있다.
현지의 여행상품이나 교통패스, 공연티켓·입장권의 구입을 도와주
는 앱 '마이리얼트립My Real Trip' 역시 혼행하는 얼로너들의 필수앱으
로 꼽히고 있다.[14] 이제는 혼자 캠핑하기가 최근 얼로너의 새로운 여
가생활로 떠오르는 등 혼자 제대로 놀 줄 아는 얼로너들이 많아져
이들을 지원하는 관련 시장은 더욱 진화할 전망이다.

금융시장 역시 1코노미의 동향에 주목해야 한다. 보통 얼로너들은
자신의 현재 생활에서 행복과 만족을 얻기 때문에 재테크나 금융시
장에 무심한 편이다. 즉, 자신을 위한 소비에 적극적인 반면 재테크
에는 비교적 소극적인 것이다. 이들에게 펀드나 주식 상품과 같은 투

자는 경제적으로나 심리적으로 큰 부담으로 여겨진다. 때문에 이들 각자의 라이프스타일을 반영한 맞춤식 예금·적금 상품들과 보험 상품들이 출시된다면 얼로너들에게 큰 인기를 끌 것으로 예상된다. 이미 보험업계에서는 이 같은 시장에 주목해 가족 중심이 아닌 개인을 중심으로 설계된 상품들을 선보이기 시작했다.

시사점
따로 또 같이, 사회적 차원의 완충제도 마련이 필요
—

"내가 혼술을 하는 이유는 힘든 일상을 꿋꿋이 버티기 위해서다. 누군가와 잔을 나누기에도 버거운 하루. 쉽게 인정하기 힘든 현실을 다독이며 위로하는 주문과도 같은 것. 그래서 나는 오늘도 이렇게 혼술을 한다."

- 드라마 〈혼술남녀〉中-

2016년 9월 첫 방송된 tvN 드라마 〈혼술남녀〉의 배경은 고단한 경쟁 사회, 대한민국의 민낯을 온전히 마주할 수 있는 대표기지, 바로 서울 노량진이다. 이 드라마는 공무원 준비를 하는 공시생들과 입시학원에서 살아남기 위해 고군분투하는 강사들의 각자도생 스토리를 '짠내나게' 녹여내며 2030 세대에게 뜨거운 공감을 얻었다. 혼자 편의점 앞 플라스틱 의자에 앉아서 또는 고시원 침대 위에서 캔 맥주를 따는 청춘들의 모습은 쓸쓸함 그 자체 같지만 정작 주인공들은 이게 바로 힐링타임이라며 나 혼자만의 작은 술자리야말로 스스로에게 주는 선물이자 응원이라고 읊조린다. 이처럼 혼자 들이키는 술잔에는 합리적 개인주의와 고독한 현대인의 양가적인 감정이 담겨 있다.

무엇보다 요즘 대세로 떠오르고 있는 비혼족이나 비자녀족은 우리 인구정책에도 중요한 시사점을 던진다. 2016년 1~7월의 혼인·출산이 작년 동기 대비 8% 감소하며 역대 최소치를 기록했다는 통계청의 발표가 보도되었다. 이는 통계조사가 처음 실시된 2000년 이래 최저기록이다.[15] 저출산 문제를 비혼족과 비자녀족의 책임으로 전가할 수만은 없다. 이미 선진국들은 우리보다 앞서 이러한 문제를 겪었을 만큼 경제상황과 사회적 인식의 변화에 따른 필연적인 결과다. 이를 개선하기 위해서는 개인의 변화만을 앞세우지 말고 이제 정부차원의 보다 현실적인 지원과 개선안이 필요할 것이다.

사실 비혼족의 경우, 스스로 결혼하지 않기를 선택했을 뿐, 이들이 평생 독신으로 살겠다는 것은 아니다. 이들은 결혼 대신 동거도 얼마든지 가능하다고 생각한다. 따라서 우리나라에도 프랑스처럼 **시민연대협약**PACS과 같은 비혼족의 동거에 대한 법적 기반에 대해 논의를 시작할 필요가 있다. 비혼족은 현재 주택 분양이나 대출에 있어서 푸대접을 받고 있는 형편이라 사실혼을 유지하고 있어도 정상적인 가족계획을 세우기도 힘들다.

시민연대협약

PACS, le Pacte civil de solidariete

프랑스에서 1999년 말 공포한. 이성 또는 동성의 성년이 동거를 할 때 체결하는 계약에 관한 법. 간단히 '동거계약법'이라고도 한다. 이 법은 신고된 동거를 결혼보다는 약하지만 단순한 사실혼보다는 강하게 보호한다. 하지만 동거계약이 호적상 신분에는 아무런 영향을 주지 않아 기본적으로 미혼자의 신분을 유지할 수 있다는 점에서 결혼과는 다르다.[16]

2016년 4월 출간된 『미움받을 용기2』에서 저자는 다음과 같이 말한다. "모든 기쁨도 인간관계에서 비롯된다. 자립이란 자기중심성으로부터의 탈피다." 미움을 받을 땐 받더라도 결국은 관계가 중요하다는 얘기다. 어쩌면 사람들이 자발적으로 고립을 택하는 이유는 궁극적으로 타인과의 건강한 관계를 형성하기 위해서일지도 모른다. 따로 또 같이, 느슨하게 헤쳐 모이며 각박하고 치열한 현실에서 잠시 멈춰서 숨을 고르고 있는 것이다.

현대인들의 이런 모습을 **남극형 증후군**이라고 말하기도 한다. 뒤에 나오는 **각자도생의 시대** 키워드도 이러한 변화에 일부 기인한다. 이러한 현대인들의 이러한 행태를 직시함은 물론 사회적 차원의 완충 제도들을 마련할 필요가 있다. 2017년에는 누군가와 잔을 나누기에도 버거운 하루에 지쳐서 혼자 술잔을 든 외로운 현대인의 풍경 대신 내 멋과 내 맛에 신나 스스로를 응원하는 활력 넘치는 얼로너들의 건강한 에너지가 사회 곳곳에 퍼져나가기를 기원한다.

남극형 증후군

Winter-over syndrome

극한 상황에서 다수의 사람들이 밀집해 지내다보면 서로 스트레스가 극대화되고 이유 없이 짜증을 내거나 폭력적으로 변하는 일이 흔해지는데 이를 남극에 파견된 연구원과 군인에게서 발견되었다고 하여 '남극형 증후군' 혹은 '고립 효과 Isolated effect'라고 부른다.

No Give Up, No Live Up

버려야 산다, 바이바이 센세이션

정리하고 버리는 소비자가 늘고 있다. 정리에 관한 책이 베스트셀러 목록에 오르고, SNS에서는 버리기 인증 경쟁이 벌어진다. 그렇다고 이렇게 비워내는 행동을 더 이상 물질로 영위하지 않겠다는 무소유의 의미로 해석하는 것은 성급하다. 버리는 행위가 오히려 새로운 물건을 구매하는 최적의 구실을 만들어주기도 하기 때문이다. 새로 사기 위해, 그리고 새로 살기 위해 버리는 삶을 실천하는 소비자가 늘고 있는 이 역설적 현상을 '바이바이 센세이션'Bye-Buy Sensation이라고 명명한다.

장기불황과 동일본 대지진을 겪은 후, 일본에서는 '사토리족'의 버리는 삶이 신新라이프스타일로 큰 인기를 얻었고 이는 곧 우리나라에도 전해져 왔다. 특히 '소유'보다는 '향유·공유' 경제에 익숙하고, 가난과 결핍을 겪어본 적이 없지만 유례 없는 저성장기를 살아야 하는 한국의 젊은 유목민적 물질주의자들이 이 '버리는 삶'에 적극 동참하는 양상을 보이고 있다. 이들의 버리는 삶은 사실 다시 무언가를 사기 위한 구매의 합리화 현상이자, 생활에 필요한 물건을 자기 집에 비치하는 것이 아니라 공유나 대여를 통해 그때그때 꺼내쓰는 '삶의 클라우드' 현상이다. 버리는 삶을 새로운 가치관으로 받아들이는 일부 진정한 미니멀리스트들은 최소한의 물질적 필요만 충족하며 정신과 경험에 투자하는 새로운 라이프스타일을 추구하기도 한다. 가뜩이나 불경기로 움츠러들고 있는 2017년 대한민국 소비시장에 버리기 열풍이 어떠한 영향을 몰고올지, 귀추가 주목된다.

"설레지 않으면 버려라!"

언뜻 냉정하고 의리 없어 보이기도 하는 이 말은 사실 정리의 황금률이다. 『인생이 빛나는 정리의 마법』의 저자인 곤도 마리에는 자신의 책을 통해 정리의 비법들을 소개하고 있다. 이미 일본과 한국에서 정리 열풍을 일으켰던 이 책이 2년 전 미국 등 서구권에 영어로 번역 출판되었고, 이내 세계 각국에서도 베스트셀러 목록에 올랐다. 곤도 마리에는 2015년 미국 『타임』지 선정, 세계에서 가장 영향력 있는 100인에 자신의 이름을 올리며 현재, 시대의 '정리여왕'으로 등극했다. 특히 그녀가 자신의 책에서 제시했던 여러 정리의 비법들중, '설레지 않으면 버리라'는 대목은 독자들에게 버리는 행위를 통해 강렬한 설렘을 경험하게 했다. 그렇다, 버려야 하는 것이다. 어떤 물건이든 이제는 그만 좀 없애고 버리면서 살아야 할 때가 왔다.

냉장고를 열어보면 각종 음식물과 재료들이 시들어가고 있다. 냉동고의 현실은 더욱 심각하다. 언제 사다놓았는지 알 수 없는 식재료가 얼어 있다. 이번엔 옷장을 열어보자. 각양각색의 옷걸이에 빼곡히 걸려 있는 옷들을 가만히 들여다보면 대부분은 이미 나의 옷이 아니다. 내 방 옷장에 걸려 있는 그냥 '옷가지'에 지나지 않을 뿐이다.

이에 대해 현대인은 십중팔구 '바쁘게 사느라' 신경을 쓰지 못했다고 항변할 것이다. 냉장고나 옷장에 신경을 기울이기에 현대 사회는 할 일도 많고 주의를 기울여야 할 것들도 태산 같다. 그런데 이 진실한 고백 속에 우리가 간과하기 쉬운 또 하나의 이면이 있다. '바쁘게 사느라'라는 대목에서 '사느라'의 의미는 살다(live)에 국한되지 않는다. 현대인에게 이 '사느라'라는 말에는 사다(buy)의 의미 또한 내

포되어 있는 것이다. 그야말로 새 물건들을 사는 데에 바쁘게 열중하다 보니 헌 물건들에 대한 주의나 관심은 잊고 산 것이다.

그런데 변화가 시작됐다. 새 물건을 사들이기만 하는 소비습관을 자각하고 반성하는 움직임이 일어나기 시작한 것이다. 우선 별다른 목적 없이 방치된 물건들에게 출구를 마련해주는 것이 급선무일 것이다. 더 이상 사용할 수 없는 것들은 '아묻따('아무것도 묻지도 따지지도 않고'의 줄임말)' 쓰레기통에 버리기를 실행한다. 기부, 바자회, 벼룩시장, 중고거래 또한 나에게 쓸모없는 것들을 과감하게 비워내는 출구로써의 역할을 한다. '설레지 않으면 버리라'는 정리여왕의 말대로 사람들은 정말로 버리고 비워내기 시작했다. 냉장고와 옷장은 물론 신발장, 욕실, 거실, 서재, 아이들 장난감에 이르기까지 전방위에 걸쳐 적극적으로 버리기에 동참하고 있다.

실컷 버리고 나니 속이 다 시원하다며 감탄을 하던 이 사람들, 그런데 깔끔하고 넓어진 이 공간 속에서 왠지 모를 허전함과 쓸쓸함을 느낀다. 이전처럼은 아니지만 좀 더 채워넣어 보고 싶은 마음이 슬며시 고개를 든다. 때마침 '그렇게 버렸으니 이 정도쯤 사도되지 않을까' 라는 자기 합리화가 가세한다. 그러고는 이내 다시 구매 활동에 복귀한다. 설레지 않아 버리고 나니, 다시 설레고 싶은 것이다. 더 이상 설레지 않아 연인과 헤어졌다고 해서 영원히 연애를 하지 않고 살 수 없는 것과 마찬가지다. 이제는 다시 설레게 해줄 그 무언가를 위해 기꺼이 지갑을 열고, '구매하기'를 터치하고 싶어진다. 사실 더욱 짜릿한 것은 예전부터 사고 싶었던 물건을 드디어 살 수 있는 최적의 구실이 생겼다는 점이다.

사실 속내를 들여다 보면 작금의 '버리기 열풍'은 실상 진정한 무소유의 미학을 실천한다기보다는 구매의 자기합리화 기제 쪽에 더 가깝다. 욕심껏 양 손 가득 쥔 사탕 때문에 당장 사탕을 먹고 싶어도 사탕 껍질을 깔 수가 없어 먹지 못하는 아이의 모습을 떠올려보자. 이 우스꽝스러운 모습이 현대인의 소비습관과 사뭇 닮아 있음에 절로 고개가 끄덕여진다. 물질적 풍요가 넘쳐나는 이 시대를 살아가면서 구매의 욕구를 억제하기란 세속을 떠나지 않는 이상 불가능한 일이나 다름없다. '경기가 안 좋다', '살기가 힘들다' 등 하소연 하면서도 손에 쥔 스마트폰을 터치하며 오늘의 핫딜과 신상품을 스캔한다. 경제불황 속에서 사람들이 구매를 억제하려고 하면 할수록, 그들의 구매욕을 끌어올리고자 하는 기업들의 상품개발과 마케팅 전략 또한 진화할 수밖에 없기 때문이다.

　현대인은 오늘도 무엇인가를 사들인다. 그렇게 사들인 물건들은 이내 쌓이기 시작한다. 안타깝게도 인간은 이미 가지고 있는 것으로부터는 더 이상 도파민이 분비되는 자극을 받지 않기 때문에 쌓인 물건들은 더 이상 기쁨을 주지 못한다. 우리가 비슷한 물건을 또 다시 사들이게 되는 이유다. 다람쥐 쳇바퀴의 확장판 같은 이러한 구매 행위가 반복되다 보니 결국 사람들은 너무 많은 물건들을 쌓아둔 채로 살아가고 있다. 이 때문에 어떤 이들은 새로운 물건을 사기 위한 최적의 구실로 버리는 행위에 집중하기도 하고, 또 어떤 이들은 물질을 버리고 정신적 만족감을 얻는 데 집중하기도 한다.

　『트렌드 코리아 2017』에서는 현재 불고 있는 '버리기'의 바람을 구매의욕의 퇴행이라기보다는 "버리고 나니 사고 싶고 또 어찌 보면 새로운 것을 사고 싶어 버리는" 현대인의 진화된 구매욕망으로 해석했다. 다시 말해서 '구매와의 이별 현상'을 뜻하는 '바이바이 센세이션Bye-Buy Sensation'이라는 키워드는 버리는 행위 뒤에 잇따르는 사는 행위와 더불어 이에 정당성을 부여하는 현대인들의 이중적인 양상을 표현하는 말이다. 이제 현대인의 이율배반적인 소비습관을 단계별로 상세히 들여다본 후, 진정 버리고 비우는 삶, 즉 물질적인 삶을 최대한 배제하는 진정한 미니멀리스트들의 정신적 소비경향에 대해 살펴본다.

등장배경: 결핍을 경험하지 못한 유목민의 탄생

버리기 열풍은 일찍이 이웃나라 일본으로부터 시작되었다. '잃어버린 20년'이라는 장기 저성장기를 겪으며 **사토리 세대**가 등장, 경제활동과 소비활동 모두 최소한으로 억제하며 살아가는 양상을 보이며 일본 사회의 커다란 이슈로 떠올랐다. 장기 불황까지 이어지자 시시각각 쏟아

사토리 세대さとり
(깨달음, 득도)

1980년대 후반부터 1990년대에 태어난 이들로 일본의 장기 불황 시대와 함께 자라면서 욕망 혹은 욕구가 부질없음을 깨달아 돈벌이나 출세는 물론 소비에도 관심이 없는 세대를 일컫는 말

져 나오는 물건들과 정보의 홍수 속에서 일본인들은 자신의 주머니 경제보다 정신이 더욱더 빈곤해지고 있음을 자각했던 것이다.

신라이프스타일 열풍, 소유가 전부가 아니다

결정타는 2011년 동일본 대지진이었다. 사람들은 접시가 가득한 수납장, 무거운 조명기구 등이 바로 자신의 코앞에서 산산조각이 나는 것을 목격했다. 자신의 소비욕구를 충족시켜 주었던 물건들이 생명을 위협하는 흉기로 돌변한 그때 이후로, 일본인들의 버리기 열풍이 본격적으로 점화되었다. 국내 서점가에 나와 있는 '버리는 삶'에 관련된 도서들의 대다수가 일본 도서인 것 또한 그러한 이유에서다.

일본의 이러한 '신新라이프스타일' 열풍이 바다를 건너 대한민국에 전해지는 데에는 긴 시간이 필요하지 않았다. 줄지 않는 욕망과 넘쳐나는 물건들 사이에서 힘겨운 줄다리기를 벌이던 사람들에게 이 버리기 열풍은 일종의 탈출구와 같은 절묘한 대안으로 찾아왔다. 두 나라의 버리는 삶에 다른 점이 있다면, 일본은 버림을 통해 '최소한의 삶'을 지향하지만 국내에서는 '줄이는 삶'을 지향한다는 것이다.[1]

특히 젊은 세대가 가진 소유의 개념이 전통적인 의미와 다르다는 것 또한 '바이바이 센세이션'의 주요한 원인이다. 예컨대 이전 세대에게 집이란 성공한 삶에서 반드시 소유해야 하는 대상이었다. 하지만 요즘 젊은 세대에게 집이란 소유가 아닌 그저 주거 개념에 가깝다. 전세 살고 월세 사는 것을 전혀 부끄러워 하지 않고 오히려 자연스럽게 받아들인다. 자동차 또한 마찬가지다. 굳이 목돈을 들여 구입하기보다는 리스나 렌트는 물론 '쏘카', '그린카'와 같은 공유 제도를 이용하며 합리성을 추구한다. 즉, 이들은 소유보다는 공유와 향유 경제에 이미 잘 적응되어 있어 소유에 대한 강박이 이전 세대보다 훨씬 덜하다.

▲
▲
▲

줄지 않는 **욕망**과 **넘쳐나는 물건**들 사이에서 힘겨운 줄다리기를
벌이던 사람들에게 이 버리기 열풍은 **일종의 탈출구**와 같은 절묘한
대안으로 찾아왔다. 일본과 한국의 버리는 삶에 다른 점이 있다면, 일본은
버림을 통해 '최소한의 삶'을 지향하지만 한국에서는 '줄이는 삶'을 지향한다는
것이다. 못 먹고 못 입었던 시절을 경험했던 이전 세대들이 그에 대한 보상이라도
하듯 소유를 중시하는 반면, 그러한 결핍을 경험한 적이 없는 오늘날 젊은
세대들은 소유에 대한 애착이 그리 강하지 않다. 이들은 자신의 버리는 행위를
셀카로 찍어 SNS에 인증샷으로 올리는 등 가벼운 놀이로 인식하기까지 한다.

디지털 노마드 세대, 클라우드화에 익숙하다

이리저리 옮겨다녀야 하는 유목민적 라이프스타일이 당연시되는 현대의 생활여건도 이러한 추세의 확산에 한몫을 더했다. 스마트폰이나 노트북 등 디지털 장비만 주어진다면 장소에 구애받지 않고 어디서든 자유롭게 업무를 해결하고 원하는 정보를 얻을 수 있는 '디지털 노마드digital nomad' 시대가 됐다. 이제는 물건을 소유하지 않아도 특정 업무를 해결할 수 있는 기술과 서비스가 발달하면서 현대인의 삶은 이미 **클라우드화**되어 가고 있다. 전세 계약 2년이 지나면 다른 집으로 이사해야 하고, 문서나 사진·동영상 등의 콘텐츠는 기기가 아닌 서버, 즉 가상의 공간에 저장해두는 이들에게 물질을 버린다는 것은 이미 익숙한 행위인 것이다.

이들이 태어난 시기는 한국 경제가 비약적으로 발전하기 시작한 1970년대 이후다. 과거 대부분이 못 먹고 못 입었던 시절을 경험했던 이전 세대들이 그에 대한 보상이라도 하듯 소유를 중시했던 반면, 그러한 결핍을 경험한 적이 없는 오늘날 젊은 세대들은 소유에 대한 애착이 그리 강하지 않다. 오히려 이들은 버리는 행위에 더욱 애착을 가지고 집중하는 모습을 보이기도 한다. 최근 화제가 되고 있는 '미니멀리즘'이라는 게임의 인기도 젊은 세대의 변화된 가치관에서 기인한다. 이 게임은 매일 물건을 버리는 인증샷을 올리

삶의 클라우드화 현상

정보를 개개인의 로컬 컴퓨터에 저장하는 것이 아니라, 중앙서버에 저장해두고 어디서든 접속해 불러낼 수 있게 한 것을 클라우드cloud 서비스라고 한다. 이제는 정보뿐만 아니라 필요한 사물 역시 개개인의 집에 비치해 두고 쓰는 것이 아니라, 공유나 대여를 통해 필요할 때마다 그때그때 꺼내쓰려는 경향이 강해지고 있다. 이를 '삶의 클라우드'화 현상이라고 명명할 수 있다.

는 방식이다. 하루에 한 개씩, 한 달에 총 30개를 버리면 'MISSION CLEARED, 임무 완료'다. 혹은 일수만큼, 즉 3일에 세 개, 21일에는 스물한 개의 물건을 버리고 관련 커뮤니티에 매일 인증샷을 올려 자신의 버리기에 대한 의지와 결단을 증명해보이기도 한다. 이전 세대의 소유에 대한 의지가 시대의 흐름에 따라 버리기에 대한 의지로 180도 변화하고 있는 것이다. 자, 그러면 이러한 유목적 물질주의자들의 버리기 전략을 좀 더 구체적으로 살펴보자.

현상 1: 멀쩡한 독의 밑 빼기

—

"입을 옷이 정말 없다, 너무 없다."

옷장을 열 때마다 의문이다. 내 옷장 속의 수많은 옷들 중에 왜 내가 입을 옷은 없는지 말이다. 지난 시즌까지 유행했던 스키니 진은 영 시대에 뒤쳐져 보인다. 지금 당장 와이드 팬츠를 입지 않으면 안 될 것만 같다. 새 옷이 절실히 필요하므로 옷장 속에서 유행이 지난 옷부터 정리를 시작한다. 왠지 쿰쿰한 냄새가 나는 것 같기도 하고 세탁으로 지워지기 힘들 것으로 추정되는 얼룩도 도드라져 보인다. 대부분은 버려야 마땅한 것이 된다. 동시에 새 옷을 사야 한다는 당위성도 찾게 된다. 적당한 구실을 만들어 버리고 결국 같은 제품군의 새로운 제품을 구입하는 것, 그야말로 "밑 빠진 독에 물 붓기"가 아니라 "멀쩡한 독의 밑을 빼는 것"이다.

새것을 사기 위해 스스로 주도하는 '계획적 진부화'

"드디어 고장이 났어!"

새로운 스마트폰을 사고 싶었는데 때마침 치명적 고장이 난 폰에게 고마운 마음이 들 지경이다. 수리비용을 감당하느니 차라리 새 제품으로 교체하는 편이 낫다는 서비스센터 직원의 말은 더욱더 반갑다. 돈이 드는 일인데도 은근히 기쁜 마음이 느껴진다. 어디 스마트폰뿐이겠는가? 우리가 일상적으로 사용하는 모든 물건들이 이런 식으로 교체되곤 했다. 예전에는 기업에서 제품의 교체시기를 앞당기기 위해 부분수리나 부품교체를 어렵게 만드는 **계획적 진부화** 전략을 택하기도 했다. 그런데 이제는 기업이 아니라 소비자가 주도하는 계획적 진부화가 이루어지고 있는 셈이다. 멀쩡하게 잘 쓰던 립스틱이 뭉개지거나 몇 년을 잘 입던 겨울 패딩 점퍼가 찢어져도, 매일 쓰던 프라이팬이 시커멓게 타버려도 아쉬움은 잠깐일 뿐 새것을 살 생각에 설레기 시작한다. 그러고는 폭풍 검색에 돌입한다. 멀쩡한 독의 밑을 뺄 수 있는 절호의 기회다.

물론 현대의 소비자들이 모든 제품군에서 계획적 진부화를 의도하지는 않는다. 이는 비싸고 중요한 고관여 제품보다는 주로 저렴하고 사소한 저관여 제품군에서 두드러지게 나타나는 현상이다. 즉, 화장품·의류·생활용품 등 일상적으로 사용하는 제품들을 구매할 때 '적당히 쓰다 버릴 수 있는' 것들을 선호하는 것이

계획적 진부화

Planned obsolescence

애초에 제품 수명에 한계를 두거나 제품 수리나 부분 교체를 어렵게 만들어 일정 기간이 지나거나 혹은 고장이 날 경우, 기존의 제품을 버리고 새 제품으로 교체하도록 하는 전략. 원래 패션산업에서 쓰이던 용어였으나 이제는 다른 산업에서도 널리 사용된다.

다. 하루에도 수십, 수백 개의 신상품들이 쏟아지는 세상에서 최대한 다양한 상품을 경험해보고 싶은 것은 당연하다. 더욱이 매일 사용하는 제품이라면 싫증을 느끼는 주기가 더욱 짧아진다. 머지않아 새로운 상품을 써보고 싶은 마음에 소비자 스스로 교체수요를 만들어내는 것이다.

고가의 명품보다 빨리 쓰고 버리는 '매스티지'의 부상

이처럼 제품을 빨리 쓰고 버리는 '인스턴트instant'소비가 확산되고 있다. 이러한 변화는 특히 다양한 경험의 욕구를 불러일으키는 제품군에서 크게 두드러진다. 이른바 대륙의 가성비로 불리는 중국의 IT기기업체 '샤오미'가 그 대표적인 예다. 파격에 가까운 저렴한 가격과 그리 나쁘지 않은 품질은 소비자에게 한번쯤은 구매해 써볼만한 강점으로 작용했다. 구매 이후에는 '그 가격에 이 정도 썼으면 됐다'는 상대적 만족감을 제공하며 후속 모델이나 샤오미의 다른 분야 제품에도 구매 의사를 갖게 되는 것이다. 그동안 국내에서는 고관여 제품군으로 분류되었던 가구 역시 이러한 소비 성향의 영향권에 들어오게 되었다. 이케아·모던하우스·한샘몰의 동반 성장세는 가구·가정용품 또한 빠른 소비 주기를 갖게 되었음을 보여준다.

　고가의 '명품' 한두 개에 구매를 집중하기보다는, 적당한 품질을 갖춘 'B⁺ 프리미엄'(『트렌드 코리아 2017』 새로운 B⁺ 프리미엄 키워드 참조) 제품에 지갑을 여는 트렌드도 이러한 맥락에서 이해할 수 있다. 예를 들어, 여성용 가방의 경우 몇백 혹은 몇천 만 원을 호가하는 기존의 명품과는 달리 보통 40만~60만 원의 가격대를 형성하고 있는 브랜드가 꾸준한 인기를 얻고 있다. 코오롱 인더스트리의 '쿠론'은 지난해 730억 원의 매출을 기록, 전년 대비 16% 신장하며 국내 프리미엄 가방 브랜드의 선두자리를 지켜가고 있다. SK네트웍스의 '루즈앤라운지' 또한 전년 대비 20%의 성장세를 보였고, 한섬의 '덱케'는 연간 100억 원 규모의 매출액을 달성하고 있다.[2] 미국 브랜드인 '마이클 코어스'는 2015년 한 해 국내 주요 백화점에서 매스티지 부문 1위를 달성했다. '토리버치' 역시 꾸준한 성장세를 기록하며 전년 대비 20% 성장을 목표하고 있다.[3] 이는 빠르게 변화하는 유행에 따라 신제품으로 교체하고 싶긴 한데, 체면상 저가의 가방은 들 수 없는 현대인의 합리적 절충안인 셈이다.

현상 2: 지름신 질량 보존의 법칙

다이어트와 디톡스는 더 이상 몸을 위한 것만이 아니다. 온몸 구석구석 축적된 지방을 호된 운동과 식이요법을 통해 버리듯, 집안 곳곳에 쌓아놓은 물건들도 과감한 결단과 정리기술을 통해 비워낸다. 배출구 없이 쌓여가는 소비 습관은 정신적 피로를 불러일으키기도 한다. 이제 이 정신적 과부하로부터 탈출을 감행할 때가 온 것이다. 이를 증명하듯, 『심플하게 산다』, 『나는 단순하게 살기로 했다』, 『버리고 비웠더니 행복이 찾아왔다』 등 이른바 미니멀라이프를 소개하고 제안하는 책들이 지속적으로 출간되며 꾸준한 인기를 얻고 있다. 처음에는 버리고 비우는 행위가 도저히 엄두가 나지 않지만, 눈 딱 감고

한 번만 그리고 한 번 더, 그렇게 버리기 시작하면 어느새 미니멀라이프에 몰입하게 된다. 물건을 비워낸 자리만큼 정신의 여유와 평온함이 늘어나는 것을 몸소 체험한 이들은 급기야 '비우기 중독'에 빠질 정도라고 한다. 법정스님의 '무소유'가 말씀에만 머무는 것이 아니라, 이 세속에서 구현되는 바로 그날이 드디어 온 것일까?

냉장고 정리의 노하우, 조금씩 사서 그때그때

물론, 아니다. 버리는 삶이라 해서 그것이 진정 무소유의 삶에 근접했다고 할 수는 없다. 과도한 물질에서 벗어나고자 자신의 주변에 최소한의 물질만 두고 살겠다는 것이다. 그저 이 시대의 새로운 라이프스타일일 뿐이다. 무엇보다 현대 자본주의 사회에는 절대신, '지름신'이 존재하지 않는가? 냉철한 이성과 합리적 판단을 모두 무력화시키며 일단 지르게 만드는 현대인의 소비욕구는 물건처럼 버릴 수 있는 것이 아니다. 어떤 생활양식으로 살아가든 사람들의 소비욕구는 결국 변하지 않는다. 그야말로 '지름신 질량 보존의 법칙'이다. 하지만 반드시 버린 양만큼 사들이지는 않는다. 건강한 몸을 위해 디톡스요법과 클렌즈주스를 통해 위장을 깨끗하게 비워냈다면, 단식이아닌 호식好食을 해야 하는 법, 음식의 양은 줄이고 질을 높인다. 마찬가지로 '물질의 양은 줄이고 질은 높이자'는 것이 현대인의 소비가치다. 이들의 이러한 소비가치관은 생활 전반에 걸쳐 드러난다.

'식'생활에서의 변화가 가장 두드러진다. 요즘 주부들 사이에서 유행 중인 '냉장고 비우기'가 대표적이다. 이 냉장고 비우기의 대미를 장식하는 건 바로 정리와 수납이다. 음식물 수납용품과 냉장·냉동용 소분용기, 소스·오일 등 액체류 전용 보틀(병)을 구입해 가지런히 배열하고 예쁘게 이름표까지 붙여줘야 비로소 임무완성이다. 온라인쇼핑몰 11번가는 2016년 상반기(1~7월)의 락앤락·실리쿡·토프 등 냉장고 정리용품이 전년 동기 대비 89% 증가했다고 밝혔다. 버리기 위해 정리용품을 구매해야 하는 역설이 만들어낸 진풍경이다.

'냉장고 파먹기'라는 표현도 등장했다. 무조건 전부 다 버리기보다는 상태가 괜찮은 자투리 채소나 유통기한이 임박한 식재료들을 가지고 요리를 해먹는 것이다. 이들을 위해 유통업계에서는 냉장고 정리 전문 앱을 내놓기도 했다. 이마트에서 출시한 냉장고 앱은 영수증 불러오기 기능을 통해 구매목록과 제품 유효기간 확인이 가능하며 유통기한 임박을 알리는 알람기능도 제공한다. 회원수가 200만 명에 달하는 GS25의 '나만의 냉장고' 앱은 1+1, 2+1 행사를 하는 냉장 식품을 구매 시 소비자가 일부만 가져가고 나머지는 기한 내 전국 GS25매장 냉장고 어디에서나 가져갈 수 있는 보관기능 서비스를 제공하고 있다.⁴

많이 사서 쟁여놓았다가 결국 버렸던 지난 식생활을 반성하며 이제는 좀 더 좋은 식재료를 조금씩 사서 그때그때 요리해 먹는 것이 건강하고 경제적이라는 인식도 퍼지고 있다. 이에 따라 'SSG', '마켓컬리', '헬로네이처' 등 '프리미엄 그로서리(식료품점)'가 인기를 얻고 있다. 이 중 신선한 고급 식재료를 빠른 시간 내(오후 11시까지만 주문하면 다음날 오전 7시 배달) 배송하는 것으로 알려진 온라인 식재료 쇼핑몰, '마켓컬리'는 2015년 5월 서비스를 시작한 이후 현재 회원수가 10만 명을 돌파, 월 20억 원의 매출액을 기록하며 승승장구하고 있다.⁵

갈아치우기 좋은 모노톤의 단순한 디자인의 옷과 생활용품

'의'생활 영역에서는 가장 단순한 디자인과 모노톤의 색감, 우수한 착용감과 핏과 같은 실용적인 측면이 더 중요해졌다. 여성의류 브랜드의 경우 마르니·구호·타임 등이 높은 가격에도 꾸준한 인기를 얻고 있다. 단순하고 세련된 디자인에 합리적인 가격이 강점인 스웨덴 'H&M그룹'의 '코스cos'의 경우, 2014년 국내에 진출한 이후 부산에 여섯 번째 매장을 오픈하며 성장세를 이어가고 있다.[6]

'주'생활, 즉 주거문화 또한 마찬가지이다. 버리고 비워 남은 최소한의 물건들을 각각 용도에 따라 분류하고 사이즈와 색깔을 맞춰 줄을 세운다. 수저 두 벌, 양말 다섯 켤레, 라면 세 개를 유지하려고 보니 그만큼의 용량만 담을 수 있는 정리함이나 수납장이 필요하다. 그러니 당장 사야 하는 것이다. 기왕이면 물질의 느낌이 최대한 나지 않는 것이 좋다. 고유한 컬러나 개성 있는 모양을 보이거나 특정 브랜드 로고 등 글씨가 새겨져 있는 것에는 눈길도 주지 않는다. '무인양품', '자주' 등 무채색의 단순한 디자인을 내세우는 생활용품 브랜드에서 판매하는 정리함이나 수납장을 선호한다. 가격은 다소 높지만 정리상자 하나도 자신의 라이프스타일에 맞추고 싶어 기꺼이 그 비용을 지불하는 것이다.

현상 3: 물질을 버리고 정신을 산다

세계 최대의 온라인 신발쇼핑몰 '자포스Zappos'의 창업자이자 CEO인

토니 셰이는 자신의 회사를 아마존에 팔아 12억 달러, 한화로 약 1조 3천억 원을 거머쥔 슈퍼리치다. 그는 불모지와 다름없는 라스베가스 구도심에 사재 3억 5천만 달러(약 4천억 원)을 들여 '다운타운 프로젝트'에 뛰어들었다. 그때부터 그는 구도심 속 7평짜리 트레일러에서 살고 있다. 그의 트레일러를 포함해 20여 대의 트레일러가 이곳에 자리 잡고 있으며, 다운타운의 창업가들과 뮤지션들이 각각 살고 있다. 토니 셰이는 이 사람들과 함께 어울려 지내는 즐거움과 그로부터 얻는 혁신의 원동력 때문에 이곳에서 모여 산다고 말한다. 사람들과의 부대낌 속에서 나오는 강렬한 에너지, 그것이 그를 고급 맨션이나 고층아파트를 박차고 나와 트레일러에서 살도록 이끌었다는 것이다.[7]

모든 것을 버리고 평생에 기억될 여행을 떠나다

물질을 버리고 정신을 사는 미니멀리스트들, 이들이 '바이바이 센세이션'의 마지막 주자다. 이는 다른 물건을 사고 싶어 기존의 것을 버리거나, 물건을 버리고 나서 다른 물건을 사는 '바이바이 센세이션'의 앞선 주인공들과는 전혀 다른 가치관을 보여주고 있다. 물질을 버린 공간에 정신을 채워 진정 물욕으로부터 벗어나고자 하는 것이다. 이들이 얻고자 하는 정신적 만족은 주로 체험이다. 물질을 통해 얻을 수 있는 만족은 일시적일 뿐이지만 다양하고 직접적인 체험은 나중에 이를 기억함으로써 만족감을 소생시킬 수 있기 때문이다.

이들이 가장 선망하는 것은 바로 여행이다. 반복되는 일상에서 얻을 수 없는 경험과 그로부터 얻은 기억의 가치를 알기 때문에, 일상생활에서 다른 구매는 절제할 줄 안다. '더버킷리스트패밀리thebuck-

◀ 아이들을 동반한 4인 가족이 세계여행을 다니는 버킷리스트 가족. 소유하지 않고 현재에 충만한 새로운 라이프스타일의 여행으로 세계인의 사랑을 받고 있다.

etlistfamily'라는 계정의 인스타그램으로 유명한 개렛 지Garrett Gee의 행보가 대표적인 사례다. 그는 자신이 개발한 모바일 앱 '스캔Scan'을 '스냅챗'에 매각한 후 받은 5,400만 달러(약 620억 원)를 동료들과 동등하게 나누었다. 그러고는 아내, 어린 두 아이와 함께 세계여행을 떠날 것을 결심했다. 매각대금은 그대로 남겨두고 그동안 소유했던 집과 물건들을 모두 팔아 5만 달러(약 5,700만 원)를 마련한 후 여행을 시작한 것이다. 4인 가족이 세계여행을 하기에 빠듯한 비용이었기에 그들은 가장 저렴한 비행기티켓을 구입하고, 짐 또한 최소한으로 줄였다. 여행도 가능한 현지 주민들과 현지의 문화와 생활을 접하고자 했다. 그들은 한국에 머무를 때도 노량진 수산시장, 전통시장, 찜질방 등을 방문하며 한국인의 정서와 문화를 몸소 체험한 뒤 또 다른 여행지로 발길을 옮겼다.[8] 물질적 풍요를 최소화하고 정신적인 만족감을 최대한으로 끌어올린 이들 가족의 모습은 전 세계 많은 이들의 부러움과 찬사를 받았다.

◀ 조명과 방석, 전축이 다인 스티브 잡스의 거실. 미니멀리즘의 선구자로 손색이 없다.

필요 없는 것은 내 집 밖으로, 셀프스토리지 서비스

한편, 그저 버리고 비워내는 행위만으로 충분히 만족과 즐거움을 느끼는 이들 또한 있다. '버리기'의 본질에 가장 가까인 근접한 사람들이다. 이들에게 즐거운 삶이란 그저 비우는 삶이다. 그 어떠한 물질은 물론 체험활동도 필요하지 않다. 이들은 최소한의 것들만을 남겨놓은 휑하고 텅 빈 자신만의 공간 속에서 정서적 안정과 평화로움을 느낀다. 그야말로 궁극의 비우는 삶인 셈이다. 이들의 거실에는 테이블과 소파 하나씩이면 충분하다. 침실에 침대도 들여놓지 않고 두꺼운 요와 이불 하나씩만 장만하는 정도다. 조명과 방석 그리고 전축뿐이었던 억만장자 스티브 잡스의 거실 사진 한 장이 이들에게는 롤모델인 셈이다.

최근 등장한 '트렁크 프로젝트' 또한 이와 비슷한 맥락이다. 방에 있는 모든 물건들을 정리한 뒤 최소한의 필요한 물건들만 트렁크, 즉 여행용 가방에 넣어두는 것이다. 각자 목표로 정한 기간 동안 마치 여행자처럼 트렁크 하나에 들어있는 물건들만으로 생활하면 된다. 이 트렁크 프로젝트를 통해 사람들은 최소한의 물건으로 살아가는 것이 얼마나 자유로운지를 경험할 수 있다고 한다.

개인을 위한 창고도 늘고 있다. 현재 거주하는 공간을 최대한 정리하고 비워내고 싶지만 무조건 내다 버릴 수 없는 물건들도 있기 마련이다. 계절용품이나 육아용품, 자전거나 운동기구 등 부피가 제법 큰 운동기구 등은 버릴 수도 없고 그렇다고 이고 지고 살 수도 없는 노릇이다. 들여놓고 함께 살기엔 곤란하고 그렇다고 버릴 수도 없는 것들이 이제 '셀프스토리지'로 모이고 있다. 개인·가정 혹은 기업을 상대로 일정 공간을 임대해주는 서비스다. 지난 2010년 국내에 진출한 싱가포르의 고급형 셀프스토리지 업체, '엑스트라스페이스'가 현재 이 업계의 선두에 있다. 이 업체는 다양한 크기의 공간(0.3평~10평)과 임대 기간 등 고객의 니즈에 맞춘 서비스를 제공할 뿐만 아니라 위생부터 보안까지 철저한 관리체계를 앞세우고 있다.[9] 이러한 흐름에 따라 짐박스, 큐스토리지 등 후발업체들의 경쟁도 뜨겁다. 최근 새로 건설되고 있는 용인시의 한 아파트의 경우 지하층에 각 세대별 1개소씩 스토리지 공간을 제공하는 것으로 알려져 눈길을 끌기도 했다.[10]

시사점
버려라, 사기 위해 그리고 살기 위해
—

이 '바이바이 센세이션'의 동향, 즉 버리는 소비자들의 구매심리를 이해하는 것이 기업들의 새로운 과제로 대두하고 있다. 주된 전략은 소비자가 아무런 죄책감 없이, 오히려 약간의 이득을 챙기며 버릴 수 있도록 유도하는 것이다. 현재 모든 통신사들이 제공하고 있는 기기 변경 서비스가 대표적인 예다. 이는 다른 통신사로 이동하지 않고 스마트폰 기기만 변경하는 경우 요금 및 기기 값에 대한 할인을 받을 수 있는 제도다. 소비자는 이 서비스 제도를 통해 기존의 기기를 버리고 새 기기를 구입하면 할인혜택도 받을 수 있다는 점에서 제품 교체의 타당성을 얻는다.

이러한 기변 서비스는 최근 자동차 업계에서도 나타났다. 신차를 구매하고 1년 뒤 신형모델로 차량을 교체해주는 자동차 기변 서비스가 등장한 것이다. 2016년 5월 현대자동차가 판매 실적 향상을 위해 처음 도입했던 새로운 할부제도인 셈이다. 'BMW코리아' 또한 이와 동일한 기변 서비스 할부제도를 선보였다.[11] 의류 업계도 비슷한 전략을 펼치고 있다. 스웨덴의 SPA 의류브랜드 H&M은 헌 옷을 가져오고 4만 원 이상 구매한 고객에게 5천 원 할인쿠폰을 제공하는 캠페인을 펼쳐 소비자들의 호응을 이끌어내기도 했다.

정리하고 버리는 것에 익숙하지 못한 이들을 겨냥한 서비스업체 또한 인기다. 일명, 정리컨설팅으로 불리는 이 업체들은 의뢰를 받은 가정에 자사의 정리컨설턴트를 파견한다. 홈페이지나 SNS를 통해 개인적으로 활동하는 정리컨설턴트들 또한 적지 않다. 정리하고자 하는 공간의 규모나 물건의 양에 따라 가격은 달라지지만, 보통 전문가 2명이 4시간 동안 정리 작업을 할 경우 20만 원 선의 비용이 든다. 정리를 대행해주는 대신 그 방법과 노하우 등을 가르치는 홈코칭의 경우 4시간에 10만 원 선이다. 비용이 부담스럽다면 살림꾼들의 블로그를 샅샅이 탐색하는 것을 추천한다. 정리하고 비우는 삶을 몸소 실천하고 있는 블로거들의 살림 실력들을 보고 있자면 입이 딱 벌어질 정도다.

'바이바이 센세이션'은 어찌 보면 소비를 위한 합리화의 마지노선일 수 있다. 이미 차고 넘쳐 더 이상 필요하지 않는데도 무언가를 사고 싶은 소비욕구를 감출 수 없는 것이다. 그로 인한 죄책감에서 벗어나고 싶은 욕구도 크다. 뿐만 아니라 버리고 더 살 수 있다는 것은 결국 우월한 소비능력을 과시하는 방법이기도 하다. 그래서 이 '바이바이 센세이션' 속 버리는 삶은 결국 현대판 '포틀라치Potlatch'와도 같다. 포틀라치는 북서부 아메리카 인디언 사회에서 행해졌던 의례다. 축제나 의식을 거행하면서 초대한 손님들에게 음식을 대접하고 선물을 주었던 것을 의미한다. 자신의 재물을 구성원들에게 충분히

'바이바이 센세이션'은 어찌 보면 소비를 위한 합리화의 마지노선일 수 있다. 이미 차고 넘쳐 더 이상 필요하지 않는데도 무언가를 사고 싶은 소비욕구를 감출 수 없는 것이다. 그로 인한 죄책감으로부터 벗어나고도 싶은 욕구도 크다. 뿐만 아니라 버리고 더 살 수 있다는 것은 결국 우월한 소비능력을 과시하는 방법이기도 하다. 현대인들의 버리는 행위 역시 진짜 버리는 삶이 아닌 더 사들일 수 있음을 과시하는 이율배반적인 속성을 간과해서는 안 될 것이다.

베풀어야 한다는 인디언의 미덕을 담고 있는 말이다. 그런데 누가 더 많이 베풀고 대접하느냐에 따라 그 사회 내 서열이 정해지자, 인디언들은 이 포틀라치를 통해 경쟁을 하기 시작했다. 경쟁이 과열되면서 급기야 그들은 손님들 앞에서 귀중품을 파괴하거나 자신의 노예를 죽이는 등의 행위를 통해 부를 과시하기도 했다. 따뜻한 미덕이 과시가 되면서 본래의 취지가 변질된 것이다. 현대인들의 버리는 행위 역시 진짜 버리는 삶이 아닌 더 사들일 수 있음을 과시하는 이율배반적인 속성을 간과해서는 안 될 것이다.

불황과 대지진으로 버리기 시작한 일본처럼 우리나라도 2016년 발생한 지진 이후 정신적, 물질적으로 많은 변화가 감지되고 있다. 특히 벽에 걸린 시계와 액자 선반들이 제법 강하게 흔들리거나 떨어지는 등의 현상을 직접 겪은 이들은 벽에 걸린 대부분의 물건들은 내려놓거나 아예 없애는 등의 조치를 취해야 했다. 여진이 뒤따를 것이라는 예측에 따라 가구나 물건의 배치를 바꾸고 정리하며 사람들은 일본의 지진 매뉴얼을 눈여겨보기 시작했다. 이와 함께 그들의 버리고 비우는 삶의 진정한 가치에 대한 관심도 더욱 높아지고 있다. 사회·경제적 흐름에 전혀 예상치 못했던 자연재해까지 더한 지금의 현실에서 결국은 버리는 것이 답이 되고 있다. 사기 위해서든, 살기 위해서든 어쨌든 '버려야 사는 것'이다. 2017년, 버리는 것과 사는 것의 기묘한 줄다리기가 시작됐다.

Rebuilding Consumertopia

소비자가 만드는 수요중심시장

공급자가 생산하면 소비자가 그중에 골라 구매하던, 유사 이래 한 번도 변하지 않았던 시장의 작동방식이 드디어 의미 있는 변곡점을 맞고 있다. 소비자가 시장권력의 중심으로 이동하고 있는 것이다. 이제 소비자의 수요를 실시간으로 즉각 반영하여 제품과 서비스를 시간과 공간을 초월해 제공하는 양면시장의 플랫폼 경제 시대가 개막했다. 아무리 작더라도 수요가 존재하면 그것을 맞춰내는 수요중심의 경제가 가능해진 것이다. 모바일 온디맨드 서비스는 공유경제의 메커니즘과 O2O솔루션과 결합하면서 다양한 취향의 세분화된 소비자의 수요에 발 빠르게 대응하고 있다. 시시각각으로 변화하는 능동적인 소비자들의 다양한 니즈를 맞추기 위해 첨단 플랫폼을 발판으로 창의적 아이디어로 무장한 수많은 스타트업들이 가정·생활·식품·교통·여행·숙박·헬스·뷰티 등 거의 모든 분야에서 도전장을 내고 있다. 이러한 모바일 온디맨드 경제는 신속함과 편리함의 가치를 높이며, 제품과 서비스의 전달 프로세스를 간소화하는 동시에 시간과 장소의 한계를 넘나든다. 이러한 경제체제는 궁극적으로 4차 혁명과 더불어 일대일 맞춤형 시장 메커니즘을 극대화할 수 있지만 다른 한편으로는 단기 노동자와 프리랜서의 증가로 고용시장의 불안을 초래할 수 있다는 우려를 동시에 낳고 있다. 혁신의 물결 속에서 다양한 경제 활동 주체가 상호 공생하며 이익과 가치를 서로 나누며 극대화할 수 있는 시장생태계를 고민해야 할 시기다.

목요일 아침. 늦잠을 잔 대학생 K는 택시를 타고 등교하기로 한다. 카풀 앱 '캐빗'으로 비슷한 시각에 같은 방향으로 이동하는 동승자를 검색해 택시를 합승하여 저렴하게 학교까지 도착한다. K는 쉬는 시간에 '시럽오더' 앱으로 베이글과 초코시럽 한 번, 헤이즐넛시럽 한 번, 자바칩, 휘핑크림, 시나몬가루를 추가한 프라푸치노를 주문해놓은 뒤, 수업이 끝나자마자 카페에 가서 그 프라푸치노를 기다리지 않고 바로 받아 친구들과 팀 작업을 하다가 집에 온다. 집에 도착해보니 더러웠던 방이 말끔히 치워져 있다. '애프터클린' 앱으로 외출할 동안 청소 서비스를 예약해둔 덕이다. 주말에 여자친구의 생일파티를 준비해야 한다는 생각이 한밤중에 들었지만 큰 문제는 없다. 파티장소는 '핀스팟'이라는 사이트를 통해 근처에 사용가능한 공간을 섭외하고, '스트라입스'라는 맞춤형 의류 주문앱을 통해 주말 약속에 입고 갈 옷을 주문한다. 신체 치수는 미리 측정 후 입력되어 있는 상태이기 때문에 스타일만 고르면 된다. 주말 동안 반려견 루디가 심심할까 봐 '도그베케이 Dogvacay'에서 반려견을 잠깐 맡아줄 시터도 구했다. 파티 준비를 끝내고 배가 고파진 K는 '요리버리'에서 어제 TV에서 본 망원동 맛집 음식을 주문했다. 그러다 문득 자신이 너무 게으른 생활을 하는 것 같다는 생각이 들어 '헬로 마이코치'에 들어가 1:1 개인 PT를 해줄 만한 트레이너가 있나 찾아본다. 밤이 깊었지만 영화가 보고 싶어진 K는 '떵동' 앱으로 편의점에 과자와 맥주를 배달시킨 후, 극장에서 놓쳤던 영화를 띄우고 소파에 누워 행복하게 영화를 본다.

어느 평범한 한국 대학생이 지금 보내고 있는 하루다.[1] 이 학생 K의 하루에서 중요한 사실은 서비스가 이루어지는 장소·시간·방법 모두 소비자가 주체적으로 선택한다는 점, 그리고 이 모든 일이 스마트폰 하나로 가능하다는 점이다. 모바일 퍼스트mobile first를 넘어 모바일 온리mobile only가 펼쳐지는 시대다. 이제 수요가 모든 것을 결정하는 시스템, 소비자가 만드는 수요중심시장이 눈앞에 펼쳐지고 있다.

이 실시간 개인 맞춤형 시대의 중심에 모바일이 있다. 모바일의 발전은 이미 온라인의 단순한 확장을 뛰어넘어 새로운 경제 패러다임으로 이동하고 있다. 모바일을 기반으로 소비자의 수요에 실시간으로 즉각 대응하기 위한 제품과 서비스가 봇물을 이루면서, 시장에서는 수요와 공급의 시간적·물리적 불일치가 극복되고 있다. 전통적인 시장 메커니즘이 커다란 변화를 맞이하게 된 것이다. 공급자와 수요자 간, 소비자와 소비자 간의 공유가치를 극대화해 나가며 오프라인의 한계를 온라인을 통해 다차원적으로 극복하고 있다. 생활 속의 작고 사소한 니즈들을 풀어내는 창의적인 아이디어가 새로운 기술과 접목되면서 이전에는 불가능했던 서비스와 비즈니스가 펼쳐지고 있다. 한계의 지평선을 넓혀가고 있는 수요중심시장은 이제 섬세한 인간적 감성과 손길이 가미되며 상상 가능한 모든 비즈니스 아이디어들을 현실화시켜 나가고 있다.

『트렌드 코리아 2017』이 주목하는 **소비자가 만드는 수요중심시장**은 온라인과 오프라인을 가로지르는 플랫폼 경제 위에서 진정한 소비자가 주도하는 경제, 즉 컨슈머토피아consumertopia(소비자의 천국이라는 의미)가 펼쳐지고 있음을 강조하는 트렌드다. 국내뿐만이 아니라 선진국을 중심으로 전 세계적인 변화를 야기하고 있는 수요중심의 소비자 천국, 그 무한한 변주의 세계를 들여다본다.

언제 어디서든 원하는 것이 바로 대령되는 시대, 수요가 모든 것을 결정하는 시스템. 이른바 **컨슈머토피아**의 시대가 열리고 있다. 이 실시간 개인 맞춤형 시대의 중심에 모바일이 있다. 모바일의 발전은 이미 온라인의 단순한 확장을 뛰어넘어 새로운 경제 패러다임으로 이동하고 있다. 모바일을 기반으로 소비자의 수요에 실시간으로 즉각 대응하기 위한 제품과 서비스가 봇물을 이루면서, 시장에서는 수요와 공급의 시간적·물리적 불일치가 극복되고 있다. **생활 속의 작고 사소한 니즈**들을 풀어내는 창의적인 아이디어들이 새로운 기술과 접목되면서 이전에는 불가능했던 서비스와 비즈니스가 펼쳐지고 있다.

▼

▼

▼

수요중심시장의 등장
소비자, 시장의 주도권을 쥐다

—

과거 제조업 중심의 시장경제에서는 소수의 생산자가 공장에서 상품을 제조하고 판매하는 방식으로 시장이 형성되어 있었다. 이런 방식은 공급자 중심이었기 때문에 소비자의 목소리와 힘은 매우 약했다. 시장이 독과점화되기 일쑤였고 소비자가 상품을 비교하면서 구매하기는 더더욱 어려웠다. 이런 시기를 제조자가 시장권력을 가지고 있던 시기, 즉 시장권력 제1기라고 부를 수 있다. 제2기에서는 그 권력을 유통이 가져갔다. 시장의 경쟁이 치열해지고, 전자상거래 방식이 활발해지면서 온라인과 모바일이 주요 유통채널로 자리 잡게 되었다.

공급자의 시장권력은 다양한 유통업자들에게 분산되기 시작했고, 소비자들은 이 시기부터 제품의 스펙과 가격 하나하나까지 꼼꼼히 따져보면서 상품정보를 탐색할 수 있게 되었다. 최근 시장의 권력이 소비자에게 넘어가는 제3기를 맞고 있다. 갈수록 인터넷과 모바일 기술이 고도화되면서 시장의 주도권이 소비자에게 넘어가고 있다. 소비자들은 이제 시간과 공간의 제약을 받지 않고 언제 어디서나 자신이 원하는 제품과 서비스를 제공받고 이용할 수 있게 된 것이다.[2]

소비자가 원한다면 언제든지, 양면시장의 등장

과거에는 공급자들이 소비자의 수요와 니즈를 파악하기 위해 현장에 나가 시장조사를 하고 이를 바탕으로 제품을 만들고 효과적인 서비스를 구성하기 위해 노력했다. 그런데 이제는 모바일 플랫폼을 기반으로 다양하고 소비자의 목소리가 즉각적으로 전달된다. 기업의 제품이 생산되어 시장에 출시되고 이를 소비자가 구매하는 일방향적인 시장 프로세스가 변화를 맞이한 것이다. 이제 시장은 급속도로 **양면시장**으로 재편되고 있다. 시장의 공급자와 소비자가 플랫폼을 기반으로 상호작용하며 서로의 효용과 이익을 창출하기 위해 역동적으로 움직이고 있는 것이다.

플랫폼의 형성은 시장의 거래형태를 근본적으로 바꾼다. 과거 제조업 중심의 시장에서는 생산수단을 소유한 기업이 인력을 일방적으로 고용하는 구조였지

양면시장two sided market
양면시장은 서로 다른 두 타입의 이용자 집단이 플랫폼을 기반으로 상호작용하는 양방향 시장을 일컫는다. 여기서 플랫폼이란 서로 다른 이용자 그룹이 거래나 상호작용을 원활하게 할 수 있도록 제공된 물리적, 가상적 또는 제도적 환경을 일컫는다.[3]

만, 새로운 플랫폼 경제에서는 시간과 자원이 있는 사람이 그렇지 않은 사람과 상호 거래를 통해서 자원을 공유하는 형태를 가진다. 소비자의 요구가 있을 때 언제든지 제품이나 서비스를 제공하는 것이다. 결국 공급이 아니라 수요가 제품과 서비스를 결정하는 방식이다.[4] 이러한 플랫폼 경제에서는 소비자의 수요에 실시간으로 부응하여 고객의 요구에 맞춰 서비스나 제품을 제공하게 되는데 이를 '온디맨드On Demand'라고 한다.

온디맨드는 주로 모바일 플랫폼을 기반으로 '주문형' 상품을 공급하는 시스템을 의미한다. 다시 말해 소비자의 요구가 있을 때는 언제든지 소비자가 원하는 대로, 바라는 대로 필요한 물품과 서비스를 제

공하는 방식이다. 현대인의 일상에서 이제는 당연한 일과로 자리 잡은 'VOD Video On Demand 서비스', 즉 주문형 비디오제공 서비스가 대표적인 예다. 과거에는 정규편성된 텔레비전 프로그램의 방송 시간을 놓치면 재방송을 기다려야 했지만 VOD 서비스가 일상화되면서 시청자는 필요에 따라 아무 때나 프로그램을 찾아볼 수 있다. 동영상 시청 분야가 온디맨드, 즉 수요중심의 시장으로 자연스럽게 정착한 것이다. 이처럼 온디맨드 경제체제에서는 각종 서비스나 재화가 수요자가 원하는 형태로 즉각 제공되며 통신기술의 발달로 거래비용이 줄고, 가격 결정의 주도권도 수요자가 갖게 된다.

공유경제, O2O, 온디맨드, 수요중심시장의 진화

전통적 의미의 시장이 수요중심시장으로 진화하는 과정의 첫걸음은 공유경제에서 찾을 수 있다. 공유경제는 기본적으로 재화나 서비스를 대여하여 공유하는 서비스다. 운송 서비스인 '우버'가 한 예다. 우버는 처음에는 혼자서 움직이는 차량을 같은 방향의 누군가와 공유하자는 공유경제의 발상으로 시작했다. 하지만 이제는 모바일로 이동하고자 하는 곳을 입력하면 근처에 있는 차량이 목적지까지 태워주는 일종의 'O2O online to offline' 서비스에 더 가까워졌다. 결국 공유경제 서비스는 일부 O2O비즈니스로 진화하게 되는 것이다.

O2O는 온라인에서 시작해 오프라인으로 귀결되는 서비스 제공 과정이다. 가장 일반적인 형태는 우리가 흔히 사용하는 '배달앱'과 같이 소비자가 온라인몰에서 제품이나 서비스를 주문하고 해당 오프라인 매장에서 수령하는 방식이다. 그런데 O2O서비스 역시 온라

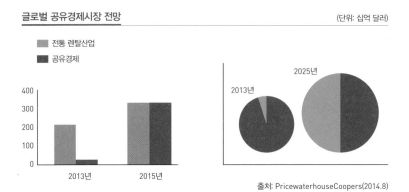

글로벌 공유경제시장 전망 (단위: 십억 달러)

- 전통 렌탈산업
- 공유경제

출처: PricewaterhouseCoopers(2014.8)

인·오프라인·모바일 등 다양한 경로를 넘나들며 상품을 검색하고 구매할 수 있도록 한 옴니채널(『트렌드 코리아 2015』 **옴니채널 전쟁** 키워드 참조)이 가속화되면서 제품의 주문과 수령을 넘어 무형의 서비스를 제공하는 형태로 확장되고 있다. 공유경제의 영역이었던 서비스가 자연스럽게 O2O서비스로 포괄하고 있는 것이다.

O2O서비스는 다시 전술한 온디맨드 서비스로 수렴하게 된다. 기본적으로 온디맨드 서비스는 모바일 앱 등을 통해 소비자의 수요에 실시간으로 즉각적으로 대응하는 것이므로 온라인과 오프라인의 영역 구분을 뛰어넘는다. 다시 말해서 온디맨드는 공유경제나 O2O를 포괄하는 개념이라는 것이다.[5]

이제 온디맨드 서비스는 차량 및 숙박 공유 서비스에서부터 음식 배달과 가사일 보조 서비스 등 일상생활 전반을 아우르는 비즈니스 형태로 진화하고 있다. 거래 형태도 배타적 소유권 구매뿐만 아니라 개인 간 혹은 개인과 업체 간 서비스와 물품의 판매, 대여 등 다양하다. 이미 차량과 숙박공유 등 일부 온디맨드 서비스 분야는 즉시적

접근성, 기존 산업 대비 편리함, 가격 경쟁력으로 무장해 기존 산업을 위협할 정도로 성장하고 있다.[6]

수요중심시장의 다양한 형태

온디맨드 비즈니스는 다양한 형태로 형성되고 발전을 거듭하고 있다. 전술한 바와 같이 ① 공유경제형 ② O2O 연결형 ③ 취향세분화형으로 유형화해 다양한 온디맨드의 구체화 양상을 살펴보고[7] 그 과정에서 소비자들이 얼마나 주도적인 역할을 수행하고 있는지를 사례와 함께 분석해본다.

빌려 쓰고 나눠 쓰는 '공유경제형 온디맨드'

공유경제형 온디맨드는 빌려 쓰고 나눠 쓰는 형태를 통해 공급자와 수요자의 상호 가치를 상승시키고 시간이나 재능과 같은 무형의 가치를 현재 가치로 전환하여 경제적 가치와 효용을 창출하는 방식의 비즈니스다.

주차공간 공유 앱의 경우 유휴 공급 가치를 실시간 연동을 통하여 즉각적인 가치 창출 방식으로 전환하는 온디맨드 서비스다. '저스트파크 Just Park'는 도심 내 주차난 문제를 해결하기 위해 설립된 공유기업이다. 모바일 앱 등을 이용해서 목적지 부근의 주차공간을 검색해 알려주는 서비스다. 이 기업의 핵심은 '저스트파크'의 전신인 '파크 앳마이하우스 Park at My House'의 기업명에서도 알 수 있듯이 집 앞 마당 등 개인 사유의 유휴공간을 주차장으로 활용하는 것이다. 공간을 제공하는 사람이 주소와 사용료 등을 '저스트 파크'에 올리면 운전자는 목적지 부근의 주차공간을 검색해 예약 후 사용할 수 있다.[8]

기존의 렌털과는 달리 초단기 렌털 서비스도 공유소비와 병행하여 제공되는 방식으로 진화하고 있다. '쏘카'는 자동차 공유업체이기도 하지만 렌터카를 빠르게 이용할 수 있는 업체이기도 하다. '쏘카' 앱에서 자동차가 필요한 시간과 장소를 입력하면 주위에 이용 가능한 자동차를 바로 연계해준다. 이 외에도 자동차와 관련한 온디맨드 서비스로 차량정비, 중고차 매매 서비스도 등장하고 있다. 중고차 매매 정보를 공유하는 '첫차', '헤이딜러', '바이카', 차량 정비 서비스를 연결해주는 '카닥'이나 '카페인모터큐브' 등이 대표적이다.[9] 수요와 공급의 시간적 불일치를 해소해 소비자가 실시간으로 자신의 상황에 맞게 서비스를 선택하고 이용할 수 있다.

공유의 대상은 무형의 서비스로도 확장되고 있다. 타임 리퍼블릭 Time Republik은 사람들이 서로의 재능을 무료로 교환하는 커뮤니티 웹사이트다. 다만 다른 업체와 달리 돈이 아니라 시간을 화폐로 쓴다. 무료로 가입해서 번역, 웹디자인·튜터링·이벤트플래닝 등 자신이 제공할 수 있는 서비스를 제공하고 타임 유닛을 받는 방식이다. 이렇게 받은 유닛은 다시 타인의 재능이 필요할 때 사용할 수 있다. 제품이 아닌 재능을 공유하고 돈 대신 시간을 교환하는 것이다.

소비자와 소비자를 연결해주는 비즈니스도 산업의 영역에 들어왔다. 페이스북은 2016년 10월 3일 공식 블로그를 통해 "주변 페이스북 이용자들의 직접 물품 매매 기능인 마켓플레이스를 도입한다"고 발표했다. 일종의 C2C consumer to consumer 방식으로 유저들이 직접 물품을 매매할 수 있도록 위치정보서비스LBS를 이용하여 별도의 장터를 만들어 준다는 뜻이다. 미국·호주·영국·뉴질랜드에서 1차로 출시되며 모바일 버전에만 적용된다. 택시 합승앱도 개인과 개인의 연결이 기반이다. 한국의 스타트업 카니자랩이 내놓은 캐빗은 '택시빈자리' 공유서비스를 제공한다. 택시 수요와 공급의 불일치를 해소하기 위해 등록된 사용자들이 목적지를 등록하면 자동으로 주변의 등록 사용자들을 검색해서 매칭시켜 주는 시스템이다. 이 또한 C2C형 공유서비스를 제공하는 온디맨드 서비스다.

언제나 어디서든 'O2O 연결형 온디맨드'

대표적인 온디맨드 사업모델은 전통적인 오프라인 업체인 식당 등의 음식을 배달해주는 앱 서비스다. 사실 중국에서 O2O 중심 온디맨드가 우리나라보다도 훨씬 빠른 속도로 성장하고 있다. 데이터 분석업체 어낼리시스 인터내셔널 집계에 따르면, 2015년 중국 음식 배달 시장 규모는 458억 위안(약 7조 6522억 원)으로, 전년 대비 3배 증가했다. 2018년에는 시장이 2,450억 위안 규모로 커질 것이란 전망이다. 이 분야 1위 업체인 어러머Ele.me는 총가입자 7,000만 명 중 실제로 주문하는 월간 실사용자 수가 1746만 명에 달한다. 하루 주문 건수는 500만 건 이상, 일일 주문 금액만 1억 6,000만 위안(약 267억 원) 수준으로 알리바바의 온라인 쇼핑몰 타오바오淘寶, 차량 공유 앱 디디추싱滴滴出行에 이어 중국에서 일일 거래 건수가 세 번째로 많다.[10]

국내에서는 이미 '배달의 민족'과 '요기요' 등의 업체가 다양한 맞

▲ 중국 최대의 음식배달 앱, 어러머. 일일 거래량이 500만 건이 넘는다.

춤 서비스를 제공하며 푸드테크 시장을 선점하고 있으며, 최근에는 배달 서비스를 하지 않는 유명 레스토랑의 음식을 배달하거나 TV에서 방영한 맛집 음식을 배달하는 업체 등 틈새시장을 공략하는 다양한 온디맨드 비즈니스가 등장하고 있다. 단순히 완성된 음식 뿐만 아니라 식재료와 레시피를 배달하는 서비스도 활발하다. 식료품업계의 '우버Uber'로 불리는 '인스타카트Instacart'는 소비자가 원하는 음식 재료를 스마트폰으로 주문하면 가장 신선한 것을 골라 1~2시간 내에 배송해주는 식료품 당일 배송 서비스다.[11] 블루에이프런은 '레디투쿡ready-to-cook' 앱을 통해 특정 요리에 필요한 정확하게 계량된 양의 손질한 식재료와 조리법을 고객에게 배달한다. 신선한 식재료와 계량된 양으로 요리할 수 있기 때문에 누구나 어려움 없이 레스토랑 수준의 결과물을 얻을 수 있다고 한다.[12] 이처럼 식품관련 서비스에서 온디맨드 기술을 활용해 새로운 시장을 창출하는 경우를 푸드테크라고 지칭한다.

푸드 테크 Food Tech

기존의 식품 관련 서비스업을 빅데이터와 비콘 등의 정보 통신 기술ICT과 접목해 새롭게 창출한 산업을 말한다. 푸드테크는 외식 시장이 활발해지면서 급부상했다. 키친 인큐베이터라 부르는 푸드테크 창업도 급증해 미국에서는 2015년 기준 150여 개의 육성 기관을 운영했다. 빅데이터를 활용해 이용자에게 음식점을 추천해주는 서비스, 이용자가 직접 맛집 관련 콘텐츠를 만들어 공유할 수 있는 플랫폼 등이 푸드테크의 대표적인 예다.[13]

의료 서비스도 소비자 맞춤형으로 변하고 있다. 미국 스타트업 포슬린Porcelane은 온디맨드 치과 서비스를 출시했다. 사용자가 모바일 앱을 통해 방문 검진 또는 치료 서비스를 예약하면 해당 시간에 약속한 장소로 치과의사가 방문한다. 치과의사는 치료에 필요한 환자용 의자, 의사용 스툴, 치료 도구 상사, 압축된 공기와 물, 호스를 갖춘 4개의 가방을 가지고 다닌다. 치과 치료가 소비자의 거실에서 즉각적으로 가능해진 것이다.[14]

대기시간을 줄여주는 위치정보 기반의 사전 주문형 서비스도 주목된다. '카카오오더'는 대학생을 대상으로 캠퍼스에서 '카카오오더' 앱으로 음료를 주문하고 '카카오페이'나 신용카드, 휴대폰으로 결제하면 오프라인 매장에서 바로 가져갈 수 있는 방식의 서비스를 제공하고 있다. 스타벅스의 '사이렌오더'나 SK플래닛 '시럽오더' 서비스와 구조는 비슷하지만, 특정 사용자를 타깃으로 특정 시간의 서비스지역 인구밀도와 서비스 활용 빈도를 고려한 것이 특징이다.[15]

이러한 O2O중심 온디맨드는 결국 배송의 문제로 귀착할 가능성이 높다. 소비자지향적 배송, 즉 **라스트마일 풀필먼트**가 최근 가장 중요한 온디맨드 서비스의 화두로 떠오르고 있다. 배달이 불가능했던

라스트마일 풀필먼트
Last Mile Fulfillment

온전히 소비자의 입장에서 제공되는 배송서비스를 지칭한다. 라스트마일Last Mile은 원래 독방에서 사형집행소까지 걸어가는 마지막 길을 의미하지만, 최근에서는 물류센터에서 최종 소비자가 배송받는 거리를 뜻한다. 이제 소비자들은 단순히 가격이 낮은 제품보다는 내가 원하는 시간에, 원하는 장소로 배송될 수 있는 제품을 선택하는 경향이 있다. 고객과의 접점이 오프라인 매장의 점원에서 온라인의 배송기사로 이동하고, 제조나 유통기업들의 기존 경쟁력이 평준화된 현대경제에서 마지막 배송단계인 라스트마일에 집중해야 경쟁력을 확보할 수 있다는 주장이 대두하고 있다.[16]

사업영역을 온라인으로 연결함으로써 새로운 비즈니스를 만드는 방식의 온디맨드에 O2O비즈니스가 초점을 맞추고 있다. 현대인이 원하는 편리함과 신속함의 가치를 극대화하는 이러한 O2O 중심 온디맨드 서비스는 더욱 진화할 것이다.

오직 나만을 위한 '취향세분화형 온디맨드'

갈수록 세분화되고 있는 소비자에게 정확하게 들어맞는 핀셋 마케팅이 필요한 시대, 소비자의 개성과 취향을 고려한 일대일 맞춤형 서비스와 이들이 함께 모여 즐길 수 있는 플랫폼 조성을 위한 업체들의 움직임도 분주하다. 또한 소수 소비자의 작은 취향도 소상공인과 작은 기업의 공급자들을 매칭시켜 주는 일대일 매칭형 비즈니스도 성장하고 있다.

도그 베케이Dog Vacay는 애완동물을 키우는 사람이 애완동물 보호소를 이용하는 대신 주변 가정집에 맡겨놓는 서비스다. 자신의 강아지를 맡겨줄 사람이 있는지 알아보고 이용시간을 결정한 후 예약하고 결제를 하게 된다. 24시간 고객 응대 서비스를 갖추고 강아지가 잘 지내고 있는지 확인할 수 있도록 인증 사진을 주인에게 보내주는 세심한 서비스로 북미에서 큰 인기를 끌고 있다.

카카오메이커스는 '메이커스 위드 카카오'로 중소·소상공인들이 생산한 물건을 판매한다. 먼저 제품을 선보이고 일정 숫자 이상의 소비자들이 모이면 제작을 해서 배송하는 식이다. 세분화된 소비자들의 취향에 맞춰 기존에 대량생산이 어려웠던 제품을 선주문을 받아 제작해 판매하는 것이다. 즉, 중소상공인들이 보다 다양한 물건을 팔

MAKERS with kakao

◀ 주문한 만큼만 만드는 소량제
작 시스템. '카카오메이커스'가 소
비자와 제조사를 연결해준다.

수 있도록 소비자 주문생산 시스템이다. 2016년 8월 25일 현재 '메
이커스 위드 카카오'는 출시 6개월 만에 매출 22억 3,500만 원을 넘
어섰다. 같은 기간 공개한 제품의 수는 5만 건이 넘었고 주문 성공률
도 88%에 달했다. 실제 소비자가 주문한 물량만큼만 생산하기 때문
에 재고에 대한 부담이 없다. 천연비누·가죽가방·디자인조명·인테
리어 소품·소형가구 등이 대표적인 제품군이다.

　남성을 겨냥한 패션 온디맨드 서비스도 좋은 반응을 얻고 있다.
'스트라입스'는 고객이 온라인을 통해 옷을 주문하면 스타일리스트
가 직접 방문해 신체 사이즈를 재고, 몸에 맞는 옷을 만든 후 고객에
게 전달하는 온라인 기반의 플랫폼 서비스다. 게다가 일회성 제작에
그치지 않도록 한 번 셔츠를 주문한 고객의 신체사이즈 정보를 보관
해 이후 주문부터는 인터넷과 스마트폰으로 간편하게 맞춤 셔츠를
주문할 수 있다. 또한 제작 이후 고객의 마음에 들지 않을 때에는 만
족할 때까지 수선해 주는 A/S도 제공한다.[17] 첫 아이템은 셔츠로 시
작했지만, 이제는 슈트·코트·바지·양말·넥타이 등 아이템을 대폭
확대하고 있다. 소비자 수요중심의 시장을 선점하기 위한 경쟁은 오
프라인 패션 매장에서도 뜨겁다. 자라 등의 SPA 브랜드는 매 시즌별

로 기본 아이템 위주의 상품을 20% 정도 선제작하고 나머지 80%는 매장을 방문한 고객의 반응, 길거리 패션, 패션쇼 등을 통해 조사한 트렌드를 적극적으로 반영하여 제작한다. 이러한 방식으로 고객의 니즈와 트렌드를 즉각 반영하여 2주마다 새로운 스타일의 상품이 매장을 통해 출시된다. 스타일뿐만 아니라 가격정책, 제품별 수량 결정까지도 매장을 방문한 고객들의 의견에 의해 매우 유기적으로 이루어진다. 이러한 수요중심의 온디맨드 방식을 통해 재고는 최소화하고 고객이 원하는 상품에 최대한 맞출 수 있어 좋은 반응을 이끌어내고 있다.[18]

수요중심시장의 그림자

—

이처럼 수요중심시장으로의 눈부신 변신은 한 편으로 전에 없던 새로운 시장을 창출해내고 있지만, 기존 산업과의 관계에서 여러 가지 문제점 또한 드러내고 있다. 특히 노동문제를 비롯해 기존의 산업과 갈등하는 경우가 빈번해지고 있다.

긱 이코노미의 시대, 고용 시장의 활성인가 고용의 질 하락인가?

수요중심의 주문형 서비스인 온디맨드 서비스가 산업 전반으로 확산되면서 직업의 형태도 바뀌고 있다. 임시직을 섭외해 일을 맡기는 **긱 이코노미**가 새로운 고용 트렌드로 퍼지고 있다는 것이다. 기업이 필요에 따라 단기 계약직이나 임시직으로 인력을 충원하고 대가

를 지불하는 고용형태가 늘어나고 이러
한 현상은 가사노동이나 각종 심부름, 배
달 서비스 등 생활밀착형 서비스를 중심
으로 확산되고 있다. 모바일 플랫폼 사업
자를 통해 즉각적인 고용이 가능하고 인
건비 부담이 적다는 장점 때문에 가파르
게 성장하는 추세다.

대표적으로 태스크래빗TaskRabbit은 청
소·수작업·이사·배달 등 심부름 인력을
섭외해주는 온라인·모바일 마켓플레이

스다. 세계적인 유통업체 월마트도 태스크래빗의 인력을 배달 서비
스에 투입하고 있다. 업워크UpWork는 세계 최대의 프리랜서 중개 사
이트로 기업과 재택근무 프리랜서를 연결해주는 플랫폼이다. 기술
분류만 2,700가지에 달하는 업워크는 인력 소개부터 실제 업무, 임
금 지급까지 모든 과정이 온라인에서 진행된다. 국내의 경우 '애니
맨'은 다양한 생활심부름 서비스에 대응하는 긱 이코노미형 온디맨
드 업체로서 인적 자원 기반의 서비스를 제공한다.

경제불황과 저성장기의 상황은 온디맨드 채널 가속화와 더불어
긱 이코노미의 단기 노동자들의 숫자를 급격하게 가속화할 것이다.
온디맨드 서비스 플랫폼을 통해 고용되는 노동자를 오라일리 미디
어의 창립자, 팀 오라일리Tim O'Reilly CEO는 '알고리즘 노동자'라고 지
칭하기도 했다.[20, 21] 각종 프리랜서와 1인 자영업자가 대표적이다. 수
요중심 서비스 시장에서 이들의 활동이 왕성해진다는 것은 가시적

으로 고용시장을 활성화시킬 수 있지만 근본적으로 고용의 질을 떨어트리는 문제를 야기할 수 있다. 단기계약 형태로 서비스를 제공하는 경우가 많은 탓에 저임금 노동자를 양산할 수 있다는 우려 또한 높다. 검증되지 않은 사람과 서비스로 인해 전체 산업의 질이 낮아지는 것도 문제다. 이 때문에 앞으로 이 무한한 플랫폼의 성장과 고용의 질을 높일 수 있는 방향성에 대한 심층적인 논의가 필요할 것으로 보인다.

'우버화'되고 있는 시장, 스타트업 기업의 위기일까 기회일까?

온디맨드 비즈니스의 대표적인 선두 업체는 우버Uber다. 스마트폰 기반의 교통 서비스를 제공하는 이 회사는 공유되어 등록된 차량의 운전기사와 승객을 모바일 앱을 통해 연결하는 서비스를 제공한다. 온디맨드 서비스의 시초로서 에어비앤비 등과 함께 대표적인 온디맨드 서비스의 회사로 회자된다. 우버의 기업가치는 2015년 12월에 이미 680억 달러(약 78조 원)를 넘어 포드와 GM을 앞섰다.

　현재 우버는 단순한 차량 공유 서비스를 넘어서 차량 공유 플랫폼을 기반으로 포트폴리오를 다각화하고 끊임없이 영역을 확장하고 있다. 전방위적인 파생 서비스로 지속적인 수익창출 구조를 만들겠다는 전략이다. 신선식품 배달 서비스 우버프레시UberFresh, 음식을 배달하는 우버이츠UberEats는 물론 합승 서비스 우버풀UberPOOL, 교통약자 서비스 우버어시스트uberASSIST까지 영역을 넓히고 있다. 차량 분야 온디맨드의 전반적인 인프라를 휘어잡으며 말 그대로 '바퀴 달린 모든 사업'에 뛰어들고 있는 셈이다.[22] 다시 말하면 시장을 선점한 소비자 개개인의 니즈를 만족시키기 위해 다채롭게 펼쳐져 있던 작은 서비스들이 규모가 커지고 영역이 확대되면 맞춤 서비스가 소비자에게 대량생산되는 역설적인 상황이 펼쳐질 수도 있다. 수많은 스타트업 기업들이 온디맨드 비즈니스에 앞다투어 뛰어들고 있는 시대, 모든 것이 우버화되고 있는 수요중심시장은 작은 기업들에게 위기가 될 수도, 기회가 될 수도 있다. 시장의 변화를 기회로 만들기 위해서는 더 많은 서비스 모델을 분석하고 무엇보다 철저하게 수요자의 니즈와 움직임을 파악할 수 있는 체계적인 준비가 필요하다.

기업이 안정적인 플랫폼과 데이터로 구축한 소비자 정보를 바탕으로 대형화되고 있는 것이다. 소비자 개개인의 니즈를 만족시키기 위해 다채롭게 펼쳐져 있던 작은 서비스들이 규모가 커지고 영역이 확대되며 맞춤 서비스가 소비자에게 대량생산되는 역설적인 상황이 펼쳐질 수도 있다. 수많은 스타트업 기업들이 온디맨드 비즈니스에 앞다투어 뛰어들고 있는 시대, 모든 것이 **우버화**되고 있는 수요중심시장은 작은 기업들에게 위기가 될 수도, 기회가 될 수도 있다. 시장의 변화를 기회로 만들기

우버화Uberization

우버화란 택시 중계 모바일 앱 '우버'에서 비롯된 신조어로서 중개자 없이 라이선스가 없는 일반인이 재화나 서비스를 판매할 수 있도록 매개하는 플랫폼 비즈니스 모델을 통칭하는 용어다. 월스트리트 저널은 앞으로의 일의 방식은 점점 우버화될 것으로 예측했다. 금융, 법률 등의 서비스 등도 우버화의 국면에 접어들고 있다고 보도하고 있다.

위해서는 더 많은 서비스 모델을 분석하고 무엇보다 철저하게 수요자의 니즈와 움직임을 파악할 수 있는 체계적인 준비가 필요할 것이다.

시사점
공급자와 소비자가 공생공영하는 시장의 틀을 만들어야 하는 시점
—

수요중심의 양면시장에서는 개별 수요 그 자체에 일대일 대응하는 것이 가능해졌다. 맞춤형 경제 즉 커스터마이제션customization이 전방위적으로 이루어진다는 의미다. 가속화되는 4차 혁명은 이미 이러한 맞춤형 경제를 예고하고 있다. 4차 혁명에서는 상품과 서비스 구매 시스템이 소비자의 개별 취향과 수요에 맞춰서 이루어지고 제작 공정 시스템도 이를 구현하는 것이 가능해지고 있다.

온디맨드 경제에서는 여기서 더 나아가 상품 선택이나 배송, AS까지 맞춤형으로 제공하는 것도 가능하다. 가령 '오퍼레이터'라는 앱은 일대일채팅을 통해 상담원이 직접 물건을 골라주거나 추천해주는 맞춤형 판매 상담 서비스를 제공한다. 이런 맞춤형 서비스는 교육 분야에도 적용될 수 있다. 구글 임원이었던 데이터 분석 전문가 맥스 벤틸라Max Ventilla가 세운 '알트 스쿨Alt School'은 유치원부터 중학생까지 나이나 학년으로 반을 구분하지 않고, 학생이 흥미를 보이는 분야나 특성에 따라 반을 나눈다. 교사가 학생에게 주입식으로 교육하는 것이 아니라 학생 개개인의 데이터 분석을 기반으로 교사가 학생에게 맞는 커리큘럼을 제공하는 것이다.[23] 무엇보다 수요자 데이터에 기반한 맞춤형 서비스를 제공할 수 있다는 것이 큰 장점이다.

양면시장 기반의 모바일 플랫폼 온디맨드 경제는 소비자의 수요에 신속하고 탄력적으로 대응한다는 점이 핵심이다. 향후 이러한 경향은 더욱 가속화될 것이다. 먼저 신속함과 편리함의 가치는 배송 서비스부터 간편 결제시스템, 사후AS까지 온디맨드 서비스에 있어서 매우 핵심적인 편익 및 가치가 될 것이다. 카카오택시나 우버의 사례를 보면, 이러한 편리함과 신속함이 극대화되고 있다. 일반적인 예로 기존 콜택시를 이용하기 위해서는 전화번호 탐색-전화걸기-상담원 통화-배차안내-기다리기-택시도착-요금지불 등 7~8단계를 거쳤다. 하지만 카카오택시나 우버는 택시앱을 깔고 클릭하여 목적지를 설정하고 기사를 호출하면 간단하게 해결된다. 기존의 7~8단계가 2단계 정도로 혁신적으로 줄어든다. 이렇듯 상품과 서비스의 제공 과정이 표준화되고 간소화되면 공급자와 수요자의 가치도 상호 증대된다. 비즈니스의 가치사슬Value Chain의 문제점이 해결되는 것이다.[24]

이렇듯 수요중심의 맞춤형 시장이 확산되고 있는 현상은 기업경영 환경에도 다양한 시사점을 제공한다. 이제 기업들은 분야를 가리지 않고 필요한 서비스를 온디맨드 업체에 아웃소싱할 수 있는 가능성이 높아졌다. 제조업체의 경우 부가적인 것은 제외하고 핵심역량에만 집중할 수 있게 되었다. 기업들이 정규직 고용에 대한 부담없이 온디맨드 업체를 통해 광고부터 R&D까지 모든 것을 해결할 수 있으며 덕분에 그동안 방치되어 왔던 사회적 자원의 활용을 극대화할 수도 있다. 근로자 또한 취업만이 목적이 아니라 1인 사업자로 활약할 기회의 무대가 넓어진 것도 사실이다. 개인과 기업의 경계가 허물

어고 있는 것이다.[25]

하지만 급변하는 양면시장에서 아직 법적 제도가 매우 미비하다는 현실은 성장에 발목을 잡을 수도 있다. 고용안정성에 대한 불안으로 오히려 값싼 단기 노동인력만을 양산할 것이라는 우려도 높다. 이에 UC 버클리대 정책대학원 경제학 교수 로버트 라이시Robert Reich는 온디맨드가 만들어내는 긱 이코노미를 가리켜 일종의 '부스러기 경제'라고 지적했다. 또한 결과적으로 방대한 네트워크를 가진 대기업에게만 유리하게 작용할 가능성이 높아 지역의 중소기업이나 영세상인 등과의 마찰이 불가피할 것이다.

이제 수요중심시장이 경제불황을 타개할 수 있는 새로운 판이 될 수 있도록 공급자와 소비자, 아울러 노동자의 이익이 함께 공생공영할 수 있는 양면시장의 틀을 만들어 나가야 할 시점이다. 소비자가 만들어 가는 수요중심의 플랫폼을 짜나가는 데 있어 각각의 장점들을 극대화시키는 반면 부작용은 최소화할 수 있는 정책이나 제도의 마련도 병행되어야 한다. 수요중심시장이 소비자에게는 편리함과 높은 만족감을, 기업에게는 디지털 생태계의 성공적인 확장을, 스타트업 기업과 창업자에게는 상상력과 능력을 발휘할 수 있는 무한한 기회의 무대가 되는 방향으로 성장할 수 있기를 기대한다.

User Experience Matters

경험 is 뭔들

포켓몬GO 게임을 위해 미국인들이 걸어다닌 총량이 1,440억 걸음으로 집계됐다. 지구와 달 사이를 143회 왕복하는 것과 같은 거리다. 웬만하면 움직이지 않는 사람들을 이렇게 움직이게 만든 비결은 무엇일까? 바로 체험과 재미다. 물건을 파는 것에서 경험을 파는 것으로 시장의 법칙이 바뀐다. 소비시장에서 체험의 경계가 확장되며 경험이 모든 경제활동의 핵심적인 요소가 되고 있다. 적극적으로 몸을 움직여 체험하거나 오감을 자극하는 경험을 일종의 놀이로 생각하는 사람들이 늘고 있다. 이제 제품이나 서비스만으로는 소비자의 마음을 사로잡기 힘들어졌다. 유통공간은 테마파크로 변신해 소비자의 생활 프로세스를 아우르는 모든 접점에서 브랜드 경험을 할 수 있는 즐거운 놀이터를 제공하고 있으며, 작은 오프라인 매장들은 미술관이나 전시관이 되기도 하고 취미생활의 공간을 제공하며 고객들을 불러모은다. 주변의 단서를 모아 추리해 미로 같은 방이나 난파선에서 탈출하는 게임이 인기를 모으고, 가상현실VR이나 증강현실AR 기술로 소비자에게 지금껏 없었던 새로운 경험을 제공하는 공간이 속속 등장한다. 이러한 체험경제화 트렌드는 시장이 성숙하면서 나타나는 자연스러운 진화과정이기도 하지만 재미와 경험을 중시하는 세대가 그 진화에 가속도를 붙이고 있다. 경험이 곧 경쟁력인 시대다. 지금 이 순간의 즐거움과 가치 있는 경험을 원하는 소비자에게, 이제까지 없었던 체험과 감성을 자극하는 상품과 서비스가 새로운 블루오션 시장을 창출해낼 것이다.

2016년 여름, 소셜커머스에서 가장 핫한 상품은 래쉬가드도 워터파크 이용권도 아닌, 속초행 여행상품이었다. 2만 원이 채 안 되는 당일 여행상품을 매진시킨 주인공은 요괴를 잡겠다고 출동한 사람들, 바로 스마트폰 증강현실AR을 이용한 게임 '포켓몬GO' 이용자들이다. 거리 곳곳에서 나타나는 몬스터를 잡는 이 게임은 미국을 비롯한 세계 곳곳에서 선풍적인 인기를 끌었다. 지도 정보 해외반출을 금지하는 보안정책 때문에 국내에서는 실행되지 않았는데 예외적으로 속초 지역에서 이 게임이 정상 작동해 마니아들의 발길을 모은 것이다. 강원도까지의 당일치기 여행도 마다하지 않도록 만든 이 게임의 힘은 어디에 있었을까? 바로 현실과 가상을 넘나드는 '특별한 체험'이 있었기 때문이다.

이용자가 실제로 걷고 뛰면서 거리 위 몬스터를 사냥하는 과정은 온몸을 움직이는 적극적인 놀이로서, 오락적 재미를 넘어 높은 성취감과 복합적인 만족감을 선사한다. 미국 마이크로소프트 리서치에 따르면 실제로 포켓몬GO 이용자들은 게임 입문 전에 비해 약 26%

Squirtle / ᴄᴘ 210

◀ 수많은 건강, 운동 관련 앱이 쏟아져 나왔지만 포켓몬GO만큼 실질적인 운동효과를 낸 것은 없었다.

가량 보행수가 늘었다고 한다. 게임 하나가 만성적 운동 부족인 미국인들을 실제로 움직이게 만든 것이다. 미국 내 포켓몬GO 이용자들의 수치를 합산한 추산치는 1,440억 걸음으로 이는 지구에서 달을 143회 왕복하는 거리와 같다. 수많은 건강·운동 관련 앱이 쏟아져 나왔지만 포켓몬GO만큼 실질적인 운동 효과를 낸 서비스는 없다는 얘기다.[1]

포켓몬GO의 힘을 실감하게 하는 사례이지만, 시야를 조금 넓혀 보면 이는 게임 분야만의 현상이 아니다. 적극적으로 몸을 움직여 체험하거나 오감을 자극하는 경험을 일종의 놀이로 생각하는 사람들이 늘고 있다. 이들은 가만히 앉아서 즐기는 수동적인 여가를 원하지 않는다. 미로 속을 헤매는 탐험가가 되기도 하고, 가상현실VR을 통해 조종사가 되었다가, 몸은 중국에 있는 매장에 있으면서 한국의 제주도로 여행을 할 수도 있다. 쇼핑도 마찬가지다. 이제 소비자들의 니즈는 '화장품 사러 가자'가 아니라 '거기서 사진 찍으면 예쁘게 나와'와 같은 특정한 공간에서 색다른 경험을 원하는 욕구가 커졌다. 매장은 사진 찍기 좋은 배경이 되기도 하고 무언가를 배우러 가는 취미 생활의 공간이 되었다가 나만의 맞춤 제품을 찾는 큐레이션의 장소로 탈바꿈하고 있다. 소비자를 이야기 속으로 관여시키는 경험이 단순히 일회성 체험에 그치지 않고 소비의 모든 영역으로 확대되고 있다. 이제 물건을 디스플레이해놓고 소비자의 선택을 기다리던 시대가 저물고 새로운 엔터테인먼트 경험을 제공하는 놀이터의 시대가 열릴 것이다.

경험이 곧 경쟁력인 시대, 『트렌드 코리아 2017』이 제안하는 **경**

험 is 뭔들은 소비시장에서 체험의 경계가 확장되며 경험이 모든 경제활동의 핵심적인 화두가 될 것임을 예견하는 트렌드다. 'ㅇㅇ이면 무엇이든 좋다'는 의미의 유행어 '뭔들'을 활용한 작명이다. 이제 제품이나 서비스만으로는 소비자의 마음을 사로잡기 힘들어졌고, 소비자 개개인의 특성에 맞는 제품과 개인의 감성을 자극하는 디자인 개발, 서비스 이용자에게 기억에 남는 경험 제공이 무엇보다 중요해졌다는 의미를 담고 있다.

ㅇㅇ is 뭔들

'ㅇㅇ은 무엇이든 좋다'라는 뜻이다. 주로 연예인들의 이름을 붙여서 그 연예인이면 무엇이든 좋다는 뜻으로 사용한다. 즉, 'ㅇㅇ은 뭔들 잘 안 어울리겠는가'의 준말이다. 어느 아이돌 팬카페에서 처음 유행한 말로, 마마무의 〈넌 is 뭔들〉이라는 노래 제목으로 활용되면서 널리 사용된 것으로 알려져 있다. 예를 들어 '치맥 is 뭔들'이라 하면, '치맥은 무엇이든 좋다'라는 뜻이 된다.

경험은 어떻게 우리의 소비생활을 바꾸고 있을까? 좀처럼 걷지 않는 미국인을 움직이게 만들고 바쁘고 피곤한 서울의 직장인마저 속초행 버스에 오르게 만드는 경험의 힘은 무엇일까? 포켓몬스터들이 다양한 방법을 통해 진화하듯, 진화를 거듭하고 있는 소비의 경험화 현상과 그 체험의 확장이 그리는 경험 경제의 지도를 살펴본다.

경험의 진화 레벨 1
유통공간의 놀이공간화

—

스마트폰 터치 몇 번이면 세상의 모든 상품이 집 앞까지 배달되는 시대지만 직접 백화점·매장·몰을 찾는 사람들의 발길은 여전하다.

쇼핑을 하기 위해서가 아니라 즐기기 위해서다. 닐슨코리아의 조사에 의하면 전 세계 소비자 10명 중 6명은 여전히 백화점이나 대형마트 등 오프라인 유통매장을 방문하는 것이 즐겁다고 답했다. 한국 소비자들을 대상으로 한 조사에서도 55% 이상이 여전히 오프라인 매장을 방문하는 것이 즐겁고 유쾌하다고 응답했다고 한다.[2] 필요한 물건을 사러 오는 것이 아니라 소비자의 눈길을 멈추고 발길을 돌리게 할 놀이거리가 있다면 여가를 즐기기 위한 공간으로 방문한다는 것이다. 바로 경험의 힘이다.

외식·오락·문화·레저가 집결한 복합쇼핑몰 경쟁

"앞으로 유통업의 경쟁자는 야구장과 놀이동산이 될 것이다."

유통가의 최대 이슈로 떠오른 신세계 '스타필드 하남'을 오픈하면서 정용진 부사장이 SNS에 남긴 말이다. 야구장과 놀이공원을 경쟁상대로 지목한 것은 소비의 범위를 물건을 구입하는 행위에서 콘셉트와 문화, 라이프스타일을 경험하는 총체적이고 역동적인 여가활동으로 확장시키겠다는 뜻이다. 실제로 스타필드 하남의 방문객은 하루 평균 10만 명으로 약 6만 명으로 추산되는 야구장 방문객을 뛰어넘었다. 축구장 70배 크기에 달하는 국내 최대 규모의 복합 쇼핑몰로 창고형 할인매장에서 가전전문매장, 반려동물용품 전문매장 등 신세계 그룹에서 그동안 선보였던 다양한 콘셉트의 매장이 한곳에 모여 있어 종합적인 엔터테인먼트 경험이 가능하다는 것이 특징이다. 이곳의 아쿠아필드는 워터파크·스파·사우나를 즐길 수 있는 물놀이 공간으로 싱가포르의 마리나 베이 샌즈의 루프탑 수영장과 비숫한 인피니티풀을 경험할 수 있으며 30여 종의 다양한 스포츠를 체험할 수 있는 스포츠몬스터에서는 암벽등반·트램펄린·자유낙하·로프코스 등의 익스트림 스포츠까지 즐길 수 있다.

이에 앞서 롯데몰 김포공항은 전체 부지면적 중 60%가 넘는 공간을 녹지공간으로 구성해 자연과 함께하는 친환경 몰링파크를 조성한 바 있다. 정원과 산책로, 잔디광장, 수변공간, 씨네플라자 등 6개의 테마를 가진 공원과 음악분수를 설치해 쇼핑몰이 아닌 공원으로 산책을 나온 듯한 체험을 제공한 것이다. 이처럼 유통가의 복합쇼핑몰 경쟁은 소비자에게 어떤 경험을 제공할 것이냐가 핵심 가치가 되고 있다. 외식·오락·문화·레저를 집결하여 놀이공원에 가면 하루 종일 시간을 보내는 것처럼 한번 가면 반나절 이상 시간을 보낼 수 있는 테마파크형 공간으로서 소비자의 총체적 경험을 디자인하는 것이 중요해졌다.

이처럼 놀잇거리가 필요한 소비자를 잡기 위해 생산·제조업체도 좀 더 적극적으로 대규모의 복합문화공간을 기획하는 추세다. 이탈리아 슈퍼카 브랜드 페라리는 2010년 전 세계 최초로 아랍에미레이트 아부다비에 '페라리월드 아부다비'를 개장한 바 있다. 페라리의 모토인 스피드를 테마로 20여 종에 달하는 놀이기구뿐만 아니라 어린이용으로 축소한 F430 GT스파이더를 이용한 드라이빙 스쿨, 페라리 갤러리, 다양한 음식, 쇼핑시설까지 갖추고 있다. 국내 브랜드로 현대자동차도 자사의 브랜드 콘셉트를 바탕으로 문화공간 조성을 계획 중이다. 2017년 초 경기도 일산에 문을 열 '현대모터스튜디오 고양'은 국내 최대 규모의 자동차 체험공간이 될 전망이다.[3]

현대미술관 같은 안경 매장, 피트니스 컨설팅받는 운동복 매장

이렇게 대형공간이 아니더라도, 개별 매장을 경험화하려는 노력 역시 다양하게 전개되고 있다. 팝업 스토어·콘셉트 스토어 등의 단어가 이제는 새롭지 않지만 스토어의 콘텐츠는 무한히 확장 중이다. 제품을 파는 매장에 카페를 결합하거나 독특한 인테리어 디자인으로 소비자의 눈길을 끌었던 전략에서 나아가 다양한 놀잇거리를 제안함으로써 소비자의 발길을 머물게 한다. 안경브랜드 젠틀몬스터는 독특한 디자인의 팝업 스토어로 유명하다. 마치 현대미술관에 온 것 같은 감각적인 분위기는 사진 찍기 좋은 장소로 소셜네트워크에서 소문이 났다. 매 시즌마다 새로운 콘셉트로 이색적인 공간을 표현하는 데 주력할 뿐만 아니라 오래된 공간을 살려 쇼룸으로 만드는 데도 적극적이다. 종로구 계동에서 목욕탕으로 50년 이상 운영되어 온 '중앙탕'이 문을 닫는다는 소식에 건물의 원형을 살려 만든 쇼룸 'BATH HOUSE'는 어떤 훌륭한 디자인으로도 담아내지 못했을 흘러간 시간에 대한 정서를 자극하며 소비자들의 지지를 받았다.

제품 구매보다는 취미 생활을 공유하기 위해 모이는 사람들도 증가하는 추세다. 현대백화점 판교점 3층에는 넓은 테이블에 사람들이 모여 바느질을 하는 모습을 볼 수 있다. 가죽공방 '토글' 매장으로 들어오면서 가죽공예를 배우고 싶어 하는 사람들이 자연스럽게 백화점으로 발길을 돌린 것이다.[4] 매장과 취미생활을 연결하는 트렌드는 특히 스포츠 브랜드에서 활발하다. 아디다스코리아의 리복은 현대백화점 중동점에 콘셉트 스토어를 오픈하면서 매장의 4분의 1에 해당하는 면적을 액티베이션존으로 꾸몄다. 매장 내 상주하는 피트니스

컨설팅 전문가에게 적절한 운동방법을 처방받을 수 있고 권장 식단을 안내받을 수도 있다. 뉴발란스도 강남에 플래그십 스토어를 운영하면서 실내 피트니스 공간을 만들어 운동 클래스를 진행하고 있다. 제품을 진열하던 공간이 취미생활과 운동을 즐기는 장場으로 진화하면서 소비자들의 체험을 풍성하게 만들고 있다.[5]

경험의 진화 레벨 2
비일상적 체험공간의 등장

—

나도 '더지니어스'! 방탈출 카페와 영화 속 주인공처럼 미로방

소유의 만족보다 경험의 즐거움을 누리려는 현대인들이 적극적으로 일상에 변화를 주는 체험을 찾아 나서고 있다. 언젠가부터 부산·인천·서울의 유명 거리에 방탈출 카페라는 독특한 카페가 눈에 띄기 시작했다. 방탈출 카페는 밀폐된 공간에 갇혀서 공간 내 단서들을 찾고 조합해서 탈출을 목적으로 하는 놀이공간이다. 인기를 끌었던 추리게임 프로그램 〈더지니어스〉나 〈크라임씬〉을 현실에서 체험할 수 있는 버전이다. 2007년 일본에서 시작되어 한국에 수출된 것으로 알려졌지만 현재 국내에 100여 개가 넘는 방탈출 카페가 운영되면서 스토리·소품·구성을 해외로 역수출할 만큼 성장했다. 방탈출 카페에서는 테마에 따라 다양한 역할을 맡게 된다. 살인사건 현장에서 피해자가 남긴 유품과 범인이 남긴 증거를 면밀히 살펴야 하는 형사가되기도 하고 난파된 보물섬에서 고대의 수수께끼 같은 문자를 해독

◀ 최근 인기를 끌고 있는 방탈출 카페는 색
다른 체험을 원하는 사람들에게 긴장감과
몰입감을 선사한다.

해 길을 찾아야 하는 외로운 선장이 되기도 한다. 범인을 찾지 못하거나 문자를 끝까지 해독하지 못하면 탈출할 수 없다. 1시간 내에 주어진 단서를 최대한 많이 찾아서 탈출해야 한다는 긴장감과 조명·음악·분위기·스토리에 집중하다 보면 가짜 역할임에도 진짜가 된 듯한 몰입감을 경험하게 된다.

탈출해야 하는 것은 방뿐이 아니다. 영화 〈메이즈러너〉 속 주인공이 될 수 있는 미로방도 늘어나는 추세다. 다양한 미로와 장애물로 구성된 14개의 코스를 통과하기 위해 등반·포복·도약 등 다양한 몸놀림이 필요하다. 사방이 거울로 가득한 공간에서 길을 찾아내야 하고 어둠 속에서 장애물을 헤치고 탈출해야 하는 코스도 있다. 그물망으로 만든 수십 미터 길이의 통로를 낮은 포복 자세로 기어야 하는 '해먹 미로' 코스는 가장 악명 높은 구간으로 꼽힌다.[6] 이 외에도 암흑방, 트램펄린방 등 직접 몸으로 느끼고 적극적으로 체험하고 싶은 소비자를 만족시키는 다양한 콘셉트의 방이 성업 중이다.

BMW모델을 F1선수처럼 타보고, 음료 한 잔 값으로 IT기술 체험

속도의 쾌감, 절정의 흥분을 느낄 수 있는 F1선수가 되고 싶다면 체험형 서킷을 방문할 수도 있다. BMW가 인천 영종도에 지은 BMW 드라이빙 센터는 길이 2.6km로 국제자동차연맹FIA 규정에 맞게 설계된 아시아 최초의 체험 공간이다.[7] 예약 후 일정 금액을 지급하면 라이선스가 없어도 BMW모델을 F1선수처럼 타볼 수 있는 자동차 복합문화공간인 셈이다. 평소 TV나 동영상을 통해 눈으로 즐기기만 했던 F1경기에 실제 주인공이 되어 직접 체험할 수 있다는 점이 매력으로 꼽힌다.

신기술을 다양하게 체험해볼 수 있는 공간도 인기다. 직접 구매하기에는 부담스러운 드론, 퍼스널 모빌리티, VR게임, 립모션(손동작 인식)까지 음료 한 잔이면 IT기술이 접목된 놀이기구들을 타고 만지고 움직여볼 수 있다. 홍대 인근의 카페 '플레이앤셰어'는 2015년 10월 개장한 이래 하루 평균 100명 이상의 방문객이 찾아오는 핫플레이스가 되었다.[8] 이 카페에서 가장 인기를 끄는 건 전동휠이다. 이동수단으로 개발되었지만 4평 남짓한 공간에서 직접 타보는 것만으로도 짜릿한 기분을 느낄 수 있다. 올 여름, 강남역에 문을 연 VR플러스도 커피 한 잔 값에 각종 VR기기를 체험할 수 있는 이색 카페로 주목을 끌고 있다. 일상에서 접하기 어려운 기기들을 실제로 사용해 보는 자체가 일종의 놀이가 되는 셈이다.

경험의 메가진화
가상이 실재이고 실재가 가상 같은 체험

—

포켓몬스터 6세대부터는 새로운 진화방식이 도입됐다. 진화를 뛰어넘은 진화, 메가진화다. 메가진화는 일반진화로는 있을 수 없는 힘을 발휘하게 한다. 경험의 공간에서도 비슷한 일이 벌어지고 있다. 새로운 IT기술들이 하루가 다르게 발전하면서 과거에는 경험할 수 없었던 새로운 경험을 가능하게 하고 있는 것이다. 가상현실VR이나 증강현실AR을 이용하여 체험할 수 있는 공간을 만들어 이색적인 경험을 제공하며 브랜드와 고객과의 접점을 늘리려는 사례가 여러 분야에서 관찰되고 있다.

앉은 자리에서 퍼스트 클래스 체험, 하늘과 바다를 여행하다

현재 VR체험을 적극 활용하고 있는 분야는 여행업계다. 실제 남태평양의 해변이나 미국의 그랜드캐니언, 알프스 몽블랑을 걷고 있는 것과 같은 VR영상을 통한 홍보는 여행상품을 소개하는 데 안성맞춤이다. 특히 항공사들의 경쟁이 치열하다. 이들은 퍼스트 클래스를 체험하거나 기장이 되어 보기도 하고 여행지를 방문한 것 같은 느낌을 주는 프로그램을 선보이고 있다. 독일항공사 '루프트한자'는 VR을 통해 실제 퍼스트 클래스를 타고 서비스를 받는 듯한 체험 콘텐츠를 제공한다.[9] 비싼 비용 때문에 쉽게 이용하기 어렵지만 항공기 고객 대부분이 퍼스트 클래스에 대한 선망이 있다는 심리가 브랜드 이미지를 제고하는 데 효과적으로 작용했다. 제주항공은 AK타운 수원에

B737조종실을 구현하고 비행시뮬레이터 겸 VR체험관을 설치해 펀 엔터테인먼트 공간을 마련했다. 조종실에서 기장이 되어 보기도 하고 제주항공의 유니폼을 입고 사진을 찍을 수 있는 이벤트까지 진행하고 있다.[10]

2016년 7월 아시아 최대 규모의 상하이 디즈니랜드가 문을 열면서 다양한 브랜드들이 마케팅 경쟁을 벌였다. 그중 VR을 이용해 상하이에서 제주도로 시공간을 넘나드는 경험을 가능하게 한 아모레퍼시픽의 자연주의 화장품 브랜드인 이니스프리 '플라잉바이크'가 주목을 받았다. VR영상을 단순히 시청하게 하는 것이 아니라 자전거라는 신체활동을 접목시켜 직접 페달을 밟으며 제주의 하늘과 바다를 여행하는 느낌을 제공하고 중간중간 브랜드 가치를 게임 방식으로 구현해 소비자가 브랜드 스토리를 총체적으로 경험할 수 있도록 한 것이다. 이니스프리는 국내에서도 브랜드 경험 확장이라는 측면에서 신기술을 적극 활용하고 있다. 강남 플래그십 스토어에 오픈한 VR존 '썸데이 인 제주Someday in Jeju'는 제주 자연을 배경으로 모델 이민호와 데이트를 즐기는 스토리를 입혔다.[11] 보다 현실감 높은 기술구현을 통해 시공간을 넘나드는 것뿐만 아니라 브랜드 타깃에 맞는 **피지털 콘텐츠**를 통해 소비자들의 경험을 연계시키는 것이다.

피지털phygital **콘텐츠**
물질적Physical 세계와 디지털Digital을 연결한 합성어로, VR 영상을 단순히 시청하는 것이 아니라 신체활동 요소를 더한 콘텐츠.

3D로 피팅하고, VR로 쇼핑하고, AR로 가구 배치를…
시공간을 넘는 쇼핑도 먼 미래의 이야기가 아니다. 유통업계에서는 침체된 시장에 소비자들을 불러 모으기 위해 온라인과 오프라인 모두에서 VR이미지와 3D렌더링 등 첨단 IT기술과 쇼핑을 결합한 새로운 체험을 디자인하느라 분주하다. 롯데백화점에서는 소비자가 디지털 거울 앞에 서서 자신의 신체 사이즈를 측정하면 자동으로 데이터베이스화되는 3D 가상 피팅 서비스를 도입했다. 매장을 갈 때마다 옷을 입어보고 사이즈를 체크해야 하는 번거로움을 반복하지 않고 데이터화되어 있는 나의 사이즈를 이용해 집이나 사무실에서 스마트폰으로도 가상 피팅을 체험할 수 있는 것이다.[12]

현대백화점의 온라인몰 더현대닷컴은 집에서도 실제 백화점 매장을 둘러보면서 쇼핑할 수 있는 'VR스토어'를 전면에 내세운다. 말 그대로 백화점 매장에 VR기술을 적용한 가상의 백화점으로 오프라인 매장을 그대로 가져와 실제 백화점에 가서 직접 쇼핑하는 듯한 현실감을 느낄 수 있다. 현재는 판교점 5층에 있는 나이키, 아디다스 매장에 도입됐지만 2019년에는 말 그대로 백화점을 통째로 옮긴 'VR 백화점'을 선보인다는 계획이다.[13]

이미 이베이는 2016년 5월 호주에서 대형백화점 체인인 마이어 Myer사와 함께 '이베이 VR백화점'이라는 이름의 앱을 오픈한 바 있다. 이 앱에는 약 1만 2,000여 개 이상의 마이어 상품이 정렬되어 있고 카테고리별 상위 100개는 3D로 제공되어 360도로 상품을 살펴볼 수 있다. VR은 보통 전용 뷰어가 있을 때 체험이 더욱 생생하게 전달되는데, 소비자들이 좀 더 쉽게 VR을 체험할 수 있도록 'Shoptical'이라는 전용뷰어를 선착순 2만 명에게 제공하기도 했다.

이케아는 이미 2013년부터 AR기술을 적용해 가상으로 가구를 배

▲ 소비자가 디지털 거울 앞에 서서 자신의 신체 사이즈를 측정하면 자동으로 데이터베이스화되는 3D 가상 피팅 서비스

치해볼 수 있는 카탈로그앱을 제공했다. 가구는 그 특성상 집의 형태에 따라 크기나 배치, 다른 가구들과의 어울림 등 고려해야 할 사항이 많아서 매장에서 물건만 보고 판단하기 어렵다. 따라서 구매 전 AR을 통해 배치와 조화를 경험하는 것은 소비자로서는 유용한 구매 수단이 된다. 최근에는 VR체험 앱 '이케아 VR 익스피리언스IKEA VR Experience'를 출시했다. VR전용기기를 머리에 쓰고 앱을 실행시키면 3가지 스타일의 주방을 실제로 체험해볼 수 있다. 주방에 설치된 서랍을 열어보거나, 가구의 색상을 바꾸는 것도 가능하다.[14] SNS 전용 1분 홈쇼핑을 운영하고 있는 CJ오쇼핑도 360도 VR 영상을 이용한 다양한 제품 소개로 소비자의 호응을 얻고 있다. 여름 휴가를 어디로 떠날지 고민하는 사람들에게 1분짜리 캐리비안 베이 티저 VR 영상을 보여줌으로써 현장에 있는 것 같은 가상체험을 제공하는 식이다. 기술로 중무장한 디지털 경험에 대한 해법이 역설적으로 아날로그적 경험에 있는 셈이다.

영화 속을 여행하는 듯한 VR체험과 몰입도를 높은 뉴스 VR저널리즘

VR을 이용하면 영화 속 배경으로 훌쩍 여행을 떠날 수도 있다. 20세기 폭스20th Century Fox는 영화 〈마션〉의 개봉 후 화성이 어떤 모습일지 궁금해하는 영화팬들을 위해 체험형 VR전시 '마션 VR 익스피리언스The Martian VR Experience'를 기획한 바 있다. VR전용기기를 착용하면 조이스틱 컨트롤러를 이용해 화성에서 탐사용 로봇을 조종하거나 영화의 주요 장면들을 360도 가상현실에서 체험할 수 있다. 마치 화성에 혼자 남게 된 마크 와트니가 된 듯한 경험은 단순히 눈으로 영화를 즐기는 것과는 차원이 다른 몰입을 제공한다. 영화 홍보 이상의 의미를 부여한 이 행사는 할리우드 최고의 VR체험행사로 높은 평가를 받았다.[15] 국내에서도 영화를 이용한 VR체험이 속속 소개되고 있다. 영화 〈하늘을 걷는 남자〉의 VR체험 이벤트에 몰린 사람들은 마치 공중의 줄 위를 걷는 듯한 아찔한 경험을 통해 전에는 느껴보지 못한 영화 속 주인공과의 높은 공감대를 형성했다.

몰입경험을 뉴스에 적용하는 사례도 등장하고 있다. 뉴욕타임즈는 2015년 11월 자체 VR앱을 소개하면서 아프리카와 중동 내전으로 인해 고통받는 난민 고아들의 모습을 VR영상에 담았다. 그에 앞서 정기구독자들을 대상으로 구글 카드보드를 무료로 제공하기도 했는데, 난민캠프에서 생활하는 아이들의 어려운 삶을 어떤 매체보다 생생하게 독자에게 전달할 수 있다는 점에서 저널리즘의 새로운 지평을 열게 할 것이라는 평가를 받았다. 국내에서도 조선일보가 VR전용 모바일 앱과 VR콘텐츠 웹사이트를 오픈하면서 본격적인 VR저널리즘의 포문을 열었다. 특정 장면을 편집하거나 강조하는 등의 프레임화 없이 독자들이 직접 360도로 촬영한 현장을 보고 상황을 판단할 수 있다는 점이 장점으로 꼽힌다.[16] 한편 VR저널리즘은 좀 더 생생하고 몰입도 높은 뉴스로 독자를 끌기 위해 자극적인 콘텐츠 경쟁을 과열시킬 것이라는 우려도 있다. 그렇지만 기술이 다양한 분야에 적용되면서 소비자, 영화 관람객, 독자의 경험을 한층 폭넓게 확대하고 있는 것만은 분명하다.

경험 경제가 붐을 이루게 된 배경

기존의 상품과 서비스로는 더 이상 경제적 가치를 창출할 수 없다고 주장한 조지프 파인Joseph Pine과 제임스 길모어James Gilmore는 체험경제 이론을 주장한다. 이 이론에 따르면 개인의 참여형태와 환경의 정도에 따라 체험경제는 크게 오락적 체험요소, 교육적 체험요소, 미적 체험요소, 일탈적 체험요소로 구분되는데, 이 같은 체험 자체가 하나의 상품이 되고 있다는 것이다. 그렇다면 왜 소비자들은 체험을 상품으로 받아들이는 것일까?

소유보다 경험을 중시하는 성숙한 시장

우선, 소유보다 경험을 중시하는 성숙한 시장의 특징이 나타나고 있다는 점을 지적할 수 있다. 1990년대에 이미 소득 3만 달러를 넘긴 일본에서는 놀이·여가를 중심으로 한 소비문화가 확산되었다. 물질의 풍요보다 마음의 풍요를 중시하는 경향이 나타났던 것이다. 이 시기의 대표적인 유행어 중 하나인 '하나모쿠'라는 말은 놀기에 목요일이 가장 좋다는 뜻으로 주중부터 여가활동이나 레저형 온천에 대한 소비가 늘었다고 한다.[17] 이에 대해 다빈치 연구소장인 미래학자 토마스 프레이Thomas Frey는 "소득 2만 달러 시대에는 의식주 관련 소비를 비약적으로 늘리지만 3만 달러 이상이 되면 경험에 투자하는 경향이 짙어진다"라고 언급한 바 있다. 경제가 일정규모 이상으로 성장하게 되면 사람들이 매슬로의 욕구 5단계 중 자아실현의 욕구에 가까운 소비를 원한다는 것이다. 즉, 소유보다 한 번의 가치 있는 경험, 즐거웠던 시간, 독특한 체험에 지갑을 여는 현상이 두드러지고 있다고 해석할 수 있다.

적극적으로 순간을 즐겁게 보내고 싶은 세대

다음으로 적극적으로 시간을 즐겁게 보내고 싶어 하는 세대가 등장하고 있기 때문이다. 넓은 집에 비싼 차를 갖는 것이 성공의 척도처럼 여겨지던 시대는 지났다. IMF금융위기와 리먼브라더스 사태를 거치면서 이제 드라마틱한 경제호황과 큰 부자가 될 수 있다는 환상을 품은 사람들은 많지 않다. 특히 태어나면서부터 저성장의 시대를 겪어온 세대에게는 그저 현재 즐겁고 재미있게 사는 게 더 중요하다는 가치관이 지배적이다(『트렌드 코리아 2017』 **지금 이 순간, '욜로 라이프'·나는 '픽미세대'** 키워드 참조). 이들은 일상에서 얻을 수 없는 특별한 경험에 대한 갈망이 있기 때문에 재미있는 콘텐츠라면 어디든 가서 능동적으로 참여하고 체험할 준비가 되어 있다. 특히 직접 경험한 것이 아니면 잘 믿지 않기 때문에 학계에서는 적극적 소비자가 등장했다는 의미로 '인게이지먼트engagement(참여하는) 소비자' 시대라고 부르기도 한다. 따라서 누가 소비자의 참여를 이끌어낼 것이냐가 시장의 승패를 가르는 중요한 지점이 되며, 필요에서 구매에 이르기까지의 과정을 시간, 공간, 경험으로 디자인하는 총체적 생활프로세스로 접근해야 한다.

제품보다 경험이 효율적인 기업의 차별화 전략

한편, 경험은 기업들의 수평적 차별화 전략으로 기능하고 있다. 미국의 경영학자 허버트 사이먼Herbert Simon 교수는 "모든 조직이 혁신을 한다면 어떤 것을 바꿔보더라도 근본적인 차별은 없다. 가장 효율적인 방법은 바로 디자인 혁신"이라고 지적한 바 있다. 여기서 디자인이란 단순히 제품에 색을 입히고 모양을 바꾸는 것이 아니다. 소비자와 접점을 이루는 모든 순간에 소비자가 느끼는 서비스·분위기·오감·느낌 등을 아우르는 개념이라고 할 수 있다. 특히 기술력이 상승하고 품질이 상향평준화되면서 브랜드가 갖고 있는 철학·콘셉트·스토리에서 차별화가 발생하게 된다. 미술관 같은 매장, 독특한 콘셉트 스토어, 취미생활을 지원하는 공간을 만드는 것은 제품보다 경험이 효율적인 차별화 전략이 되기 때문이다.

소비 분야에서 상용화되기 시작한 IT기술

마지막으로 무엇보다 능동적인 경험에 사람들이 몰리는 데에는 기술의 발전이 바탕에 있다. IT분야에서는 개발된 지 꽤 지난 기술들이지만 소비 분야에서는 최근에 들어서야 AR과 VR, 인터렉티브 기술이 상용화되기 시작하면서 소비자와 접점을 찾기 어려웠던 분야

무엇보다 **능동적인 경험**에 사람들이 몰리는 데에는 기술의 발전이 바탕에 있다. IT분야에서는 개발된 지 꽤 지난 기술들이지만 소비 분야에서는 최근에 들어서야 AR과 VR, 인터렉티브 기술이 상용화되기 시작하면서 소비자와 접점을 찾기 어려웠던 분야에서도 체험을 소재로 소비자의 참여를 이끌어낼 수 있는 길이 열렸다. 특히 2016년을 **가상현실의 원년**으로 보는 전문가들이 꽤 많다. 이들에 따르면 AR과 VR 시장 규모는 2016년 4.5조 원, 2020년에는 182.3조 원으로 팽창할 것이라는 전망이다.

▼

▼

▼

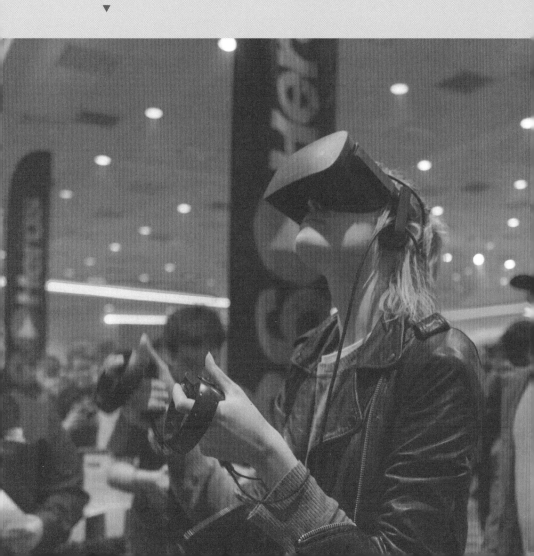

에서도 체험을 소재로 소비자의 참여를 이끌어낼 수 있는 길이 열렸다. 특히 2016년을 가상현실의 원년으로 보는 전문가들이 꽤 많다. 이들에 따르면 AR과 VR 시장 규모는 2016년 4.5조 원, 2020년에는 182.3조 원으로 팽창할 것이라는 전망이다.[18]

시사점
경험 판매 시대의 전략, 콘텐츠가 해답이다
—

경험이 바로 콘텐츠인 시대, 소비자들은 어떤 유통공간이든 테마파크처럼 무엇이든 만져보고, 직접 체험해보고, 인증샷을 SNS에 업로드한다. 여행지에서 기념품을 사듯 제품 구매는 부수적인 것이다.

실제로 연세대학교 김병규 교수팀과 예일대학교·메릴랜드대학교의 연구팀은 실험을 통해 경험과 연계된 제품에 대한 구매의사가 훨씬 높다는 것을 확인했다. 대학생들에게 살면서 특별했던 경험과 그렇지 않은 경험을 떠올리게 한 뒤 각 경험과 관련된 제품의 구매의사를 물었더니 특별한 경험과 관련된 제품의 구매의사가 높았던 것이다. 특히 해당 제품이 그 경험과 관련성이 높을수록 이러한 경향이 강하게 나타났다고 한다. 대개 사람들은 특별하고 소중한 경험을 할 때 이와 관련된 물건이나 제품을 소장해 당시의 기억을 간직하려고 하기 때문이다. 여행지에서 기념품을 구입하고 감동 있게 본 영화의 입장권을 소중히 간직하는 것도 같은 이유다.[19] 특히 SNS 공유에 민감한 세대들은 색다른 소비 경험과 자신만의 스토리에 열광하고 공

경험이 바로 콘텐츠인 시대, 소비자들은 어떤 유통공간
이든 테마파크처럼 무엇이든 만져보고, 직접 체험해보고,
인증샷을 SNS에 업로드한다. 여행지에서 기념품을 사듯
제품 구매는 부수적인 것이다. 물건을 사고 바로 나가기
보다는 머무르고 싶은 공간과 그곳에서 즐길 수 있는 콘
텐츠가 중요하다. 즐거운 경험을 했을 때 소비자들이 필
요에 의해서가 아니라 그 기억을 간직하기 위해 지갑을
열고 있다.

유하는 특성을 갖고 있다. 그렇다면 경험이 중요한 경험 경제 시대에
어떠한 일을 준비해야 할까?

물건을 사고 바로 나가기보다는 머무르고 싶은 공간과 그곳에서
즐길 수 있는 콘텐츠가 중요하다. 즐거운 경험을 했을 때 소비자들은
필요에 의해서가 아니라 그 기억을 간직하기 위해 지갑을 열고 있다.
이처럼 라이프스타일을 매장에서 경험한 후 그 스타일을 구현하기
위해 제품을 사게 되는 식의 소비 행태는 점차 늘어날 것이다. 매장
뿐만 아니라 온라인과 오프라인이 이어지는 멀티채널 환경에서 소
비자들이 어떤 접점을 선택하더라도 끊임없이 일관된 브랜드 가치
를 경험할 수 있게 해야 한다.

소비자에게 차별화되는 콘셉트를 제공하기 위해서는 타깃고객을
선정하고 그들의 생활프로세스를 추적하는 방법론에 주목해야 한다.
한정된 예산으로 불특정 다수의 소비자를 공략하는 것이 아니라 브

랜드 철학에 동의하고 적극적으로 브랜드 체험에 몰입할 것 같은 타깃 **페르소나**를 찾아 그들의 라이프스타일 전반을 추적하는 전략이다. 실제로 디자인 회사 PXD의 디자이너들은 의료 서비스 디자인 프로젝트를 수행하기 위해 환자와 보호자 역할로 나눠 1박 2일 동안 분당 서울대병원에 입원했다고 한다.[20] 직접 소비자가 되어서 그들이 느끼는 A부터 Z까지의 모든 것을 경험해보는 것이다. 이러한 방법론은 소비자에게 어떤 콘셉트를 팔 것인지 발견하는 데 유용한 함의를 준다.

페르소나 Persona

마케팅적 의미로 '페르소나'는 어떤 제품 혹은 서비스를 사용할 만한 목표 인구 집단 안에 있는 다양한 사용자 유형을 대표하는 가상의 인물로 시장과 환경, 사용자들을 이해하기 위해 사용된다. 특정한 상황과 환경 속에서 전형적인 인물이 어떻게 행동할 것인가에 대한 예측을 위해 실제 사용자 자료를 바탕으로 개인의 개성을 부여해 만들어진다.

러시아에서 시작되어 런던에서도 성업 중인 카페 체인 지퍼블랏Ziferblat은 커피 값이 아닌 분 단위의 시간 값을 받는다. 이곳의 캐치프레이즈는 "시간 빼고는 모두 무료"라는 것이다. 즉, 시간을 파는 카페다. 카페를 음료를 마시는 곳이 아닌 일정 시간 동안 머무는 곳으로 해석한 것이다.[21] 물건을 파는 것에서 경험을 파는 것으로 시장의 법칙이 바뀌고 있는 시대, 앞으로 모든 매장이 지퍼블랏처럼 제품이 아닌 체험 시간이나 서비스 단위로 팔게 될지도 모르는 일이다. 즐거운 시간을 구입했을 뿐인데 제품이 딸려오는 경험의 세상이 눈앞에 펼쳐지고 있다.

No One Backs You Up

각자도생의 시대

전에 없던 심각한 자연재해와 경기침체에 대한 불안은 깊어 가는데, 정부의 문제해결능력을 신뢰하지 못하고, 국민들은 제각기 살아 나갈 방법을 혼자 모색하고 있다. '각자도생各自圖生'이라는 개인주의적 생존전략이 사회 전반에 걸쳐 퍼지고 있는 것이다. "나는 억울하다"는 승복부재의 감정과 "나는 네가 싫다"는 타자혐오가 우려할 만한 수준에 이르렀다. 세계적으로도 전반적인 저성장 기조로 접어들면서 교류와 상생의 기운이 옅어지고 각자도생의 환율·대외 정책이 대두하는 가운데, 나라 안에서도 이렇다 할 문제해결의 기미는 보이지 않는다. 1인 가구가 증가하고 무서운 속도로 고령화가 진행되고 있는 가운데, 국가의 문제해결능력은 믿을 수 없고, 직장은 우리를 보호하지 못하며, 가족의 연대감도 급속히 약해지고 있다. 이러한 분위기 속에서 사회적 좌절과 범죄의 증가는 물론이고, 일본에서 현실화됐던 심각한 소비절벽의 시나리오가 우리나라에서도 현실화될지 모른다는 우려가 커지고 있다. 전보다 더 잘살기 위해서가 아니라 그저 생존하기 위해서라도 이러한 부정적인 기운을 극복하고 연대와 협력의 가치를 지향하는 자생적 시스템의 국가와 사회를 만들어 나가는 것이 절실하다. 대통령 선거를 목전에 둔 2017년, 공동체의 비전을 위해 지혜를 모을 수 있을 것인지, 리더들마저 집권만을 위해 각자도생할 것인지, 우리는 기로에 섰다. 도약할 것인가, 좌절할 것인가?

(다른 사람들에게 안전한 통로를 알려주지 않고 살길을 찾아 황급히 달아나는 아빠를 향해)

딸(수안): 말해줘야죠.

아빠(공유): 신경 쓰지마! 각자 알아서 사는 거야!

딸(수안): 아빠는 자기밖에 몰라…….

2016년 1,100만 명 이상의 관객을 태운 영화 〈부산행〉의 한 장면 이다. 바이러스에 의해 승객들이 좀비로 변하고 있는 긴박한 위험 속에서 "각자 알아서 사는 거야!"라며 각자도생을 선택한 현대인의 민낯을 적나라하게 담았다. 이 영화에서 공권력은 재난상황을 타개하기보다 숨기기 급급할 뿐이어서 승객들은 오로지 자신의 힘으로 살길을 모색해야 하는 절박한 상황에 처하게 된다. 기업과 소비자, 정부와 국민, 회사와 구성원, 심지어는 가족과 개인 간의 신뢰마저 그 기반이 점점 약해지고 있는 우리 사회를 보는 것 같다. 2016년 우리 국민들도 정치·경제·안전·환경 등 분야를 막론하고 개인의 생존을 위협하는 사고가 줄줄이 터지면서 〈부산행〉 열차에 탑승한 승객들과 다르지 않게 됐다.

'각자도생各自圖生', 제각기 살아 나갈 방법을 꾀하다

대한민국은 지금 모두 '각자도생' 중이다. 제각기 알아서 살아 나갈 방법을 절망적으로 찾고 있다. 이 절망적 각자도생의 모습이 가장 확연하게 보이고 있는 단면은 재해에 대비하는 소비자의 모습이다. 갖가지 화학제품 사고와 기록적인 폭염, 역대 최대 규모의 '9·12 지

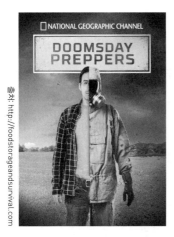

◀ 재난에서 살아남는 법이 TV 프로그램의 인기 소재가 될
정도로 이에 대한 사람들의 관심이 높다.

진', 남부지방을 맹폭한 '태풍 차바'까지, 남의 일 같던 사고와 재난
이 내 일이 되었다. 하지만 정부의 미숙한 대응체계가 반복되면서
'내 목숨은 내가 지켜야 산다'는 자발적 경각심이 높아졌다. 국가가
재난에 대한 준비가 부실하다는 사실은 자명해졌다. 이제 국민들은
긴급재난문자보다 개인이 만든 지진 앱과 알람에 더 의존하고 있으
며 스스로 '생존배낭'을 꾸리며 재난 대비마저 DIYDo It Yourself 중이다.

생존배낭은 재난재해 시 구조를 기다리며 72시간을 버틸 수 있는
물품을 담은 배낭으로, 이마저도 국내에는 매뉴얼이 없는 탓에 일본
의 지진 대처 안내책자인 〈도쿄방재〉를 참고해야 했다. 재난에 대한
온갖 유언비어와 괴담이 난무한 상황에서 생존배낭은 불안을 잠재
우는 도피처의 역할을 했다. 재난을 겪지 않은 사람들까지도 이 작은
배낭 꾸리기에 나섰던 것이다. 11번가는 배낭 하나만 있으면 지진과
화재 등 각종 비상상황에 대비할 수 있는 '피난 배낭 세트'와 '지진대

비 30종 피난세트'를 판매했는데, 20여만 원이 넘는 고가임에도 불티나게 팔렸다. 이러한 생존배낭은 마치 미국에서 화제가 되었던 **둠스데이 프레퍼스**를 연상케 만든다. 셀프 재난 대비 시대의 도래는 서점가의 분위기도 바꿔놓고 있다. 인터파크에 따르면 지진 발생 후 열흘간 '재난에서 살아남기' '재난시대 생존법' 등 지진관련도서 10종의 판매량을 분석한 결과 직전 열흘간보다 무려 870% 증가한 것으로 나타났다.[1]

정부의 지진 알림 시스템이 제때 작동하지 않으면서 지진앱 '지진희'를 설치하는 사람들도 많았다. 배우 지진희의 이름이 '지진이'로 들리는 것에 착안해서 만든 것이다. 게시판에 1분당 20개가 넘는 지진발생 제보 글이 뜨면 컴퓨터가 이를 감지하여 SNS 텔레그램을 통해 지진이 났다고 알려주는 앱이다. 입소문이 퍼지면서 일주일 만에 수만 명이 지진희 알림에 가입했다. 실제로 이 알림 서비스는 2016년 9월 21일 경주에서 규모 3.5 여진餘震이 발생했을 때에도 기상청 트위터나 국민안전처 재난문자보다 3~10분 먼저 속보를 알렸다.[2]

어쩌면 '과잉근심' 현상이라 지적할 수도 있지만, 이러한 재난대비의 자발적 움직임은 국가의 문제대응능력에 대한 불신이 어느 수준인가를 여실히 보여준다. 더 큰 문제는 이러한 각자도생의 모색이

둠스데이 프레퍼스
Doomsday Preppers

지구 종말의 날이 다가왔다고 생각하여 철저한 계획을 하고 개인적인 희생도 마다하지 않고 생존을 목표로 최후의 날을 대비하는 사람들을 지칭한다. 자기장 역전, 대지진, 석유대란, EMP공격, 초대형 화산, 금융붕괴, 태양폭발, 핵전쟁, 바이러스, 세계 전역에서 최후의 날이 멀지 않았다는 어두운 미래에 대한 믿음이 퍼지며, 만반의 준비 태세를 갖추고 자기 방어에 전념하는 각계각층의 평범한 사람들이 늘고 있다. 미국 내셔널 지오그래픽이 방영한 동명의 TV 시리즈물이 인기를 끌기도 했다.

자연재해에 대한 대비 정도에 그치는 것이 아니라, 우리나라 모든 영역에서 관찰되는 하나의 '증후군'이 되고 있다는 사실이다. 지진이나 태풍보다 더 큰 재난은, 누구도 믿을 수 없다는 불신, 공동체적 정의正義에 승복할 수 없다는 억울함, 나 이외의 타인은 어떻게 돼도 좋다는 혐오와 배척 등과 같은 사회적 연대감의 상실이다. 왜 이렇게까지 됐을까? 현재 대한민국에 짙게 드리워진 각자도생의 증후군을 먼저 살펴보고, 그 원인에 대해 분석한 후, 이러한 현상이 소비영역에 미치는 영향과 이를 타개할 수 있는 방안을 함께 모색해본다.

심상치 않은 사회적 징후들

대한민국 사회에 적신호가 켜졌다. 우리나라의 행복지수가 OECD 국가 중 하위권을 맴돈 지 오래지만, 최근 들어 우울증과 자살률은 세계 최고 수준으로 높아지고, 공동체적 연대의식이나 유대감은 바닥으로 떨어졌다. 거리를 지나다보면 사람들의 태도는 바짝 날이 서 있고, 불만이 가득하거나 아예 무표정인 얼굴들을 많이 지나치게 된다. 단지 느낌이 아니다. 이른바 '묻지마 범죄'가 늘고 있는 가운데, 2016년 분노운전·보복운전 건수가 하루 6건 이상 발생하며 전년보다 31%나 증가했다.[3] 그야말로 사람들의 마음에 내재된 분노가 폭발 직전에 이른 것 같다. 지금 대한민국을 둘러싼 부정적 감정은 매우 다양하지만, 그중 가장 심각하다고 여겨지는 두 가지 증상을 이야기해 보자.

각자도생 증후군 1: 나는 억울하다

인간에게 가장 견디기 어려운 감정의 하나가 '억울함'이라고 한다. 특히 한국인에게 억울함의 근원은 뿌리가 깊다. 한恨과 원怨이라는, 번역이 쉽지 않은 한국인 특유의 감정에까지 닿는다. 『한국인의 심리학』에서 최상진 교수는 한을 "남으로부터 억울한 피해를 당해서, 사람 취급을 못 받는 자기 자신의 처지와 신세에 대해 원망하며 슬퍼하는 감정과 생각"이라고 정의한다. 한과 구분되는 원은 자신의 억울한 불행에 대한 원인과 책임이 내가 아닌 다른 사람이나 상황에 있는 것으로 지각하면서, 그 대상이나 상황을 원망하는 것이다.[4]

한국인의 대표적인 문화 관련 증후군culture related syndrome이라고 할 수 있는 '화병Hwa-Byeong, 火病' 역시 한과 원의 맥락에서 이해할 수 있다. 미국 정신의학회 진단 편람에서는 오랫동안 민간에서 사용된 화병이라는 용어를 그대로 차용하고, 화병을 공식적으로 규정하며 일종의 분노증후군anger syndrome으로 해석하고 있다. 화병은 신체적인 통증뿐 아니라 명치에 뭔가 걸려 있는 느낌, 식욕 저하, 불면, 우울감 등 다양한 증상을 동반한다. 자신의 우울과 분노를 억누르며 살다보니 그 억압된 분노가 신체적·정신적 증상으로 발현되는 것이다.

아무리 한국인 특유의 한, 원, 화병을 상기하더라도 최근 현대 한국인이 호소하는 억울함의 근원을 설명하기는 충분하지 않은 것 같다. 지지부진한 경제, 불안한 자연재해, 안전사고, 강력범죄, 무력한 공권력과 행정력, 그리고 소모적인 갈등만을 유발하고 있는 정치상황까지……. 우리가 직면하는 개인적인 문제들조차 이것을 나의 문제로 받아들이기 쉽지 않은 나라의 구조적 문제가 너무 큰 것이다.

억울함은 '승복할 수 없음'에서 온다.『우리는 왜 억울한가』의 저자 유영근 판사는 우리나라 사람들의 원한의 감정, 억울함의 감정에 대해 집중적으로 조명한다. 그에 의하면 억울하다는 감정은 기본적으로 자신에게 책임과 잘못이 없다는 표현이다. 분명 부조리한 상황인데 따질 길도 없고 하소연할 곳도 마땅치 않다. 이 감정이 극단으로 치달으면 불특정 다수에 대한 분노로 표출되어 이른바 '묻지마 범죄'를 저지르기도 한다. 범죄라는 바닥에 떨어지지 않더라도 마음속 억울함의 응어리를 부여잡고 살아가는 사람들이 대부분이라고 해도 과언이 아닐 정도로 우리 사회의 억울함은 그 수준이 심각할 정도로 높다.[5]

이러한 억울함의 심리는 어디서 시작되는 것일까? 최상진 교수는 『한국인의 심리학』이라는 저서에서 억울한 마음을 '자신이 부당한 피해를 당했다는 사실에 대해 수용하기 어려운 마음의 상태'로 정의했다. 그는 억울함의 요소로 ① 피해 당사자는 자기 자신이며, ② 피해의 성격은 부당하고, ③ 피해의 결과에 대한 마음의 상태는 그것을 기정사실로 수용하기를 거부한다는 세 가지를 꼽았다. 무엇보다 당사자의 피해심리에 있어 '부당함'이라는 피해의 기준은 객관적이라기보다는 주관적이며, 사회정의보다는 심정논리에 기초하는 경우가 많다는 점을 강조한다.[6]

한국인은 지금 억울하다. 자신의 행동이 원인이 아닌, 누군가의 잘못들 때문에 감당하기 힘든 부당한 피해를 혼자 스스로 감내한다. 이 부당함에 대한 피해의식이 타인에 대한 배척으로 나타난다.

각자도생 증후군 2: 네가 싫다

2016년 추석날 어느 고속버스 기사가 차표를 구하지 못한 군인에게 무료로 버스 안내양 자리를 내줬다. 그는 인터넷 커뮤니티에 "내가 해줄 수 있는 게 이것뿐이다. 군인양반"이라는 글을 남겼다. 하지만 그는 이 글을 사흘 만에 자진해서 내려야 했다. "군인을 공짜로 차에 태워주는 것은 '여혐(여성혐오)'이라는" 비난을 받았기 때문이었다. 하지만 그는 인터뷰에서 "본인이 특전사 출신이라 군인들 보면 짠해서 태워줬을 뿐이고, 여군이었어도 버스에 태웠을 것"이라고 밝혔다.[7] 사실 훈훈한 미담이 됐어야 할 버스기사의 글이 혐오성이라는 비난을 받았다는 사실은, 지금 한국의 인터넷 문화가 얼마나 배타적이고 공격적인지 잘 보여준다.

실제로 우리나라에서 등장하는 인터넷 신조어 중에서는 유독 타인을 혐오하고 비하하는 용어가 많다. 벌레충蟲 자를 붙인 혐오 신조어는 극우 성향 커뮤니티인 '일간 베스트' 회원을 가리키는 '일베충'에서 시작됐다. 40~50대 남성을 비하해 개념 없는 아저씨라는 뜻의 '개저씨', 노인을 비하하며 틀니를 딱딱거리는 벌레라는 뜻의 '틀딱충', 여성을 비하하는 '김치녀', 한국 남자를 벌레로 비하하는 '한남충' 등의 부정적 신조어들이 봇물 터지듯 쏟아져 나오고 있다. 빅데이터 분석업체 다음소프트가 지난 2011년부터 2016년 5월 말까지 블로그·트위터 등에 게시된 글을 분석한 결과 '일베충'은 85만 건 이상 언급됐다. 2016년 처음 등장한 '한남충'이란 표현은 18만 건 이상 쓰일 정도로 퍼졌다. '개저씨'는 2013년 188건 사용되는 데 그쳤지만 2015년에는 8만 건 가까이 쓰이기도 했다.[8]

현재 이러한 신조어들은 우리 사회에 만연한 정치·사회·문화적 갈등 양상을 노골적으로 드러낸다. 소수자나 사회적 약자에 대한 차별적 발언을 금기시하는 미국·유럽과 달리 우리나라에는 아직 혐오표현에 대한 법적 규제가 없는 것도 이러한 신조어를 양산하는 원인이기도 하다.[9]

'팩트폭력'이라는 말도 있다. 사실을 뜻하는 '팩트'와 폭력의 합성어로 "상대의 주장이나 의견에 대해 반박할 수 없게 각종 데이터·통계 등을 내밀어 '입 다물게' 하는 대응법"을 일컫는다.[10] 예를 들어, 대입수험생이 게시판에 "응원해 주세요" 하고 메시지를 올리면 "3년치 통계상 네 성적으로 대학 문턱은 어림도 없다"고 댓글을 다는 식이다. 단순한 악플이 아니라 사실에 입각하고 있다는 점에서 오히려 더 상처가 되는 경우가 많다. 익명공간에서 타인에 대한 배척이 이토록 다양한 모습으로 나타나고 있다는 점에서 우려스럽다.

개인적인 증오도 넘친다. 이별을 통보받고 여자친구에게 빙초산을 뿌린 사건, 재결합을 거부한 여성에게 흉기를 휘둘러 사망에 이르게 한 사건, 이별한 여자친구가 새로 만나게 된 남자를 찾아가 야구방망이로 때린 사건 등 최근 10년간 발생한 이별살인 피해자만 1,000명이 넘어섰다고 한다. 특히 헤어진 연인에 대한 보복으로 사생활이나 특정 신체부위가 노출된 사진·영상을 유포하는 리벤지(복수) 포르노도 늘고 있다.[11] 증오의 수위가 점차 높아지고 있다.

그렇다면 이렇듯 심화되고 있는 현대인의 부정적 심리 증상이 각자도생이라는 생존을 위한 각개전투의 모습으로 번져나가는 이유는 무엇일까?

각자도생의 배경

―

각자도생은 사실 우리나라뿐만이 아니라 전 세계적인 현상이다. 국가 간 무역장벽을 허물고, EU 공동체가 표방한 무국경의 교류와 상생의 분위기가 종언을 고하고, 세계 각국이 보호무역과 고립주의를 선택하는 분위기가 거세지고 있다. 인위적으로 통화가치를 하락시키는 일본의 엔저 정책, 중국의 위안화 환율정책 등이 자국의 이익보호를 위한 대표적인 각자도생 금융정책이다.

고립주의의 바람이 불면서 영국은 자국의 이익을 위해 EU를 탈퇴하는 브렉시트를 감행했다. 영국의 EU탈퇴 결정으로 파운드화가 급락한 반면 달러와 엔화 가치가 급등했다. 결국 자국이기주의를 앞세운 보호무역의 확산과 서로 앞다투어 통화 가치를 평가절하하려는 국가적 이기심이 번지며 전 세계적으로 각자도생의 분위기가 짙어지게 된 것이다. 또 미국의 대선후보 트럼프나 필리핀의 두테르테 대통령처럼 극단적인 혐오발언을 쏟아내는 정치지도자에 대한 지지가 높아지는 기현상 역시, 이러한 각자도생의 문화가 글로벌한 트렌드임을 짐작하게 한다.

하지만 왜 '각자'도생인가? 다시 말해서 세계적 경제불황과 안보위기를 맞아 나라별로 자국이기주의를 강화하는 것까지는 이해할 수 있다고 하더라도, 왜 그 나라 안에서 국민 개개인이 '각자' 살아남아야 한다는 위기의식을 절감하고 있는가? 이는 역시 믿을 수 있는 문제해결 주체의 상실, 공동체적 연대의식의 붕괴 등이 더 중요한 원인이라는 점을 의미한다.

믿을 수 없는 국가의 문제해결 능력

살기는 힘든 데 믿을 곳이 없다. 일단 나라를 믿을 수 없다. 문제해결의 가장 기본적 공동체인 국가의 역량을 신뢰할 수 없을 때, 구성원은 각자 살 길을 도모할 수밖에 없는 것이다. 이러한 현상은 역사가 길다. 『조선왕조실록』을 살펴보면, 임진왜란과 정묘호란의 시기에 각자도생이라는 용어가 언급되었다. 1594년 선조실록에는 "백성들이 장차 살육의 환난에 걸릴 것이니, 미리 알려주어 각자 살길을 도모할 것으로 몰래 전파하라"는 내용의 기록이 있다.

인조 때인 1627년에는 "종실은 모두 나라와 더불어 운명을 함께해야 할 사람인데 난리를 당하자 임금을 버리고 각자 살기를 도모한 것은 실로 작은 죄가 아니다"라고 기록하고 있다. 순조 때인 1809년 흉년의 실상을 상소한 내용에도 "처음에는 나물을 베어 먹고 풀뿌리를 캐어 먹으면서 시각을 연장시켰습니다만, 지금은 정리#里를 떠나 각기 살기를 도모하고 있습니다. 그리하여 어미는 자식을 버리고 남편은 아내와 결별하였으므로 길바닥에는 쓰러져 죽은 시체가 잇따르고, 떠도는 걸인들이 무리를 이루고 있습니다"라고 적고 있다.

국민이 맞닥뜨리는 상황은 절박한데, 나라는 이를 해결할 능력이 없다고 판단될 때 등장하는 절절한 단어가 바로 '각자도생'인 것이다. 강산이 몇 번이나 변할 만큼 세월이 흘렀고, 나라는 OECD에 가입할 만큼 국력이 강해졌다지만 세월호 사건, 메르스 사태, 지진 발생, 옥시 사태 등 공권력의 통제 불능이 재난으로 이어지며 각자도생이라는 표현이 다시금 유행처럼 회자되고 있다.[12]

사라진 평생직장 개념

일본에서 시작된 '사축동화(기존의 동화 내용을 사축 코드에 맞춰 패러디한 것)'가 우리나라에서 화제가 된 적이 있다. 사축은 '회사會社'와 '가축家畜'의 끝 글자를 합쳐서 만든 신조어다. '회사에서 기르는 동물'이라는 뜻으로 박봉과 긴 노동시간, 고된 업무, 냉정한 조직 문화, 고용 불안 등 힘든 현실에 놓여 있는 직장인들을 빗댄 말이다. 본래 일본에서 가정이나 사생활도 없이 회사 일에 매진하는 기성세대에 대한 조롱으로 쓰였던 말이었으나, 점차 직장인들이 답답한 현실에 대한 분노와 자괴감을 표출하는 자조적인 의미로 확산됐다.

우리나라에서도 2015년 4월부터 일본에서 인터넷을 중심으로 유행하던 '사축동화'를 한국 네티즌들이 번역해 나르면서 이 말이 쓰이기 시작했다. 사축동화의 버전은 여러 가지가 있는데 대표적인 몇 가지만 소개하면 다음과 같다.[13]

#1. 인어공주

인어공주가 마녀에게 애원했습니다. "마녀님, 저 정직원이 되고 싶어요." 마녀는 말했습니다. "그러면 우리 회사로 이직해와. 대신 너의 목소리를 받아가마." 인어공주는 정사원이 되었지만, 월급이 줄고 야근수당은 나오지 않았고, 휴일도 사라졌습니다. 목소리를 잃어 노조에 호소할 수도 없고, 노동청에 신고하지도 못하게 된 인어공주는 결국 거품이 되어 사라졌습니다.

2. 성냥팔이 소녀

소녀는 성냥을 팔았습니다. 월급은 세전 130만 원, 월 200시간이 넘는 수당

없는 추가 근무를 했습니다. 영하를 넘나드는 가혹한 노동 환경. 소녀가 추위를 견디지 못하고 성냥을 피우자, 회사는 상품을 무단 사용한 소녀를 바로 고소했습니다.

이러한 사축 회사원에 대한 자조와 패러디가 유행하면서 일본에서 출간된 『가면사축』의 저자는 젊은 직장인들에게 나름의 각자도생 전략을 전파하기도 했다. "사축은 늦게까지 야근하면서 일한다는 기분에 빠져들지만 가면사축은 정시에 퇴근한다", "사축은 회사 일에 많은 시간을 쓰지만 가면사축은 정보 수집과 공부 시간을 가장 우선시한다"와 같이 어떻게 하면 상사와 회사를 철저히 이용할 수 있는지 42가지 항목으로 알려준다.[14] 사축이라는 용어의 등장은 한때 우리를 평생 책임져 줄 것이라고 믿었던 직장에 대한 신뢰가 '회사의 나라' 일본에서조차 급격하게 무너지고 있음을 보여준다.

1인 가구의 급증, 해체되는 가족관계

각자도생이 화두로 제기되는 중요한 인구학적 배경은 1인 가구의 급증이다. 이는 세계적인 현상으로 스웨덴의 1인 가구 비율은 34%에 이른다. 홀로 자녀를 키우는 싱글족(8%)까지 합치면 10명 중 4명은 배우자 없이 살아가는 셈이다. 우리나라의 1인 가구 비율도 25%에 달해 4가구 중 1가구가 혼자 산다. 그런데 스웨덴의 1인 가구와 국내의 나홀로 가구는 심리적으로 큰 차이가 있다. 스웨덴의 경우 사회안전망이 견고하고 대량 실업의 충격을 최소화할 장치도 충분하기 때문에 혼자 미래를 설계하는 상황에 대한 불안이 적다. 든든한 사회안전망을 기반으로 자발적인 싱글의 삶을 선택한 경우가 많다.[15] 반면 우리나라의 사회적 안전장치는 여전히 부족한 탓에 혼자 사는 사람일수록 더 적극적으로 각자도생이란 생존전략을 취할 수밖에 없다.

앞의 '1코노미' 트렌드에서 설명한 바와 같이 가족 내의 유대감도 지속적으로 약해지면서, 가장 문제가 되는 것은 노후 대비에 대한 불안감이다. 보건복지위원회 소속 정의당 윤소하 의원이 국민연금공단이 제출한 〈국민연금 청년 가입자 현황〉(18~30세) 자료를 분석한 결과 2016년 6월 국민연금에 가입한 30세 이하 전체 청년은 286만 5,757명인데, 이 가운데 131만 1,275명(45.8%)이 보험료를 내지 않는 '납부 예외' 상태였다. 실업과 낮은 소득 등 경제적 문제에 직면해 연금 납부를 하지 못하고 있는 것이다.[16] 또한 국민연금이라는 공적자금에 대한 불신도 높아 고의적으로 연금 납부를 회피하는 청년들도 많다. 이렇게 젊은 시절부터 흔들리고 있는 노후 대비가 향후 국내 경제에 어떤 파장을 일으킬지 우려된다.

노후 대비 문제와 관련해 일본에서는 '노후파산'라는 용어가 화제가 되기도 했다. '노후 파산'은 NHK가 2014년 방송한 〈노인표류사회-'노후파산'의 현실〉 제작팀이 당시 취재기록을 바탕으로 쓴 책이다. 취재팀이 만난 노인들은 모두 한 평생 열심히 일했음에도 노후파산의 늪에 빠져, 빨리 죽고 싶다고 몸부림친다. 가난한 노인들을 위한 생활보호 제도가 있지만 연금 수입이 있다는 이유만으로 혹은 예금 잔고가 있다는 이유로 혜택을 받지 못하는 경우도 많기 때문이다. 질병이라도 걸리면 이들의 삶은 더욱 피폐해진다. 이러한 노후파산의 공포는 단지 일본의 문제만이 아니다. 가파른 고령화 추세로 인

더 큰 문제는 이러한 **각자도생**의 모색이 자연재해에 대한 대비 정도에
그치는 것이 아니라, 우리나라 모든 영역에서 관찰되는 하나의 '증후군'이 되고
있다는 사실이다. 지진이나 태풍보다 더 큰 재난은, 누구도 믿을 수 없다는
불신, 공동체적 정의에 승복할 수 없다는 억울함, 나 이외의 타인은 어떻게 돼도
좋다는 혐오와 배척 등과 같은 **사회적 연대감**의 상실이다.

해 독거노인이 늘고 있지만 우리나라의 사회안전망이나 보장제도는 여전히 부실하다. 현재 한국의 65세 이상 노인 빈곤율은 2012년 기준 49.6%로 불명예스럽게도 경제협력개발기구OECD 국가 중 1위다. 노인 자살률은 2014년 기준 10만 명당 55.5명으로 전체 자살률의 두 배를 넘었다.[17]

과거에는 노약자로 불리며 주로 범죄 피해자였던 노인들의 일부가 이제는 가해자가 되어 범죄를 저지르는 일도 잦아지고 있다. 이른바 '폭주노인暴走老人'이 증가하고 있는 것이다. 폭주 노인이란 용어는 일본 작가 후지와라 도모미의 책『폭주 노인』에서 시작됐다. 말 그대로 '매우 빠르게 달리는 속도'처럼 쉽게 흥분하며 감정이 폭발해 범죄를 저지르는 노인을 지칭한다. 작가는 이 책에서 "노인들이 거칠어지는 것은 급격한 사회변화에 적응하지 못했기 때문"이라며 "현대 사회에 대한 부적응과 고독한 삶을 알리는 절규가 거친 방식으로 표현된 것"이라고 설명했다.[18] 우리 사회가 이렇게 소외되고 고립되고 뒤쳐진 이들을 방치한다면 사회적, 경제적으로 여러 가지 부작용들이 속출할 것은 명확하다.

각자도생의 직접적 여파, 소비절벽

—

계속되는 불황과 인구절벽은 소비시장에도 최악의 시나리오를 써내려 가고 있다. 지난 몇 년간 지속적으로 위축되고 있는 우리나라의 소비심리는 여러 가지 원인이 복합적으로 작용한 탓이지만, 그 숨은 이유로는 지금 이야기하고 있는 각자도생의 문제가 있다.

2016년 2분기 현재 가계의 평균소비성향(70.9%, 2분기 기준)은 지난 2008년 금융위기 당시(74.6%, 4분기 기준)는 물론, 메르스 사태가 있던 지난해(71.6%, 2분기 기준)나 세월호 참사가 있었던 2014년(73.3%, 2분기 기준)보다도 낮다. 지출 전반에 걸쳐 금액이 줄어든 가운데 삶의 질 개선이라고 보기 어려운 담뱃값과 세금만 크게 늘었는데, 최근 3년 내내 세금의 증가 속도는 개인이 자유롭게 소비할 수 있는 '가처분소득'의 증가보다도 빨랐다. 여가비(오락·문화) 지출은 소득 상위 40% 이상에서만 늘었고 하위계층으로 갈수록 크게 줄어 삶의 질이 악화되고 있음을 여실히 드러냈다.

이러한 현상은 저출산·고령화의 인구변화와 맞물리면서 소비 시장의 장기적인 전망을 더욱 어둡게 만들고 있다. 정부는 저출산·고령화에 따른 생산가능인구 감소가 경제성장을 저해하는 **인구 오너스** 시대가 2017년부터 본격적으로 도래할 것으로 내다보고 있다. 지금과 같은 단기적 처방만으로는 막을 수 없다. 소비절벽은 이제 피하기 어려운 재앙으로 다가오고 있다.[19]

일본 전문가인 서울대 국제대학원 김현철 교수는 일본의 전례를 들며 인구절벽과 소득감소, 그리고 소비절벽이 다가올 불안한 우리의 미래를 다음과 같이 설명한다.

"젊은 인구가 줄면 술집이 문을 닫고, 커피숍,

인구 보너스 & 인구 오너스

emographic bonus & demographic onus

인구 보너스는 전체 인구에서 차지하는 생산연령 인구(15~64세)의 비중이 증가하여 노동력과 소비가 늘면서 경제성장을 이끄는 것을 말하며, 인구 오너스는 생산연령 인구의 비중이 하락하면서 경제성장이 지체되는 것을 의미한다.

노래방도 줄고, 미용실도 준다. 일본도 거리의 상점 하나하나가 비더니 나중에 통째로 사라졌다. 골목상권이 무너지면 내수기업 중심으로 매출이 준다. 매출이 줄면 기업은 임금과 고용에 손을 댄다. 이미 지금 우리에게 일어나고 있는 일이다. 개인과 기업 소득이 줄면 정부의 세입이 줄고 재정적자가 확대된다. 이 악순환이 무서운 복합불황, 곧 잃어버린 20년이다. 지난 60년간 우리가 경험하지 못한 사태가 곧 닥친다."[20]

시사점
신뢰 회복을 위해 '작은 연대'의 가치를 높여야
—

이러한 우려의 질곡 속에서 어떻게 하면 변화의 단초를 구할 수 있을 것인가? 핵심은 결국 신뢰다. 미국의 정치학자 프랜시스 후쿠야마Francis Fukuyama는 『트러스트trust』라는 책에서 '신뢰'라는 사회적 자산이 사회의 경제적 번영을 결정지을 것이라고 전망했다. 한 나라의 경제번영을 위해서는 경제의 규모뿐만 아니라 사회적 자본이 필수적인데, 그중에서도 가장 중요한 덕목이 신뢰라는 것이다. 결국 공동의 번영을 위해서는 건강한 공동체적 연대와 협력을 다져야 하며, 이를 위해 신뢰 자본은 모든 분야에 있어서 가장 핵심적인 가치가 되어야 한다.

핵심 가치는 '함께하기'
전 세계적인 불황과 저성장의 기조는 어쩔 수 없는 경제 흐름이라고 하더라도, 우리 사회조차 각자의 무한이기주의만을 내세우는 각자도 생의 경제로 치닫는 것은 반드시 막아야 한다. 위기의 상황에서 견고히 버티며 번영하는 국가들을 살펴보면 대개가 강한 공동체적 연대를 이룩한 고신뢰 사회의 모습을 보이고 있다. 이에 반해, 공동체적 연대가 미약한 사회는 저신뢰 사회다. 스웨덴·독일·덴마크 등이 전형적인 고신뢰 사회로 인정받는 나라들인데 이들 나라의 공통점은 사회공동체적 연대와 협력이 잘 이루어져 있다는 것이다.[21] 고신뢰 사회의 연대와 협력이 그렇다고 해서 꼭 사회적 캠페인과 정책의 산물인 것은 아니다. 결국은 개개인의 사고방식과 가치관이 합쳐지면서 나타나는 것이 사회현상이기 때문이다.

비교적 여유로운 경제여건, 인구가 많지 않아 경쟁이 높지 않다는 점, 잘 정비된 사회안전망 등의 환경이 우리나라와는 많이 다르겠지만, 이들 나라의 전반적인 사회 분위기를 표현하는 단어로 '관용과 배려'를 들 수 있다. 관용은 별로 마음에 들지 않거나 설혹 내가 손해를 보더라도, 너그럽게 봐주는 태도로, 이들 나라의 역사적 사건들과 이민자 문화와 관련이 있다. 한편 배려는 가정에서 어려서부터 시작되는 지속적인 교육의 산물일 수도 있다. 이런 문화 속에서는 배타적이고 공격적인 '각자도생' 라이프스타일이 오히려 배척받기도 한다. 최근 세계 최고의 행복지수로 부러움을 사고 있는 유럽의 소국, 덴마크가 그들만의 행복 공식을 전파하고 있어 세계인의 관심을 끌고 있다. '휘거' 혹은 '후가'라고 발음되는 덴마크 단어 'hygge'가 그것이다. 속도를 늦추고, 자연과 함께 소박하게 살며, 먹고 입는 것에서 단순함을 추구하는 이 편안한 생활방식에서 가장 중심을 이루고 있는

◀ 덴마크식 행복 라이프스타일
'휘거.' 이 새로운 삶의 방식에
서 가장 두드러지는 것은 바로
'함께 한다'는 것이다.

것은 바로 '함께 하기togetherness'다. 혼자가 아니라 가족끼리, 친구끼리, 동료끼리, 혹은 반려동물과 함께 즐거운 시간을 보내는 것이다. 이 새로운 행복공식을 열심히 퍼뜨리고 있는 사람들은 덴마크가 세계로 수출해야 할 것으로 단연 '휘거 정신'을 꼽기도 한다. 각자도생 사고가 지배하는 팍팍한 대한민국에서 느리고, 소박하고, 함께하는 덴마크식 삶의 방식은 분명 시사하는 바가 크다.

최종 해답은 어디에?

지나치게 파편화·원자화가 진행된 사회에서 신뢰를 다시 그러모으기는 쉽지 않다. 과거 자의든, 타의든 사람들을 결속시켰던 거대 권력이나 권위에 대한 복종도 이젠 찾기 힘들다. 이럴 때 사람들은 마치 '풀잎'처럼 자생적으로 살길을 도모한다. 작게, 조금씩 할 수 있는 일부터 찾아나서는 것이다. 그 시작이 사회적 경제와 생활협동조합 같은 것일 수도 있다. 사회적 경제는 이윤의 극대화를 목표로 하는 시장 경제와 달리 사람의 가치를 우위에 두는 경제활동을 말한다. 사하지만 지금 이 시점에서 가장 중요한 것은 무엇보다 리더십의 복원이다. 각자도생의 시대에는 제각기 자기 살길을 모색한다지만, 나라를 각자도생의 늪에서 건져낼 책임을 지고 있는 정치인과 공무원마저 차기집권과 영향력 유지에 더 관심을 쏟으며 그들 역시 각자도생하는 바쁜 모양새다. 불확실한 세계 안보와 경제의 소용돌이 속에서 국민들의 좌절은 깊어만 가는데, 헌법개정과 대통령 선거를 치려야 하는 2017년은 이 걱정스럽기 짝이 없는 각자도생의 문화와 소비절벽의 위기를 타개할 수 있는 중차대한 해가 될 것이다.

회적 기업은 사회적 목적을 우선시하면서 재화, 서비스의 생산 판매 등 영업활동에 나선 조직으로 규정된다. 인간을 중심에 두고 생명을 존중하며 지속 가능한 경제활동을 통해 부를 창출하는 것을 목표로 한다.[22] 각자도생의 시대를 맞아 불통과 공동체 해체의 종착지를 향해 달려가기보다 사회적 경제라는 새로운 출발지를 설정할 수 있는 변화가 필요한 때다.

생활협동조합, 줄여서 '생협'이라고 하는 모델은 사회적 연대와 협력의 가치를 극대화하는 이상적인 경제 모델의 하나로 주목받고 있다. 생협은 이미 선진국에서 작지만 의미 있는 성과를 보이고 있다. 유럽의 경우 매출 50위권 기업 중에서 협동조합 기업이 무려 15개에 이른다. 협동조합은 지역경제를 견고히 다지는 역할을 하며 다양한 사회적 연대와 공익의 가치를 실현해 나가고 있다. 우리나라가 '돈' 중심의 주식회사들이 주로 지배하는 것에 비해 유럽은 '사람' 중심의 협동조합이 시민경제의 커다란 한 축을 이룬다. 최근 우리나라에서도 이러한 생활협동조합이 속속 등장하고 조합원도 늘어나고 있어 앞으로 연대와 협력의 자생적 시민경제 정신을 확립시킬 대안으로 주목받고 있다.

하지만 지금 이 시점에서 가장 중요한 것은 무엇보다 리더십의 복원이다. 각자도생의 시대에는 제각기 자기 살길을 모색한다지만, 나라를 각자도생의 늪에서 건져낼 책임을 지고 있는 정치인과 공무원마저 차기집권과 영향력 유지에 더 관심을 쏟으며 그들 역시 각자도생하기 바쁜 모양새다. 이런 와중에 헌법개정 논의가 시작됐다. 몸에 맞지 않는 소위 1987년 체제를 개혁해 새로운 도약의 발판이 될 제도적 기반을 만들어 보자는 취지에 반대할 사람은 없겠지만, 새로운 헌법의 구체적 내용이 어떠해야 하는가를 놓고 백가쟁명이 벌어지고 있다. 가장 걱정되는 것은 개헌논의를 통해 나라의 미래를 걱정하기보다, 자기 정파의 집권에 조금이라도 유리한 방향으로 이끌어가려는 정치 지도자들의 '각자도생'이다.

불확실한 세계 안보와 경제의 소용돌이 속에서 국민들의 좌절은 깊어만 가는데, 헌법개정과 대통령 선거를 치러야 하는 2017년은 이 걱정스럽기 짝이 없는 각자도생의 문화와 소비절벽의 위기를 타개할 수 있는 중차대한 해가 될 것이다. 공동체의 비전을 위해 지혜를 모을 수 있을 것인지, 리더들마저 집권만을 위해 각자도생할 것인지, 우리는 기로에 섰다.

〈트렌드 코리아〉 선정 2016년 대한민국 10대 트렌드 상품

1 "1인·맞벌이 가정이 키운 '가정 간편식'", 〈조선일보〉, 2016.09.27.
2 "1인·맞벌이 가정이 키운 '가정 간편식'", 〈조선일보〉, 2016.09.27.
3 "'화학제품 공포시대' 친환경·천연제품 열풍", 〈조선일보〉, 2016.10.02.
4 "캐릭터에 심쿵… 키덜트들 '우린 위로가 필요해'", 〈한국일보〉, 2016.08.31.
5 "캐릭터에 심쿵… 키덜트들 '우린 위로가 필요해'", 〈한국일보〉, 2016.08.31.
6 "캐릭터에 심쿵… 키덜트들 '우린 위로가 필요해'", 〈한국일보〉, 2016.08.31.
7 "부산행, 한국서 흥행 이유는?… LAT '한국 사회 현실 반영'", 〈국제신문〉, 2016.08.16.
8 "꽃중년의 재발견 '아재' 전성시대", 〈동아일보〉, 2016.08.27.
9 "소통 위해 찢어진 청바지 입는 아재", 〈economic review〉, 2016.07.20.
10 "시장 20%(배달앱) 대체…'3년 내 전분야로 확대'", 〈매일경제〉, 2015.12.11.
11 "시장 20%(배달앱) 대체…'3년 내 전분야로 확대'", 〈매일경제〉, 2015.12.11.
12 "편의점 커피 열풍… '4배 비싼 전문점 안갑니다'", 〈아시아경제〉, 2016.07.20.
13 "안마의자 누워 생과일주스 마시며 갤럭시S7으로 채식주의자 읽었다", 〈매일경제〉, 2016.07.01.
14 "안마의자 누워 생과일주스 마시며 갤럭시S7으로 채식주의자 읽었다", 〈매일경제〉, 2016.07.01.
15 "인터넷 이용자 10명 중 6명, '간편결제' 쓴다", 〈아시아경제〉, 2016.01.31.
16 "간편결제서 송금·대출·자산관리까지… 경계 사라진 금융 서비스 '핀테크'", 〈이투데이〉, 2016.10.05.
17 "5년 사이 댄스음악 지고 힙합이 떴다", 〈한국일보〉, 2015.05.08.
18 "빼빼로·스프라이트 '스웩'… 식품업계 '힙합 마케팅' 열풍", 〈서울경제〉, 2016.06.23.
19 "힙합에 빠진 2030 '눈치 보는 사회, 힙합은 짜릿한 출구'", 〈한국일보〉, 2016.09.22.

제1부 2016년 소비트렌드 회고

Make a Plan Z '플랜 Z', 나만의 구명보트 전략

1 "꼴찌의 반란… 1위 업체 위협하는 PB 상품", 〈조선비즈〉, 2015.11.25.
2 "쥬씨, 가맹사업 1년 만에 510호점", 〈이데일리〉, 2016.06.20.
3 "역시즌·전시품… 'B급' 파는 유통업계", 〈뉴스토마토〉, 2016.06.08.
4 "이번 여름 휴가는 집에서 보낼래", 〈조선닷컴〉, 2016.03.23.
5 "알뜰한 홈카페족, '리파상품'으로 커피머신 구매한다", 〈디지털타임스〉, 2016.08.17.
6 "지난 해 '발망 대란' H&M 올해는 겐조와 협업", 〈매일경제〉, 2016.05.26.
7 "얇아진 지갑… 중고 명품 알뜰족 구매 늘어", 〈한강타임즈〉, 2016.02.29.
8 "점점 커지는 중고책 시장… 출판계 vs 소비자 의견 대립", 〈한국경제〉, 2016.08.10.
9 "얇아진 지갑… 물물교환 성행", 〈조선비즈〉, 2016.01.27.
10 "지갑 가벼워 립스틱·향수·약까지 분할 구매해 써… '알뜰족의 품앗이' 주장도", 〈중앙일보〉, 2016.06.18.
11 "돈버는 어플 '돈 버는 키보드' 구글플레이스토어 정식 출시", 〈이투뉴스〉, 2015.12.16.
12 "돈버는 어플, 리워드앱의 똑똑한 진화", 〈이데일리〉, 2016.02.12.
13 "혼술족은… 칵테일 발효주에 반하고", 〈매일경제〉, 2016.07.26.
14 "2016 국제캠핑페어, '일상 속 즐거움: 홈캠핑' 기획전 선봬", 〈한국경제〉, 2016.02.18.
15 "헬스장 다닐 돈도 여유도 없어요… 나는 홈트족", 〈한국일보〉, 2016.07.20.
16 "불황 먹고 진화하는 '셀프네일아트'… 기업도 '실속 트렌드' 전파", 〈뉴스1〉, 2016.06.25.
17 "새로 꾸민 저희 집 둘러보세요, 스마트폰으로", 〈조선닷컴〉, 2016.04.04.
18 "철 지나고 흠집 있어도 싸니까! 'B급 상품' 전성시대", 〈브릿지경제〉, 2016.08.10.

Over-anxiety Syndrome 과잉근심사회, 램프증후군

1 "옥시에 놀란가슴… 화학포비아 확산", 〈헤럴드경제〉, 2016.05.11.

2 "아직도 겁나요… '옥시 포비아' 여전한 생활용품 시장", 〈머니투데이〉, 2016.09.20.

3 "과잉 근심' 나는 왜 사소한 일도 늘 걱정할까", 〈매일일보〉, 2016.04.12.

4 "'옥시 학습 효과'… 비싸도 안전한 제품에 지갑 연다", 〈중앙일보〉, 2016.05.18.

5 "'케미포비아' 확산… 천연세제·모기장 매출 늘었다", 〈조선일보〉, 2016.08.08.

6 "'케미포비아' 확산… 천연세제·모기장 매출 늘었다", 〈조선일보〉, 2016.08.08.

7 "화학세제 불안, 직접 만들어 쓸래요", 〈중앙일보〉, 2016.05.16.

8 "'옥시 학습 효과'… 비싸도 안전한 제품에 지갑 연다", 〈중앙일보〉, 2016.05.18.

9 http://www.cpted.or.kr/sub4.htm

10 "건강걱정, 좀 덜해도 될 텐데", 〈조선일보〉, 2016.01.23.

11 "고소득층 49% '나도 빈곤층'… 빈부에 상관없이 '에구~머니'", 〈중앙일보〉, 2016.01.16.

12 "고소득층 49% '나도 빈곤층'… 빈부에 상관없이 '에구~머니'", 〈중앙일보〉, 2016.01.16.

13 "먹거리 XX파일! 오래 먹으면 독? 독현미 괴담 실체 추적기", 〈동아닷컴〉, 2016.06.15.

14 "독약 현미, 발암 토마토? 과학의 가면을 쓴 푸드포비아", 〈중앙일보〉, 2016.06.08.

15 "지카바이러스 괴담, 그리고 진실", 〈한국일보〉, 2016.02.29.

16 "국민안전처 긴급재난문자 남발… '양치기 소년' 우려", 〈소방방재신문〉, 2015.08.07.

Network of Multi-channel Interactive Media 1인 미디어 전성시대

1 "1년에 2억 넘게 벌기도… 'SBS스페셜' 1인 미디어 집중 조명", 〈아주경제〉, 2016.09.23.

2 "1인 인터넷 방송, 그 현황과 미래, 영향은? 스타 BJ 수입은?", 〈비즈엔터〉, 2015.11.25.

3 "중국 소비시장 아이콘 '왕홍'을 아십니까?", 〈서울경제〉, 2016.09.08.

4 "1인 가구 증가세 타고 몸집 키우는 '1인 미디어", 〈브릿지경제〉, 2016.07.31.

5 "별풍선 쏘는 1인 미디어 시대… 방송용품 잘 팔리네", 〈아시아경제〉, 2016. 4. 28

6 "1인 미디어가 산업의 패러다임을 바꾼다", 〈패션인사이트〉, 2016.03.07.

7 "유튜브 '1인 미디어 모바일 생중계 도입·지원 확대", 〈연합뉴스〉, 2016.06.24.

8 "중국 1인 방송시장 '쑥쑥'… 올해 1.8조 규모", 〈뉴시스〉, 2016.05.22.

9 "U+tv, 캐피, 씬님 등 인기 유튜브 채널 오픈", 〈지디넷코리아〉, 2016.09.28.

10 "미디어업계, 개인 창작자 유치에 사활", 〈파이낸셜 뉴스〉, 2016.09.09.

11 "도 넘은 개인방송, '별풍선' 향한 몸부림", 〈MBC뉴스〉 2016.03.24.

12 "개인 소감 가장한 1인 방송의 두 얼굴… 상업성 규제 필요", 〈MBC뉴스〉, 2015.07.04.

13 https://brunch.co.kr

Knockdown of Brands, Rise of Value for Money 브랜드의 몰락, 가성비의 약진

1 "뜨는 맘스터치, 지는 크라제버거, 토종 수제버거의 명암", 〈한국경제〉, 2016.09.28.

2 "품질업, 가격다운, '가성비 햄버거'로 역전홈런", 〈매일경제〉, 2016.10.03.

3 "불황기 기업에 떨어진 특명 '가성비를 확 높여라'", 〈매일경제〉, 2016.09.23.

4 "싼 게 비지떡?… '1,000원 숍' 품질 경쟁 뜨겁다", 〈조선경제〉, 2016.04.27.

5 "시알리스 복제약 광풍 오리지널 판매액 추월", 〈머니투데이〉, 2015.12.12.

6 "삼정KPMG '국내 제약사들, 글로벌 복제약 개발 경쟁서 두각", 〈연합뉴스〉, 2016.08.30.

7 "저비용항공, 10월 하늘은 더 뜨겁다", 〈헤럴드경제〉, 2016.09.28.

8 "'사람 더 뽑습니다' 불황 속 나홀로 호황 중인 저비용항공사", 〈매일경제〉, 2016.09.26.

9 "콘서트형 오페라 향연 '가성비 甲'", 〈매일경제〉, 2016.06.12.

10 "이마트, 노브랜드 매출 1천억 원 돌파… 목표 조기달성", 〈연합뉴스〉, 2016.09.19.

11 "조용한 반란 꿈꾸는 '화웨이'… KT 출시한 비와이폰 판매량 꾸준히 상승 중", 〈IT조선〉, 2016.09.09.

12 "중국 가전업체들, '가성비' 앞세워 국내 시장 본격 공략", 〈경향신문〉, 2016.05.20.

13 "경기불황 타파, '가치 소비족' 지갑을 열어라", 〈스포츠조선〉, 2016.03.07.

14 "32인치가 10만 원대… 중소기업 반값 TV 불티", 〈중앙일보〉, 2016.06.30.

15 "1,000원부터 1만 2,000원짜리까지 커피 무한 전쟁", 〈조선경제〉, 2015.12.01.

16 "용량 늘려 매출 쑥… 착한과자 경제학", 〈매일경제〉, 2016.03.16.

17 "업스케일 마케팅(Up-scale Marketing)", 〈중앙일보〉, 2016.09.20.

18 "'가성비'의 시대…'착한 포장' 제품 떴다", 〈헤럴드경제〉, 2016.07.03.

19 "치킨 시켜 먹을 땐 맛보다는 '가성비'", 〈중앙일보〉, 2016.03.18.

20 "5만 원 미만 추석 선물세트 매출 47% 증가", 〈연합뉴스〉, 2016.09.18.

Ethics on the Stage 연극적 개념소비

1 "기부방방 캠페인, 2016 에피어워드 코리아 수상", 〈아크로팬〉, 2016.04.19

2 "2016 부산국제광고제 그랑프리는 맥와퍼·모토리퍼런트", 〈연합뉴스〉, 2016. 08.27.

3 이향은, 제일기획 사보 (기사 제목 날짜 삽입 요망)

4 "목숨 걸고 물 길러 가는 우간다 아이들, '제리백'이 지켜준다", 〈조선일보〉, 2016.08.27.

5 "크레용 비누·정수기… 저개발국 돕는 한국과학", 〈조선경제〉, 2016.07.07.

6 "썸도 있고 펀도 있는 쇼타임… 놀이가 된 기부", 〈중앙일보〉, 2015.10.29.

7 "환경 지키는 더바디샵… '착한 생각' 덕에 쑥쑥 컸다", 〈중앙일보〉, 2016.07.13.

8 "착한 브랜드… 나타나네…! 패션 브랜드 '로우로우'", 〈스브스뉴스〉, 2016.07.21.

9 "부모 대신 아이 교육해주는 기업 '패밀리 CSR' 주목", 〈아크로팬〉, 2016.08.09.

10 "(사회책임)지방정부와 의회, CSR에 눈을 돌리다", 〈뉴스토마토〉, 2016.09.05.

11 "루이비통의 실험… 순수 기부문화 살리는 징검다리 되길", 〈중앙SUNDAY〉, 2016.01.17.

12 "대한체육회 감사업무 재능기부 모집 SNS 논란 확산", 〈KBS뉴스〉, 2016.04.19.

13 "CSR 만만히 보다 큰코다친다", 〈이코노믹 리뷰〉, 2016.07.21.

Year of Sustainable Cultural Ecology 미래형 자급자족

1 "서울시 에너지자립마을 최대 29% 전기료 절감", 〈연합뉴스〉, 2016.08.16.

2 "전기료 폭탄 피한 에너지 자립 마을", 〈여성조선〉, 2016.08.29.

3 "신세계-테슬라, 국내 전기차 인프라 구축에 맞손… 스타필드 하남에 첫 리테일스토어", 〈이투데이〉, 2016.09.01.

4 "썬코어, 중국BYD 전기버스 1천 대 들여온다", 〈매일경제〉, 2015.12.07.

5 "연중기획 매력시민 세상을 바꾸는 컬처 디자이너", 〈중앙일보〉, 2016.01.14.

6 "인스타에 공지 떴다, 100만 원대 캐시미어 스카프가 10만 원", 〈조선일보〉, 2016.05.18.

7 "이영지 기자", 〈중앙일보〉, 제15790호 40판

8 "서울서 텃밭 가꿀 470세대 모집합니다", 〈조선일보〉, 2016.01.27.

9 "미세먼지 잡는 기업들 돈보따리 잡았다", 〈BUSINESS & MONEY〉, 2016.07.14.

10 "13개 지자체에 '스마트그리드' 거점", 〈매일경제〉, 2015.12.23.

11 "정책미래내각 생태에너지부, 전력요금체계 어떻게 바꿀 것인가", 〈네이버 뉴스 논평〉, 2016.08.12.

12 "태양의 도시, 서울 만들기", 〈10만인 클럽〉, 2016.02.26.

13 "초중고 2천곳 옥상에 미니 태양광 발전소", 〈매일경제〉, 2016.06.17.

14 "제2의 새마을 홍천 소매곡리 친환경에너지타운", 〈중앙선데이〉, 2016.07.03.

15 "태양광 발전소 지어 전기까지 파는 애플", 〈매일경제〉, 2016.08.06.

16 "제2롯데월드, 팔당댐 한강물로 냉난방한다", 〈조선경제〉, 2016.05.31.

17 "해방촌 역사탐방로… 나주 쌀박물관…", 〈조선경제〉, 2016.04.19.

Basic Instincts 원초적 본능

1 "신세계 온라인몰, '쓱' 광고 이후 매출 20% ↑", 〈연합뉴스〉, 2016.01.12.

2 "구찌도 빠졌다, 촌스러운 불량함에", 〈조선일보〉, 2016.01.06.

3 "스트리트 시장에 '스카잔', '코치재킷' 열풍", 〈어패럴뉴스〉, 2016.04.07.

4 "삐뚤해서 촌스러워서, 자꾸 쓰게 된다, 너", 〈조선일보〉, 2016.02.01.

5 "루시드폴 홈쇼핑 비화, '귤만 살 수 있나요' 문의 폭주?", 〈한국경제TV〉, 2016.01.30.

6 "휴가철 서점가 달구는 '직장인 블루스'−'사축(가축처럼 일하는 직장인)'은 이제 그만… '적당히 벌고 잘살자'", 〈매

경이코노미〉, 2016.08.16.

7   "날 꾸짖는 이 공책 이상하게 힘이 되네", 〈조선일보〉, 2016.07.12.
8   "커피 거품 위에 욕 '쌍욕라떼' 베끼지마", 〈조선일보〉, 2016.07.23.
9   이철우, 「나를 위한 심리학」, 더난출판사, 2007.
10   "YO? 난 너네보다 한참 위… 내게 부족한 건 오직 머니", 〈조선일보〉, 2016.06.08.
11   "단맛과 짠맛의 환상적 조화, '단짠' 바람이 분다!", 〈일간스포츠〉, 2016.06.28.
12   "농심, 감자칩+짜왕 섞었다… 그 이유는?", 〈중앙일보〉, 2016.07.27.
13   "김치찌개맛 과자에 밥 비벼 먹는다고?… '괴식열전'", 〈한국일보〉, 2016.09.02.
14   "'2030을 웃겨라'… 톡톡 튀는 화장품광고 모델", 〈매일경제〉, 2016.09.08.
15   "시골 동개의 뜻밖의 명품 '목줄 대신 에르메스 스카프'", 〈YTN〉, 2016.05.18.
16   "'완전 발암', '성애자'… 자극에 열광하는 청소년", 〈SBS 뉴스〉, 2015.11.05.
17   "매운맛 치킨 매운 돌풍", 〈매일경제〉, 2016.06.20.
18   "착해진 걸그룹 올 음반시장 주도", 〈매일경제〉, 2016.07.01.

All'Well that trends well 대충 빠르게, 있어 보이게
1   "中 '금수저' 아들의 허세, 반려견에 아이폰7 플러스 8대 선물", 〈이데일리〉, 2016.09.21.
2   "그래서 나는 사진을 찍어 올린다", 〈더피알〉, 2016.04.08.
3   "'있어빌리티'와 마케팅PRO이 만날 때", 〈더피알〉, 2016.04.11.
4   "줄서서 먹는 쉐이크쉑… 다른 햄버거와 맛 비교해보니", 〈조선일보〉, 2016.07.27.
5   "쉐이크쉑 상륙, 미국 동부 대표 '햄버거 레스토랑'… 서부 대표 '인앤아웃'은 언제?", 〈머니 S〉, 2016.07.22.
6   "'덕후'들이 뭉치는 시대", 〈동아일보〉, 2016.09.02.
7   "편의점 프리미엄 도시락 인기… 경쟁 가속화", 〈이데일리〉, 2016. 07. 27.
8   "크로크무슈·가쓰돈·라자냐·오지치즈… 2만 원으로 하루 세 끼·술안주까지 뚝딱", 〈중앙일보〉, 2016.02.20.
9   "있어빌리티 관심, 대체 무슨 뜻이길래. 허세랑 달라", 〈뉴스엔〉, 2016.02.01.
10   "찍혀야 뜬다… '사진 금지' 봉인 푸는 미술관·박물관", 〈조선일보〉, 2016.09.12.
11   "왜 2,30대 여성들은 'OO패치'를 만들었을까?", 〈CBS노컷뉴스〉, 2016.09.17.
12   "'있어빌리티' 욕구… 30대 유부남, 돈 많은 총각 의사인 척", 〈중앙일보〉, 2016.05.21.
13   "피키캐스트가 위기설에 휩싸인 이유", 〈시사인〉, 2016.09.01.

Rise of 'Architec-kids' '아키텍키즈', 체계적 육아법의 등장
1   "국내 유일 태아·신생아 의료기기업체… 2년 내 코스닥 상장", 〈머니투데이〉, 2016.03.21.
2   "길재소프트, '태아, 이제 VR 고글로 보세요'", 〈머니투데이〉, 2016.09.20.
3   "국산 육아맘 커뮤니티앱, 해외에서 더 관심", 〈전자신문〉, 2016.07.28.
4   "'포브', 2016 S/S 시즌 '애착육아 & 럭셔리 시크' 화보 공개", 〈에이빙뉴스〉, 2016.02.12.
5   "내 아이는 내가… '닥터맘' 열풍", 〈조선닷컴〉, 2016.08.04.
6   "정용진의 야심작 '스타필드 하남' 9일 그랜드 오픈", 〈뉴시스〉, 2016.09.05.
7   "아웃렛 성공공식 '젊은 육아맘 잡아라'", 〈아시아투데이〉, 2016.09.08.
8   "'엄마 마음' 잡은 요즘 신차, 잘 나갑니다", 〈동아닷컴〉, 2016.02.23.
9   "안전+디자인 엄마 마음 잡았더니 호평", 〈동아닷컴〉, 2016.03.09.
10   "내 아이 명품친구 만들어주자 수억 대출받아 부촌 이사도", 〈서울경제〉, 2016.04.27.
11   "주말엔 키즈카페 가려고 1시간 줄서요", 〈중앙일보〉, 2016.06.18.
12   "자녀 일부러 수두 걸리게 하는 부모들", 〈조선일보〉, 2016.9.23.
13   "봄철 돌잔치 소비자 불만 증가… 육아정보 가격비교 앱 주목", 〈WOW한국경제TV〉, 2016.5.10.
14   "광양시, 아이 양육하기 좋은 도시 만들기 '박차'", 〈뉴스메이커〉, 2016.09.17.

Society of the Like-minded 취향 공동체
1   "셀카부터 세계여행까지, 한복 is 뭔들", 〈중앙일보〉, 2016.05.18.
2   "'자수테라피'가 뭐기에… 바느질에 푹 빠진 여성들", 〈연합뉴스〉, 2016.07.11.

3 "지갑서 열쇠고리·가방까지 '나만의 명품' 싼값에 만들어 쓴다", 〈중앙일보〉, 2016.04.29.

4 "'덕질'은 뿌듯 생활은 빠듯… 덜 쓰고 살면 되지 뭐", 〈중앙일보〉, 2016.04.27.

5 "한 우물만 파더니 결국 '성덕' 됐네", 〈조선일보〉, 2016.09.22.

6 "新소비 트렌드 만든다… 창조적 소비자 '크리슈머'", 〈매일경제〉, 2015.11.21.

7 "크리슈머(Creasumer) 고객을 잡아라", 〈MNB〉, 2015.08.12.

8 "뻔한 책은 안 팔아요 '취향저격' 서점 입소문 타고 인기", 〈MBC 뉴스투데이〉, 2016.01.19.

9 "넷플릭스 어떤 괴짜에게도 '취향저격' 퍼펙트", 〈아이티투데이〉, 2016.07.01.

10 "넷플릭스? 한국에선 '왓챠플레이'가 이긴다", 〈머니투데이〉, 2016.07.29.

11 "벅스, '큐레이션 이용 횟수 6배 증가…' 애플뮤직 기습 출시", 〈서울경제〉, 2016.08.05.

12 "빅데이터로 취향저격… 로엔, '멜론 모바일 4.0' 오픈 베타 실시", 〈머니투데이〉, 2016.08.11.

13 "新명품의 질주", 〈매일경제〉, 2016.02.10.

14 "말해도 모르는 브랜드를 들고 다녀야 진품", 〈중앙 Sunday〉, 2016.02.29.

15 "어수룩·엉뚱… 괴짜 같은 '너드 룩' 다시 보니 멋쟁이네", 〈문화일보〉, 2016.08.19.

16 "찌질이와 괴짜, 유행의 맨 앞줄에 서다", 〈조선일보〉, 2016.04.18.

17 "예술영화… 소리 없이 길게 간다", 〈매일경제〉, 2016.02.15.

18 "초콜릿·위스키를 품다… 맥주의 변신", 〈매일경제〉, 2016.02.10.

19 "취하려고? NO! 맛있으려고! 수제맥주 개화기", 〈이데일리〉, 2016.09.22.

20 "어떤 맥주를 마시겠습니까?", 〈조선일보〉, 2016.07.08.

21 "이랜드 버터, 올해 매출액 전년比 176% 증가… 내년 500억 원 목표", 〈이투데이〉, 2016.09.22.

22 "대세는 '라이프스타일 숍'… 매장까지 바꾼다", 〈뉴시스〉, 2016.08.22.

제2부 2017년 소비트렌드 전망

2017년의 전반적 전망

1 "2017년 경제전망", 〈LG Business Insight〉, 2016.10.05.

2 "경제전망보고서", 〈한국은행〉, 2016.10.13.

3 "2017년 예산안 개요", 〈기획재정부〉, 2016.08.30.

4 "KDI 경제전망",〈한국개발연구원〉, 2016.05.24.

5 "경제주평", 〈현대경제연구원〉, 2016.09.13.

6 "2017년 및 중기 경제전망", 〈국회예산정책처〉, 2016.09.12.

7 "Gartner: Top 10 Strategic Technology Trends For 2017", 〈Forbes〉, 2016.10.18.

C'mon, YOLO! 지금 이 순간 '욜로 라이프'

1 "필요 혜택만 쏙쏙 DIY 카드시대… 라이프 스타일의 변화, 〈미디어펜〉, 2016.09.23.

2 "타임커머스가 뭔가요?", 〈중앙일보〉, 2016.07.12.

3 "노인들도 로맨스"… 황혼 재혼 15년간 3배 늘었다, 〈머니투데이〉, 2016.09.29.

4 "카르페 디엠! '죽은 시인의 사회' 돌아온다", 〈파이낸셜 뉴스〉, 2016.07.12.

5 "국민연금, 정부 예상보다 2년 이른 2058년 고갈", 〈연합뉴스〉, 2016.09.27.

6 "스포츠현장 체험 마케팅 업그레이드, '스킨십이 찐해졌다'", 〈스포츠Q〉, 2016.01.12.

Heading to 'B+ Premium'새로운 B+ 프리미엄

1 "모나미, '153 플라워'도 대박?… 한정판 가격 '17배 폭등'의 추억", 〈한국경제〉, 2016.10.07.

2 벵상 바스티엥·장 노엘 카페레, 『럭셔리 비즈니스 전략』, 미래의창, 2010.

3 벵상 바스티엥·장 노엘 카페레, 『럭셔리 비즈니스 전략』, 미래의창, 2010.

4 필립 G. 로젠가르텐·크리스토프 B. 슈튀르머, 『프리미엄 파워』, 미래의창, 2006.

5 "불황기 기업에 떨어진 특명 '가성비를 확 높여라'", 〈매경이코노미〉, 2016.09.23.

6 앨런 패닝턴, 『이기적 이타주의자』, 사람의 무늬, 2011.

7 "3백만 원짜리 세탁기 '불티'… 역발상이 불황 뚫었다", 〈매일경제〉, 2016.06.30.

8 "IoT 활용한 '아이오케어 공기청정기' 인기, 〈한국경제〉, 2016.06.16.

9 "'3초 백'은 옛말… 핸드백은 개성", 〈서울신문〉, 2016.08.08.

10 "올 가을 패션 트랜드는 '주름(플리츠, 룩)'!… 롯데닷컴, 전년比 플리츠 매출 17%↑", 〈전자신문〉, 2016.09.20.

11 "'정크푸드 취급 No!' 냉동식품, 프리미엄으로 제2전성기 연다", 〈머니투데이〉, 2016.09.27.

12 "요리책 옆에 식재료 코너… 츠타야 서점의 유통혁명", 〈아시아경제〉, 2016.05.25.

13 "1인당 1천만 원짜리 열차 표… 내부 보니 '초호화'", 〈SBS뉴스〉, 2016.06.17.

14 "김현석 삼성전자 사장 '소비자 선택 가능한 프리미엄이 답'", 〈아주경제〉, 2015.02.05.

15 "침대 하나로 채운 호텔방, 유럽이 반한 비결은", 〈동아일보〉, 2015.11.12.

16 "세제까지 스몰 럭셔리 바람… 비싸도 천연 향 쓴다", 〈중앙일보〉, 2016.08.26.

17 "비싸야 팔린다… '불황 속 고급 제품 더 잘 나가네~'", 〈브레이크뉴스〉, 2016.06.01.

I Am the 'Pick-me' Generation 나는 '픽미세대'

1 미셸 세르, 『엄지세대, 두 개의 뇌로 만들 미래』, 갈라파고스, 2014.

2 제프 프롬·크리스티 가튼, 『밀레니얼 세대에게 팔아라』, 라온북, 2015.

3 "고성장기 태어난 '88둥이' 글로벌 스펙 갖췄지만 기회 박탈에 좌절…", 〈매일경제〉 2016.10.07.

4 "'취업하는 데 4,269만 원? 미친 나라죠!", 〈조선비즈〉, 2015.07.07.

5 허태균, 『가끔은 제정신』, 샘앤파커스, 2012.

6 "토익시험료만 100만 원 쓴다는데… 취업비용 얼마나 들까?", 〈한국일보〉, 2016.06.01.

7 "10명 중 7명 '미래 불안하다'", 〈조선비즈〉, 2015.07.07.

8 "취업준비생 54%는 '공시족'… 첫 직장 월급은 189만 원", 〈연합뉴스〉, 2016.07.03.

9 "20대는 어떻게 소비하나", 〈ARENA〉, 2016.05.

10 "미래 사회의 주역, 밀레니얼 세대를 흡수하라", 〈뉴스토마토〉, 2016.02.24

11 "2030세대 '자동차 꼭 사야 하나요?', 〈조선비즈〉, 2016.08.31.

12 "아재들은 모르는 20대 연애의 발견! CJ E&M '대한민국 20대 청춘 연애백서", 〈CJ Creative Journal〉, 2016.07.19.

13 "두 번째 주제: 편의점, 20대 외식 문화의 하나의 트랜드로 자리잡다", 〈한국외식산업연구원 블로그〉, 2016.08.15.

14 "셀카 앱 '스노우' 무서운 성장… 5개월 새 사용자 3배 증가", 〈아시아경제〉, 2016.09.27.

15 대학내일20대연구소, 『2016 S/S 20's TREND REPORT』, 대학내일, 2016.

16 "20대, 절반 가량 '난 캥거루족' 이라고 생각", 〈이데일리〉, 2015.05.22.

17 올리버 예게스, 『결정장애 세대』, 미래의창, 2014.

18 "대신해줘야 사는 세대", 〈조선일보〉, 2016.06.30.

19 "달라진 20대 '신안보세대'의 출현?", 〈THE HUFFINGTON POST KOREA〉, 2015.08.26.

20 장강명, 『한국이 싫어서』, 민음사, 2015.

21 "사람답게 일하고 싶다는 '요즘 젊은 것들'의 목소리", 〈PD저널〉, 2016.09.29

22 "반말하지 마세요' 편의점 카운터에 적힌 짠한 부탁", 〈국민일보〉, 2016.10.06.

23 "고독 권하는 사회… 싱글족 생존법 백태(百態)", 〈중앙시사매거진〉, 2016.07.17.

24 "셰어하우스: 우리는 왜 함께 사는가?", 〈ㅍㅍㅅㅅ〉, 2016.08.11.

25 "아재들은 모르는 20대 연애의 발견! CJ E&M '대한민국 20대 청춘 연애백서'", 〈CJ Creative Journal〉, 2016.07.19.

26 "꿈 앗아간 '귀신 섬' 탈출 꿈꾸다 일어선 대만 젊은이들", 〈경향신문〉, 2016.03.07.

'Calm-Tech', Felt but not Seen 보이지 않는 배려 기술 '캄테크'

1 "광교 경기문화창조허브, '일상이 된 IoT, 창업 기회를 잡으세요'", 〈IT 동아〉, 2015.06.20.

2 "스마트홈 시대 본격 개막 '생활혁명' 펼쳐진다", 〈서울경제〉, 2016.10.13.

3 "마이크로소프트, 애저 기반 'IoT 딸기 재배 시스템' 구축", 〈아시아투데이〉, 2015.03.24.

Key to Success: Sales 영업의 시대가 온다

1 김현철, 『어떻게 돌파할 것인가』, 다산북스, 2015.

2 다무라 겐지, 『일본전산의 이기는 경영』, 책이 있는 풍경, 2014.

3 "기계를 통한 서비스 확산, 영업사원은 사라질까", 〈매일경제〉, 2016.05.31.

4 "전략 따로, 영업 따로… 회사가 따로국밥 같다고요?", 〈매일경제〉, 2016.03.11.

5 김현철, 『어떻게 돌파할 것인가』, 다산북스, 2015.

6 "신발끈·뒷굽 등 수백만 가지 옵션도 5시간 내 생산 끝낸다", 〈한국경제〉, 2016.10.16.

7 프랭크 세스페데스, 『영업 혁신』, 올림, 2016.

8 "전략 따로, 영업 따로… 회사가 따로국밥 같다고요?", 〈매일경제〉, 2016.03.11.

9 "'야쿠르트 아줌마! 치즈 있어요?' 한국야쿠르트 끼리치즈 인기", 〈디지털타임스〉, 2016.08.26.

10 "'방판 아줌마의 힘'… 상품 아닌 정(情)을 팔아요", 〈노컷뉴스〉, 2016.09.27.

11 "프로젝트 앤 '찾아가는 패션 컨설팅'", 〈디지털타임스〉, 2016.10.10.

12 "영업의 미래 '컨설턴트형 세일즈'", 〈etnews〉, 2011.07.06.

13 "소비 욕구를 자극하는 체험형 브랜드 컨셉 스토어 8선", 〈프럼에이〉, 2016.03.29.

14 "'쇼핑하고 커피 마시고'… 뷰티 복합매장 '속속'", 〈이뉴스투데이〉, 2016.09.07.

15 필립 델브스 브러턴, 『장사의 시대』, 어크로스, 2013.

16 "영업실적 올리고 싶다면 판매 부담부터 줄여줘라", 〈동아비즈니스리뷰〉, 2014.01.

17 "기계를 통한 서비스 확산, 영업사원은 사라질까", 〈매일경제〉, 2016.05.31.

18 "영업은 과학이다- 고객을 분류하고 분석하라", 〈조선일보〉, 2007.01.13.

19 "기계를 통한 서비스 확산, 영업사원은 사라질까", 〈매일경제〉, 2016.05.31.

Era of 'Aloners' 내멋대로 '1코노미'

1 "빙그레/투게더", 〈매일경제〉, 1999.04.01.

2 "4가구 중 1가구는 '나혼자 산다'", 〈파이낸셜뉴스〉, 2016.09.07.

3 "먹거리 많은 추석에 되려 편의점 도시락 잘나가는 이유", 〈매일경제〉, 2016.09.13.

4 "무거울수록 안 팔리는 쌀… 소포장·즉석밥 매출은 늘어", 〈SBS 뉴스〉, 2016.10.19.

5 "나홀로족·데이트족 보는 영화 완전 다르다", 〈매일경제〉, 2016.08.31.

6 "'나홀로 해외여행 기본 적 있다' 58%… '혼행族 男 69%·女 56%'", 〈뉴시스〉, 2016.07.31.

7 "덕후에게 놓인 덕업일치라는 함정", 〈iZE〉, 2016.04.14.

8 "하루 카톡 500건'… 관태기에 빠진 한국", 〈중앙일보〉, 2016.08.19.

9 "나이·직업 모르는 게 속 편해… 사람에 지친 사람들 모여라", 〈조선닷컴〉, 2016.07.02.

10 "취업했지만 독립은 싫다' 2030 58%가 '캥거루족'", 〈헤럴드경제〉, 2016.05.09.

11 "'보육—사교육비 감당 못해'… '무자식 상팔자' 택한 젊은층", 〈동아닷컴〉, 2016.01.18.

12 "추석에도 모바일 tv 대세… 유료방송업계, 무료·반값 콘텐츠 대방출", 〈프라임경제〉, 2016.09.13.

13 "2016 극장가 싱글경제학 '나홀로 관람객'을 주목하라", 〈이코노믹리뷰〉, 2016.02.22.

14 "혼행(行)족' 위한 스마트 애플리케이션 Best 3", 〈동아트래블〉, 2016.09.22.

15 "1~7월 혼인 출산 역대 최소치 기록… 7월까지 누적 출생아 수는?", 〈중부일보〉, 2016.09.29.

16 남효순, 「프랑스민법상의 동거계약에 관한 연구」, 서울대학교 박사학위논문, 2003.

No Give Up, No Live Up 버려야 산다! 바이바이 센세이션

1 "비움으로 채워진다", 〈경향비즈〉, 2016.10.05.

2 "쿠론·덱케… 가방 이름 생소한데 잘나가네?", 〈아시아투데이〉, 2016.03.16.

3 "중저가 명품 '매스티지'가 돌아왔다", 〈매일경제〉, 2016.04.14.

4 "우유 유통기한 사흘 남았어요"… 냉장고 앱, 거 똘똘하네, 〈중앙일보〉, 2016.07.22.

5 "식료품 새벽에 집앞 배송…10개월 만에 월 매출 20억, 〈중앙일보〉, 2016.06.29.

6 "코스(COS), 부산 진출 국내 6th 매장", 〈패션비즈〉, 2016.04.05.

7 "억만장자 CEO가 7평 트레일러에 사는 이유", 〈티타임즈〉, 2016.02.01.

8 "전재산 팔고 가족과 세계여행' 美 '버킷리스트 부호 가족' 한국 입성, 〈헤럴드경제〉, 2016.08.12.

9 "정리 안 되는 물건, '엑스트라스페이스 셀프스토리지' 도움 받아볼까", 〈한국경제〉, 2016.02.28.
10 "용인 1,597가구 규모 아파트 '신흥덕 롯데캐슬 레이시티' 분양", 〈이데일리〉, 2016.10.07.
11 "BMW의 파격 '착한 기변', 5시리즈 구매 1년 후 새차로 교환", 〈서울경제〉, 2016.10.05.

Rebuilding Consumertopia 소비자가 만드는 수요중심시장

1 김다빈, 송민영, 김동준, 박하늘, 정민교, 「상명대학교 소비자주거학과 보고서」 재구성.
2 "O2O를 넘어 On-Demand Economy로", 〈KT경영경제연구소〉, 2015.10.14
3 이상규, 「양면시장의 정의 및 조건」, 정보통신정책연구 제17권 4호.
4 커넥팅랩, 「모바일 트렌드 2016」, 미래의창, 2015.
5 "'온디맨드' 전성시대, '손님이 왕이다!'", 〈통플러스〉, 2016.01.22.
6 오정숙, 「글로벌 온디맨드 이코노미(On-Demand Economy) 현황 및 시사점」, 한국정보통신정책연구원
7 "공유경제와 Mobile On-Demand Economy, 그리고 '부스러기 경제'", 〈버티컬 플랫폼〉, 201년 2월 16일; http://schlaf.me/post/81679927670
8 류지은, 개인의 주차공간이 모두의 주차공간으로, 〈저스트파크(JustPark)〉, 크라우드 산업연구소
9 "'온디맨드' 전성시대, '손님이 왕이다!'", 〈통플러스〉, 2016.01.22.
10 "배달 사업에 IT를 결합하니 새 세상이 열렸다", 〈조선일보〉, 2016.10.14.
11 "UX 디자이너들의 필수 용어 사전: On-Demand Mobile Service (온디맨드 모바일 서비스)", 〈바이널엑스〉
12 코트라, 「한국이 열광할 12가지 트렌드」, 알키, 2016.
13 편집부, 「최신시사상식」, 박문각, 2016.
14 "미국, 온디맨드 치과 서비스 스타트업 '포슬린'", 〈Be sucess〉, 2016.08.11.
15 "UX 디자이너들의 필수 용어 사전: On-Demand Mobile Service (온디맨드 모바일 서비스)", 〈바이널엑스〉
16 "대한민국 LastMile Fulfillment를 논하다", 〈물류신문〉, 2016.10.17.
17 http://blog.naver.com/soft_pamm/220641781379
18 http://blog.naver.com/soft_pamm/220641781379
19 "온디맨드 경제 급성장… 대세로 떠오른 노동 트렌드 '긱 이코노미'", 〈IT조선〉, 2016.08.09.
20 "온디맨드 시대, '긱 이코노미'와 '알고리즘 노동자'", 〈Korea IT Times〉, 2016.07.13
21 "공유경제 프레임과 플레이어의 전환", 〈이코노미 리뷰〉, 2016.06.22.
22 한경경제용어사전
23 권미란 TV 블로그
24 "공유경제와 Mobile On-Demand Economy, 그리고 '부스러기 경제'", 〈버티컬 플랫폼〉, 2015.02.16.
25 "급성장하는 온디맨드 경제란?", 〈포스코경영연구원〉, 2015.04.23.

User Experience Matters 경험 is 뭔들

1 "운동량도 기대수명도 '업'… '건강앱' 포켓몬고", 〈스포츠경향〉, 2016.10.12.
2 "백화점 대형마트의 이유 있는 변신… 나는 '쇼핑' 대신 '체험'하러 백화점 간다", 〈매일경제〉, 2015.10.23.
3 "車를 즐기세요! 車를 느끼세요!", 〈헤럴드경제〉, 2016.05.24.
4 "백화점 대형마트의 이유 있는 변신… 나는 '쇼핑' 대신 '체험'하러 백화점 간다", 〈매일경제〉, 2015.10.23.
5 "체험·쇼핑 한번에… 스포츠 피트니스 확장", 〈어패럴뉴스〉, 2016.08.26.
6 "신개념 실내 놀이공간 'OO방'이 뜬다. '놀 곳 없는 어른들 다 오라' VR방·드론방·암흑방·미로방…", 〈매일경제〉, 2016.09.05.
7 "'흥분과 짜릿'… 남자, 서킷의 매력에 빠지다", 〈조선일보〉, 2016.07.25.
8 "신개념 실내 놀이공간 'OO방'이 뜬다. '놀 곳 없는 어른들 다 오라', VR방·드론방·암흑방·미로방…", 〈매일경제〉, 2016.09.05.
9 "핫태핫태! 소비자의 눈과 마음을 사로잡은 VR콘텐츠", 〈피알게이트〉, 2016.08.18.
10 "제주항공의 특별한 '체험 마케팅' 고객의 4E를 충족하라!", 〈미디어자몽〉, 2016.09.19.
11 "'이민호와의 심쿵 데이트'… 이니스프리, VR존 오픈", 〈조세일보〉, 2016.09.12.
12 "VR에서 3D까지… 유통업계 달구는 첨단 O2O戰", 〈노컷뉴스〉, 2016.09.14.
13 "VR 백화점 첫선?'… 더현대닷컴, 'VR스토어' 오픈", 〈이뉴스투데이〉, 2016.07.29.

14 "입어보고, 걸어보고, 쳐다보면 자동클릭… 전자상거래, 이젠 매장보다 더 리얼!", 〈DBR〉, 2016.08.

15 http://www.fastcompany.com/3054924

16 "실감나는 뉴스 영상 'VR저널리즘' 부상, 〈더피알〉, 2016.02.01.

17 "3만 달러 시대 달라진 트렌드, 경험·개성 사는 '가치 소비'가 대세", 〈매경이코노미〉, 2015.10.23.

18 "너도나도 VR바람 한 발 앞선 유통가", 〈스카이데일리〉, 2016.08.01.

19 김병규, 『감각을 디자인하라』, 미래의 창, 2016.

20 "소비자 불편, 디자인이 해결사"… 고객 체험 통해 개선점 찾아", 〈동아일보〉, 2015.04.16.

21 김하나, 『내가 정말 좋아하는 농담』, 김영사, 2015.

No One Backs You Up 각자도생의 시대

1 "지진 공포에 '생존배낭' 등 관심↑ … 도서 판매도 10배 '껑충'", 〈이데일리〉, 2016.09.23.

2 "지진에 '지진희 알림'으로 각자도생 방법 찾았다… 첨단장비 갖춘 안전처는 뭐하나", 〈글로벌 이코노믹〉, 2016.10.06.

3 "도로 위 보복운전 하루 6건 이상 발생", 〈연합뉴스〉, 2016.09.25.

4 유영근, 『우리는 왜 억울한가』, 타커스, 2016.

5 유영근, 『우리는 왜 억울한가』, 타커스, 2016.

6 유영근, 『우리는 왜 억울한가』, 타커스, 2016.

7 "특전사 출신이라 군인들 보면 짠해", 〈중앙일보〉, 2016.9.20.

8 "틀딱충·맘충·개저씨… 흉기가 된 '혐오 신조어'", 〈조선일보〉, 2016.10.08.

9 "틀딱충·맘충·개저씨… 흉기가 된 '혐오 신조어'", 〈조선일보〉, 2016.10.08.

10 "맞는 말인데 맞으면 아프다… 솔직함 가장한 말 폭력", 〈조선일보〉, 2016.09.20.

11 "증오사회를 우려한다", 〈국민일보〉, 2016.09.20.

12 "각자도생 시대", 〈매일경제〉, 2016.07.08.

13 "노년도 젊은 날도 악몽이 되는 사회… 각자도생이 답일까", 〈경향신문〉, 2016.03.04.

14 "노년도 젊은 날도 악몽이 되는 사회… 각자도생이 답일까", 〈경향신문〉, 2016.03.04.

15 "각자도생 해라", 〈동아일보〉, 2016.05.19.

16 "18~30세 청년 절반이 국민연금 못내… 노후 대비 어려울지도", 〈조선일보〉, 2016.10.11.

17 "노년도 젊은 날도 악몽이 되는 사회… 각자도생이 답일까", 〈경향신문〉, 2016.03.04.

18 "고독과 빈곤으로 삐뚤어진 노인들의 어두운 이면, 폭주노인", 시선뉴스, 2016.10.14.

19 "소비절벽이 온다… '가계소득 늘려야'", 〈한국경제 TV〉, 2016.10.18.

20 "미생들이여, 정부 믿지 말고 각자도생하라", 〈주간경향〉, 2016.06.28.

21 이준영, 「트러스트 레볼루션」, 교보문고 북모닝 CEO

22 "'각자도생'현대 사회에서 행복 찾으려면?, 〈머니투데이〉, 2016.05.07.

트렌더스 날 2017

강도영 CTC, 강동오 ADCK, 강용근 KT&G, 강윤정 현대홈쇼핑, 강정란 국제이미지경영연구소, 강한나 IDP KOREA, 고경모 행정자치부, 고인호 신세계, 고화정 한국리서치, 권병철 SAMOO A&E, 권아영 월간 숙박매거진, 권예린 숙명여자대학교, 권지훈 현대백화점, 김경애 소상공인시장진흥공단, 김고은 런치픽잇, 김광호 칠산떡집, 김대현 EBS, 김동민 CTC, 김두언 하나금융투자, 김민석 롯데자산개발, 김민지 인하대학교, 김민진 클레어스코리아, 김민희 비롯, 김병주 두젠, 김봉걸 경인잡코리아, 김선영 제이앤드제이글로벌, 김선주 동국대학교, 김송이 고려대학교, 김수웨이, 김수현 국민대학교, 김아린 CJ제일제당, 김용구 Under Amour Korea, 김유식 한국기술교육대학교, 김은영 패션엔미디어, 김지연 shanghai Link&Co, 김지혜 성신여자대학교, 김태환 성균관대학교, 김현수 숭실대학교, 김혜수 성신여자대학교, 김혜영 AK몰, 나선영 투비소프트, 노기표 한양대학교, 라진수 튼튼영어, 류경민 CJ제일제당, 류희연 상명대학교, 류힘찬 한국외국어대학교, 문순자 Texas Instruments Korea, 문유진 코웨이, 문채вин LF, 민동우 동국대학교, 박나현 상명대학교, 박성진 경희대학교, 박정아 리유디자인그룹, 박종혜 디자인원, 박주희 KBC 광주방송, 백영순 365mc 비만클리닉, 백지희 한국기원, 송승익 CJ미래경영연구원, 송인주 KT, 송지은 KT DS, 송현아 한국전력공사, 송홍선 또봉이F&S, 신기준 서강대학교, 신동언 아모레퍼시픽, 신재현 인하대학교, 신지현 포유커뮤니케이션즈/컨설팅, 심보금 롯데문화재단, 심유리 서울대학교, 안경민 누벤트, 안세희 CTC, 양동수 TSK Water, 양동영 반다이남코 코리아, 양보영 케이에이, 양인환 CTC, 엄소연 삼성카드, 오경태 국립영덕청소년해양환경체험센터, 오서현 한양문고, 오영섭 태경농산, 오윤희 텔레필드, 원량진 코웨이, 유영일 한국에너지기술평가원, 유정연 풀무원, 윤상협 신한은행, 윤정민 현대홈쇼핑, 윤종섭 플램머그, 이가영 시즈앤크루즈, 이경준 한국로봇산업협회, 이기우 ALWAYS FOOD, 이명은 계명대학교, 이미래 CJ제일제당, 이민선 숙명여자대학교, 이승검 농협, 이은경 프리허그, 이재현 쿠쿠전자, 이정화 SM F&B DEVELOPMENT, 이주왕 분당서울대학교병원, 이지은 건국대학교, 이창업 HMC투자증권, 이태수 한살림 연합, 이현송 소통서비스경영연구소, 이현엽 한국콘텐츠진흥원, 이현정 CTC, 이현준 현대백화점, 인정민 제이앤브랜드, 임소희 메가스터디, 임수진 이화여자대학교, 임승원 현대자동차, 임애령 동성, 임영하 CJ제일제당, 장석구 씨티은행, 장선희 시나리오 작가, 장수범 특수전사령부, 전다은 프리랜서, 전은실 책과인쇄박물관, 전현수 KT융합기술원, 정성윤 KCC컬러&디자인센터, 정우익 BC카드, 정주연 BC카드, 정주현 LG전자, 조민주 연세대학교, 조성훈 건국대학교, 조세영 중앙대학교, 조희willam 고려대학교, 주소현 트라이시클, 주림찬 한국외국어대학교, 지순곤 서비스탭, 지명훈 K bank, 채두원 한성대학교, 최도선 현대자동차, 최병업 대신주택, 최정운 크리에이터 +82, 한경indorsed 인하대학교, 한동헌 넥스트인사이트, 한민호 한양대학교, 허석훈 이랜드리테일, 허재훈 한화L&C, 허제 호텔롯데, 홍윤주 삼성전자, 홍지선 LG전자, 황소담 웰코스, 황지희 이화여자대학교

진행(서울대학교 생활과학연구소 소비트렌드분석센터)

총괄 전미영 **키워드리뷰** 서유현, 이수진 **윤문·1차 편집** 조미선 **행정·교정** 서현아
10대 트렌드 상품 조사 최지혜, 천미기 **통계 및 자료조사** 고정, 권정현, 전옥란, 권정윤
프레젠테이션 제작 김영순 **인터뷰** 김수현 **영문키워드 감수** 미셸 램블린(Michel Lamblin)

전임 트렌더스 날

강동오, 강병모, 강병일, 강순천, 강윤정, 강이교, 강주향, 강혜연, 강희석, 강희은, 고서현, 고정석, 고지형, 공준호, 곽노균, 곽지상, 곽혜신, 구다원, 구성교, 구홍영, 권두영, 권형연, 권예리, 권혜진, 김가희, 김고은, 김종, 김혜, 김기형, 김기영, 김덕수, 김동낙, 김리경, 김무환, 김미라, 김민경, 김민정, 김민주, 김범준, 김보경, 김보미, 김선옥, 김선우, 김설아, 김성동, 김성진, 김소연, 김수현, 김숙, 김아름, 김우석, 김유림, 김윤선, 김윤정, 김윤혜, 김은우, 김정민, 김정원, 김정현, 김영상, 김종우, 김주연, 김지애, 김지운, 김진양, 김진희, 김태연, 김한식, 김현지, 김호철, 김효희, 김희정, 남수경, 노승언, 노유나, 담효철, 도한호, 동종섭, 마립, 모신영, 문덕선, 문혁, 민경현, 박가영, 박귀라, 박나랑, 박남훈, 박동호, 박상이, 박상희, 박성준, 박소현, 복수옥, 박애화, 박은미, 박은정, 박지영, 박지철, 박지현, 박진수, 박찬미, 박태훈, 박혜심, 박효은, 박효준, 박희은, 방일환, 배소현, 백동석, 변윤경, 복주영, 사카이 준페이, 사코토, 서나래, 서민석, 서은진, 성윤진, 손예진, 손지양, 손州희, 손착섭, 신동원, 신석원, 신수현, 신준섭, 신지연, 신현범, 심영, 심재성, 심준규, 안가림, 안경란, 안나연, 안순학, 안왕경, 안지현, 안혜선, 양병모, 양승철, 양형진, 연재신, 오미정, 오승태, 오영은, 오윤경, 오재신, 오정우, 오정herod, 우인혜, 원선영, 원정호, 위다혜, 유기찬, 유미경, 유연성, 유영선, 유인형, 유재준, 유혜인, 유효연, 윤상협, 윤상호, 윤선영, 윤정아, 윤제서, 이겨래, 이경직, 이경진, 이계연, 이나은, 이다혜, 이다희, 이동욱, 이선해, 이성, 이성환, 이세나, 이수아, 이수연, 이승호, 이유성, 이윤표, 이재민, 이정, 이정선, 이정원, 이지숙, 이진, 이채우, 이축연, 이태수, 이태화, 이현지, 이혜승, 이호, 이호섭, 이호준, 이홍연, 이화지, 임학래, 장리리, 장문경, 장민선, 장세라, 전광섭, 전보성, 전지혜, 전하민, 전혜정, 정가영, 정기오, 정맑음, 정명아, 정민우, 정성은, 정연욱, 정영진, 정운영, 정의영, 정지윤, 정지훈, 정한근, 정형준, 정혜성, 정혜재, 조감현, 조경석, 조남은, 조상범, 조은수, 조인우, 조준규, 조창환, 주하나, 지영종, 진형욱, 차슬기, 차종현, 차윤태, 최대수, 최대호, 최도선, 최소연, 최연, 최영준, 최현주, 최희, 하지경, 한송이, 한재영, 한진우, 한혜규, 허욱재, 현우영, 홍서연, 황교자, 황정아, 황종하, 황지연, 황태성, Mickey Han

전미영   서울대학교 생활과학대학 소비자학과 연구교수로 재직하고 있다. 동 대학 및 대학원에서 학사 · 석사학위를 받고, 「소비자 행복의 개념과 그 영향 요인의 구조」라는 논문으로 박사학위를 받았다. 2008년 한국소비자학회 최우수논문상을 수상했다. 삼성경제연구소에서 리서치 애널리스트로 근무했으며, 현재 서울대학교 생활과학연구소 소비트렌드분석센터cтc에서 수석연구원으로 재직하며 '트렌드 분석론', '소비자 심리와 행태론', '브랜드 매니지먼트' 등을 강의하고 있다. 한국과 중국, 일본의 소비트렌드를 추적하고 이를 산업과 연계하는 방법론 개발에 관심이 많다.

이향은   성신여자대학교 산업디자인학과 연구교수로 재직 중이며, 주 연구 분야는 UX트렌드와 사용자 심리다. 인하대학교 사범대학 미술교육학과에서 학사학위, 런던 Central Saint Martins에서 디자인경영으로 석사학위, 서울대학교 미술대학원에서 「디자인 트렌드 예측을 위한 경험 중심의 프로세스 모델 연구」라는 논문으로 디자인학 박사학위를 받았다. 서울대학교 소비트렌드분석센터cтc와 한국디자인산업연구센터kдри의 선임연구원으로도 활동하며 정부 및 기업 프로젝트를 다수 진행하고 있다.

이준영   상명대학교 소비자주거학과 조교수로 재직하고 있다. 서울대학교 생활과학대학 소비자학과에서 학사 · 석사 · 박사학위를 받았다. 2012년 한국소비자정책교육학회 최우수논문상, 2011년 한국소비자학회 우수논문상 등을 수상했다. 2014년에는 경상북도 도지사 표창을 받았다. 서울대학교 소비트렌드분석센터cтc, LG전자 LSR Life Soft Research연구소에서 근무했다. 현재 상명대학교 소비자분석연구소 소장을 맡고 있다. 주요 관심 분야는 소비트렌드, 소비자 행태, 소비자 유통retailing이다.

김서영   서울대학교 생활과학대학 소비자학과에서 박사과정을 수료했다. 동 대학원에서 「20~30대 기혼 여성과 미혼 여성의 소비 가치 연구」라는 논문으로 석사학위를 받았다. 2013년 「트렌드 차이나」를 공저했으며, 현재 서울대학교 생활과학연구소 소비트렌드분석센터cтc 책임연구원으로 '소비자의 구매 시 뇌 활성화 상태'에 관한 연구를 수행하고 있다. 소비자의 심리적 일탈 및 라이선싱 효과, 소비자의 양가성ambivalence에 관한 심리 구조, 한국과 중국 소비트렌드의 확산 과정과 예측 등의 주제에 관심이 많다.

최지혜   서울대학교 생활과학대학 소비자학과에서 박사과정을 수료했다. 서울대학교 대학원 소비자학과 소비자행태연구실에서 「소비자의 예약구매 영향요인 연구」라는 논문으로 석사학위를 받았다. 현재 서울대학교 생활과학연구소 소비트렌드분석센터cтc 책임연구원으로 '트렌드 분석을 통한 신상품 콘셉트 및 마케팅 방안 도출'에 관한 연구를 수행하고 있다. 소비자의 신제품 수용에 관한 행태, 미디어와 소비문화 등의 주제에 관심이 많다.

서울대학교 생활과학연구소 소비트렌드분석센터CTC는 2018년 소비트렌드 예측을 위한 트렌드헌터그룹 '트렌더스 날 2018'을 모집합니다. 소비트렌드에 관심 있는 분이라면 누구나 '트렌더스 날'이 될 수 있습니다. '트렌더스 날'의 멤버로 활동하면서 소비트렌드 예측의 생생한 경험과 개인적인 경력뿐만 아니라 트렌드헌터 간의 즐겁고 따뜻한 인간관계까지 덤으로 얻을 수 있습니다. 아래의 요령에 따라 응모하시면, 소정의 심사와 절차를 거쳐 활동 가능 여부를 개별적으로 알려드립니다.

1. 모집개요

가. 모집대상 우리 사회의 최신 트렌드에 관심 있는 사람(일절 제한이 없습니다)

나. 모집분야 정치, 경제, 대중문화, 라이프스타일, 과학기술, 패션, 뉴스, 소비문화, 유통, 건강, 통계, 해외 DB 조사 등 사회 전반

다. 모집기간 2017년 1월 31일까지

라. 지원방법 〈trendersnal@gmail.com〉으로 이름과 소속이 포함된 간단한 자기소개서를 첨부해 보내주십시오.

마. 전형 및 발표 2017년 2월 중 선정 여부를 개별 통지해드립니다.

2. 활동내용

가. 활동기간 2017년 3월 ~ 2017년 9월

나. 활동내용 트렌드 및 트렌다이어리 작성법 관련 교육 이수, 트렌다이어리 제출, 2018년 트렌드 키워드 도출 워크숍, 기타 트렌드 예측 관련 세미나 및 단합대회 참석(본인 희망 시)

다. 활동조건 센터 소정의 훈련 과정 이수 후, 센터가 요구하는 분량의 트렌다이어리 제출, 트렌드 키워드 도출 워크숍 참여

라. 혜　택 각종 정보 제공
CTC 주최 트렌드 관련 세미나·워크숍 무료 참여,
『트렌드 코리아 2018』에 트렌드헌터로 이름 등재
『트렌드 코리아 2018』 트렌드 발표회에 우선 초청
활동증명서 발급 등

2018년 한국의 소비트렌드를 전망하게 될 책, 『트렌드 코리아 2018』에 게재될 사례에 대한 제보를 받습니다. 본서 『트렌드 코리아 2017』의 10대 키워드인 'CHICKEN RUN'에서 아이디어를 얻었거나 해당 키워드에 부합하는 상품·정책·서비스 등을 알고 계신 분은 간략한 내용을 보내주시면 감사하겠습니다. 특히 본인이 속해 있는 기업이나 조직에서 선보인 새로운 상품, 마케팅, 홍보, PR, 캠페인, 정책, 서비스, 프로그램 등이 『트렌드 코리아 2018』에 소개됐으면 좋겠다고 생각하시면 해당 자료를 첨부하여 보내주셔도 좋습니다.

1. 제보내용
- 『트렌드 코리아 2017』의 'CHICKEN RUN' 키워드와 관련 있는 새로운 사례
- 2018년의 트렌드를 선도하게 될 것이라고 여겨지는 새로운 사례
- 위의 사례는 상품뿐만 아니라 마케팅, 홍보, PR, 캠페인, 정책, 서비스, 대중매체의 프로그램, 영화, 도서, 음반 등 모든 산출물을 포함합니다.

2. 제보방법 〈example.ctc@gmail.com〉으로 이메일을 보내주십시오.

3. 제보기간 2017년 8월 31일까지

4. 혜　택 채택되신 제보자 중에서 추첨을 통해 『트렌드 코리아 2018』 도서를 보내드립니다.

5. 제보해주신 내용은 소비트렌드분석센터의 세미나와 집필진의 회의를 거쳐 채택 여부를 결정하며, 제보해주신 내용이 책에 게재되지 않거나 수정될 수 있습니다.

트렌드 코리아 2017

초판 1쇄 발행 2016년 10월 31일
초판 10쇄 발행 2016년 12월 30일

지은이 김난도·전미영·이향은·이준영·김서영·최지혜
펴낸이 성의현

주간 김성옥
책임편집 김성옥·정혜재
디자인 공미향
마케팅 연상희·김효근·허신애·김은영
경영지원 최수진

펴낸곳 미래의창
등록 제10-1962호(2000년 5월 3일)
주소 서울시 마포구 월드컵북로6길 30 (동교동, 신원빌딩 2층)
전화 02-325-7556 (편집), 02-338-5175 (영업) **팩스** 02-338-5140
ISBN 978-89-5989-423-9 13320

※ 책값은 뒤표지에 있습니다. 잘못된 책은 바꿔 드립니다.

이 도서의 국립중앙도서관 출판예정도서목록(CIP)은 서지정보유통지원시스템 홈페이지(http://seoji.nl.go.kr)와
국가자료공동목록시스템(http://www.nl.go.kr/kolisnet)에서 이용하실 수 있습니다.(CIP제어번호: CIP2016025262)